MAÎTRE HIRAM ET LE ROI SALOMON

DU MÊME AUTEUR
CHEZ POCKET

L'AFFAIRE TOUTANKHAMON
CHAMPOLLION L'ÉGYPTIEN

Le juge d'Égypte

1 — LA PYRAMIDE ASSASSINÉE
2 — LA LOI DU DÉSERT
3 — LA JUSTICE DU VIZIR

POUR L'AMOUR DE PHILAE
LA REINE SOLEIL
BARRAGE SUR LE NIL
LE VOYAGE INITIATIQUE

CHRISTIAN JACQ

MAÎTRE HIRAM ET LE ROI SALOMON

ÉDITIONS DU ROCHER

ISBN : 2-266-03422-7

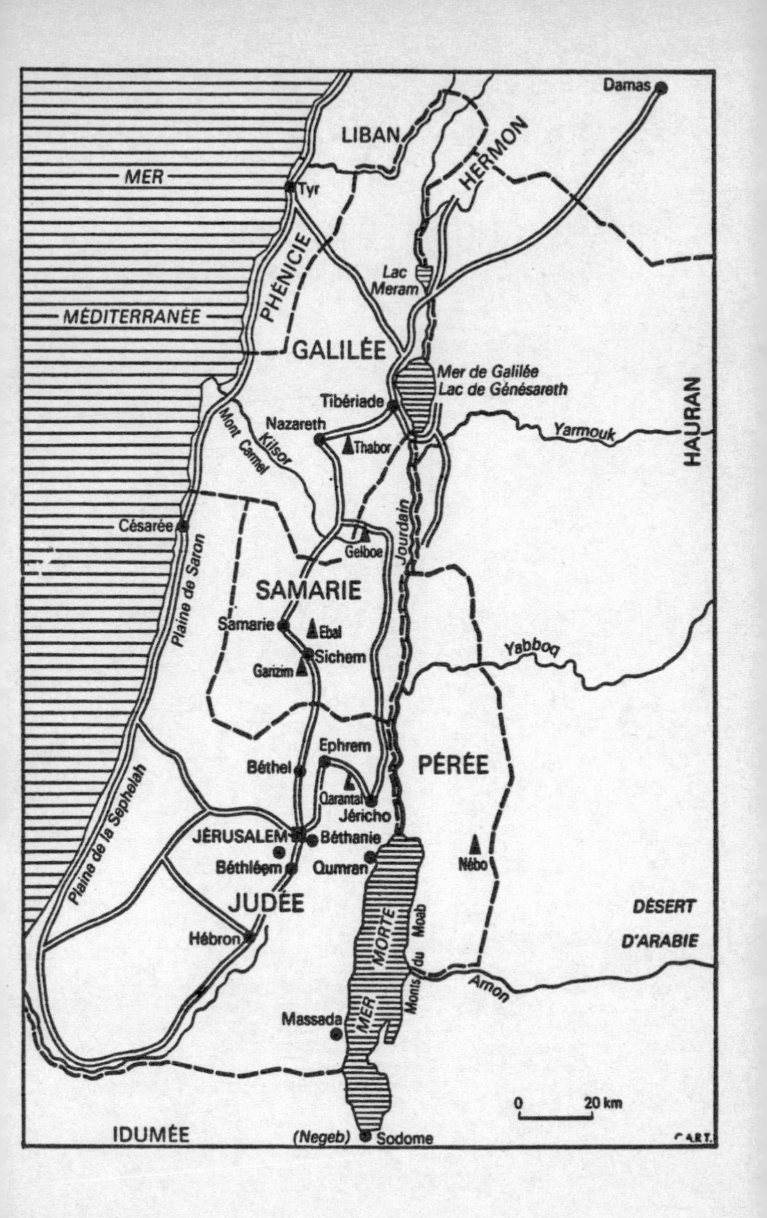
Damas
LIBAN
HERMON
MER
Tyr
PHÉNICIE
Lac
Meram
MÉDITERRANÉE
GALILÉE
Mer de Galilée
Lac de Génésareth
HAURAN
Tibériade
Nazareth
Thabor
Yarmouk
Mont
Carmel
Kilsor
Jourdain
Césarée
Gelboe
Plaine de Saron
SAMARIE
Samarie
Ebal
Sichem
Garizim
Yabboq
Ephrem
Béthel
PÉRÉE
Qarantal
Jéricho
Plaine de la Sephelah
JÉRUSALEM
Béthanie
Nébo
Béthléem
Qumran
JUDÉE
DÉSERT
D'ARABIE
MORTE
Monts du Moab
Hébron
Amon
MER
Massada
0
20 km
IDUMÉE
(Negeb)
Sodome

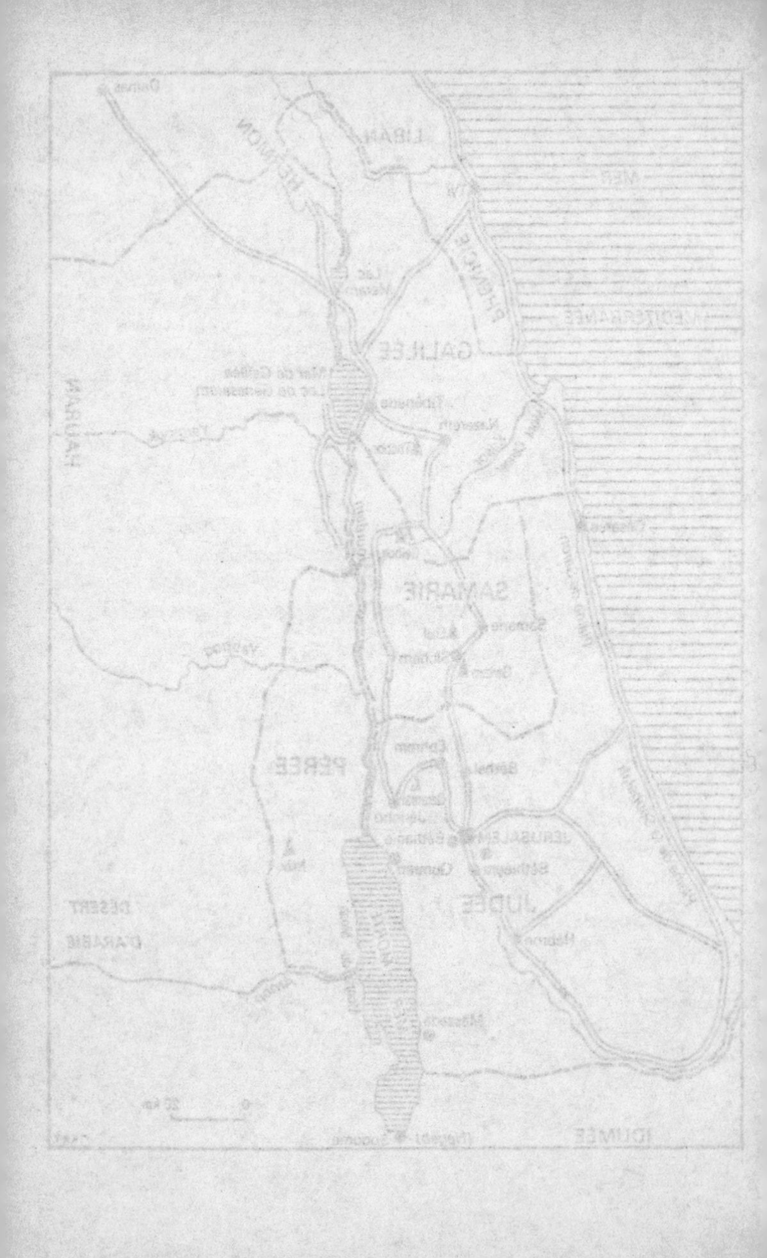

PREMIÈRE PARTIE

Je décidai de faire de la Sagesse la compagne de ma vie,
sachant qu'elle serait ma conseillère aux jours heureux,
ma consolation dans mes soucis et mes peines,
grâce à elle, j'aurai renom auprès des foules,
et, bien que jeune, honneur auprès des vieillards.
Qui, plus que la Sagesse, est ouvrière de l'univers?

Livre de la Sagesse, 8, 9-10 et 8,6.

La Sagesse élève ses enfants
et prend soin de ceux qui la cherchent.
Celui qui l'aime aime la vie,
ceux qui la cherchent dès le matin
seront remplis de joie.
Celui qui la possède héritera la gloire.

L'Ecclésiastique, 4, 11-13.

1.

Salomon passa amoureusement la main sur l'Arche d'alliance. Lui seul, parmi les enfants du roi David, était capable d'accomplir ce geste sans être foudroyé par la mystérieuse énergie émanant du sanctuaire qui contenait les Tables de la Loi.

Pendant quelques jours, l'Arche demeurerait à Silo, au cœur de la Judée, la province des rois, où Abraham avait vénéré le vrai dieu, l'Unique qui avait changé le destin de l'humanité en choisissant Israël comme terre d'élection. Silo avait été la première capitale de David avant qu'il ne s'établisse à Jérusalem. Le vieux monarque exigeait que l'Arche voyageât périodiquement, rappelant aux Hébreux qu'ils demeuraient des nomades en quête du Seigneur.

Salomon avait été chargé de protéger le tabernacle précieux entre tous. A la tête d'une escouade formée de soldats d'élite, il avait quitté Jérusalem, s'était arrêté à la caverne de Macpéla où reposaient les patriarches, avait cheminé entre les vignes, chargées de grappes de raisin, contemplé les cultures en terrasse qui partaient à l'assaut de pentes sèches et rocailleuses. En Judée, rien ne limitait le regard. L'horizon apparaissait fauve, habité d'un soleil infatigable. Le pas du marcheur soulevait une poussière rouge qui venait mourir dans le creux d'un limon.

Silo était le but de l'expédition. La petite cité, bâtie sur le territoire de la tribu Ephraïm, s'enorgueillissait d'avoir accueilli l'Arche lors de la fameuse bataille contre les Philistins. Le sanctuaire de Yahvé avait été porté au cœur de la mêlée, il affirmait la présence divine et donnait la victoire à Israël, dans un grand concert de hurlements de douleur et de cris d'allégresse.

Cris et hurlements hantaient Salomon. La guerre, la violence, le sang... Son peuple était-il condamné à ces calamités? Yahvé serait-il toujours un dieu vengeur, avide d'affrontements?

D'étranges pensées torturaient le cœur de Salomon, jeune prince de vingt ans à la beauté envoûtante. Les devins avaient prédit, dès sa naissance, que son grand front serait l'hôte de la Sagesse, que son visage ne serait creusé d'aucune ride et que ses traits ne vieilliraient pas. Dès son adolescence, Salomon avait fait montre d'une puissance sereine et d'une autorité naturelle qui subjuguaient ses interlocuteurs.

Qui aurait imaginé l'intensité de la tempête où il s'agitait en vain, comme un bateau privé de gouvernail? Salomon ne trouvait plus le sommeil. Il perdait son goût inné pour l'étude et la poésie. Même la prière ne lui procurait plus la moindre quiétude.

La troisième veille de la nuit s'achevait. Après celle du lever des étoiles et celle de minuit, venait la dernière, celle de l'aurore. Salomon était demeuré près de l'Arche, suppliant le Seigneur d'accorder enfin la paix à Israël. Pourquoi les habitants des villages tremblaient-ils de peur, pourquoi tant d'entre eux mouraient-ils frappés par l'épée, pourquoi leurs maisons étaient-elles pillées et incendiées, pourquoi fallait-il que tout ce qui respirât fût mis à mort? Pourquoi les clans continuaient-ils à s'entretuer, pourquoi Israël guerroyait-il contre ses voisins?

Salomon avait répété cent fois ces questions.

Mais Dieu restait muet.

A l'instant où le soleil perça la brume de ses premiers rayons, le fils de David osa poser la main sur l'Arche.

Puisque Yahvé ne l'avait pas anéanti, c'est qu'il avait entendu sa prière. Un jour, une nuit, la réponse viendrait.

Salomon contempla l'Arche.

Le foyer d'énergie duquel Israël puisait sa force était

une caisse en bois d'acacia, haute d'une coudée et demie et longue de deux coudées et demie. Recouverte d'or pur, au-dedans comme au-dehors, elle était protégée par les ailes des Chérubins sur lesquelles, invisible, siégeait Yahvé, le chevaucheur des nuées. De ces dernières, il usait comme d'un char et parcourait l'univers jusqu'au jardin d'Eden dont les portes étaient gardées par ces lions ailés à tête humaine, incarnations de la vaillance que nulle faiblesse ne pouvait corrompre.

Salomon fut tenté d'ouvrir le reliquaire, d'en extraire les deux plaques de pierre sur lesquelles étaient gravés les dix commandements divins, le pacte du Sinaï par lequel Israël était devenu le fidèle serviteur de Yahvé. Mais ce privilège était réservé au roi. Seul David avait capacité de lire le message de l'origine en contemplant la parole du Maître céleste.

Salomon étendit sur l'Arche une étoffe précieuse en poils de chèvre, puis protégea les barres d'acacia recouvertes d'or avec des peaux de bélier teintes en rouge. Ainsi, le sanctuaire serait invisible aux yeux des porteurs.

Le fils de David sortit de la tente servant d'abri à l'Arche. La lumière du jour avait déjà envahi la plaine verdoyante qui s'étendait au pied de la colline ; à son sommet avait été établi le campement. Salomon eut le sentiment que le monde lui appartenait. Chassant cette folle pensée, il leva les yeux vers le soleil naissant, se laissa éblouir, songeant à disparaître dans un foisonnement de lumière.

Les Hébreux[1] ne seraient-ils pas toujours des errants ? Au-delà des cultures, le désert. Ce désert qui séparait Israël de la civilisation haïe, l'Egypte, que Salomon admirait en secret depuis son enfance. Les enseignements des sages égyptiens n'étaient-ils pas les plus profonds et les plus subtils ? L'Egypte n'était-elle pas le seul grand pays goûtant les délices de la paix et de la richesse ? Le fils de David avait su taire son inclination pour l'empire des pharaons. Il n'avait partagé son secret

1. A l'époque de Salomon, le terme de « juif » n'existe pas. On parle d'Israélites ou d'Hébreux.

avec personne, surtout pas avec son père qui aurait pu prendre contre lui une mesure de bannissement. Comme lui, Salomon était un homme du désert, des espaces infinis, un chercheur d'absolu. Il savait que Dieu ne se dévoilait vraiment que dans le silence et la solitude. Mais Salomon ne parvenait pas à admettre qu'Israël s'enfonçât dans de stériles souvenirs. Pour instaurer une paix durable, il fallait aux Hébreux un Etat puissant et une capitale aussi brillante que la Thèbes d'Egypte.

Ce n'était là qu'imagination inféconde.

Bras croisés, le regard fixé sur un petit village qui s'éveillait, le fils de David crut entendre un cri de douleur. Etait-il en proie à l'un de ces cauchemars dont l'accablaient trop souvent les démons de la nuit ?

Des voix d'hommes. Les bruits d'un combat.

Salomon s'avança jusqu'au rebord du plateau rocheux. Sur une plate-forme, à une dizaine de mètres en contrebas deux fantassins de sa garde personnelle se battaient à coups de bâton avec une incroyable violence. Le corps en sueur, malgré la fraîcheur matinale, vêtus d'un simple pagne, ils frappaient pour tuer. Leurs camarades assistaient à la scène avec enthousiasme, encourageaient les deux champions.

Ces derniers joignaient l'insulte à l'engagement physique, espérant ainsi amoindrir la résistance de l'autre. « Je donnerai ta chair aux oiseaux du ciel et aux bêtes des champs ! », hurla le plus petit des jouteurs, aux jambes épaisses et au large torse. Son bâton s'éleva très haut, dessina une courbe étrange et s'abattit sur le crâne du soldat qui lui avait lancé un défi, l'obligeant à répondre par les armes. Le coup fut décisif. Le vaincu s'effondra, le visage inondé de sang.

Le drame s'était déroulé si vite que Salomon n'avait pas eu le temps d'intervenir. Le vainqueur hurla de joie, jetant son bâton sur le cadavre du vaincu.

— Que ce chien pourrisse parmi les charognes ! exigea-t-il. Les rapaces et les rongeurs seront ses fossoyeurs. Que ses os deviennent des ordures que disperseront les vents !

Soudain, l'un des soldats aperçut Salomon. Il tapa sur

l'épaule de son voisin qui avertit ses camarades. En quelques secondes, le silence s'établit.

— Que cet homme monte jusqu'à moi, ordonna le fils de David en désignant le triste héros.

Ce dernier jeta des regards affolés autour de lui. Personne ne lui vint en aide. Il obéit, empruntant d'un pas hésitant le sentier abrupt qui menait au sommet de la colline. Affronter Salomon l'inquiétait davantage que lutter à mort contre un colosse. Il connaissait l'aversion du fils de David pour la violence.

— Seigneur, affirma-t-il en mettant un genou à terre, je n'ai pas trahi la Loi. J'ai été défié, j'ai répondu selon la coutume.

Salomon savait trop bien que les Hébreux aimaient les joutes et les duels. Un large public y assistait. L'exploit de David abattant Goliath avait popularisé l'usage de la fronde. Nombre de jeunes gens mouraient, chaque année, le front fracassé par un projectile.

— Pourquoi tuer ton adversaire ? demanda Salomon.

La question surprit le soldat.

— Je n'avais pas le choix, Seigneur. L'Ange n'a-t-il pas combattu avec Jacob avant de lui donner le nom d'Israël ? Nous sommes des guerriers. Dans un combat, il faut aller jusqu'au bout !

Le vainqueur était exalté. Il n'éprouvait pas le moindre remords. Demain, dans des circonstances semblables, il agirait de même. S'il le châtiait, Salomon provoquerait le mécontentement indigné des soldats de sa garde.

— Va-t'en, ordonna-t-il.

Souriant, le meurtrier décampa. Il comptait fêter sa victoire avec ses camarades et n'oublierait pas de remercier Yahvé pour avoir rendu son bras puissant.

Salomon, après avoir demandé au chef de sa garde de venir auprès de l'Arche avec une escouade, descendit au pied de la colline. Il s'assit sur un rocher et se cacha la tête dans les mains.

La paix n'était qu'un rêve. Un mirage auquel il voulait croire pour se donner une raison de vivre. Il lui fallait voir la réalité en face. Il ne serait qu'un prince élégant, traînant son ennui au palais royal et composant des poèmes que des courtisans seraient obligés d'apprécier.

Le son cristallin d'une cloche se répandit dans l'air matinal.

Salomon sursauta.

David avait interdit l'usage de cet instrument depuis que s'était tue la cloche qui lui avait été offerte par des anges. Lorsque le roi présidait son tribunal, elle tintait en présence de l'innocent et demeurait muette quand le coupable disparaissait. Aussi la justice, émanant de Dieu même, régnait-elle en maîtresse absolue sur Israël. Mais David avait péché. Et la cloche s'était tue, obligeant le souverain à prononcer ses propres jugements, au risque de se tromper.

David ne présidait plus le tribunal. Le vieux souverain attendait désespérément que la cloche se manifestât à nouveau. La cloche de David... Etait-ce elle que Salomon entendait? Il se leva, marcha en direction d'une grotte d'où semblait provenir le tintement. Il avança à l'intérieur de ce monde obscur et humide. Le son s'amplifiait.

Il se transforma en une voix puissante, très grave, trop grave pour être humaine. Une sérénité profonde envahit le cœur du fils de David. Il sut que cette invisible présence était celle de Dieu.

Salomon écouta, de tout son être. S'agenouillant, il murmura une prière : « A toi qui es Puissance parmi les puissances, je ne demande ni fortune ni grand âge. Mais accorde-moi l'intelligence nécessaire pour trouver le chemin de la paix et savoir discerner le bien du mal. »

Une intense lumière emplit la grotte, obligeant Salomon à fermer les yeux. La voix grave, qui n'avait émis que des vibrations, s'estompa.

Quand le fils de David sortit de la grotte, le soleil avait atteint le sommet du ciel. Les soldats de la garde vociféraient et couraient dans tous les sens. Leur chef se précipita vers son maître.

— Seigneur! Nous vous avons cherché partout. Un messager est venu de Jérusalem. Vous devez rentrer immédiatement. Votre père se meurt.

2.

Jérusalem s'élevait sur la butte de Sion. La ville apparaissait comme une forteresse que murailles et portes fortifiées rendaient inexpugnable. Pourtant, David s'était emparé d'elle, se lançant à l'assaut des hauts murs après en avoir organisé le siège. Le roi avait remporté là sa plus belle victoire, donnant à Israël une nouvelle capitale.

Bornée sur trois côtés par d'austères vallées, entourée de ravins aux pentes abruptes où des ouadi, gonflés d'eau par les orages, creusaient des veines sinueuses, la place forte était protégée par le relief. David n'avait pas jugé nécessaire d'ajouter maintes nouvelles fortifications, sauf sur l'éperon nord. Sur le promontoire de l'Ophel, haut de près de sept cents mètres, se dressait la Sion de David.

Salomon pénétra dans Jérusalem par l'une des portes fortifiées que gardaient en permanence des soldats armés. La capitale d'Israël lui procurait plus d'angoisse que de joie. Pourquoi prenait-elle une allure si rébarbative, pourquoi dissimulait-elle ses charmes sous ce visage fermé et agressif? Les palais des riches, qui formaient la ville haute, offraient une trop discrète note de gaieté à cet univers inquiet.

D'ordinaire si animée, si bruyante, Jérusalem était enfermée dans un carcan de silence. Debout sur un char que tiraient deux chevaux, Salomon répondit au salut qui lui fut adressé par le responsable du poste de garde installé au-dessus de l'accès principal. A cet endroit, la muraille avait une triple épaisseur. Contrairement à l'habitude, les soldats ne laissaient pas entrer dans la ville les troupeaux de brebis qui se rendaient aux fermes des quartiers bas.

Salomon, nerveux, monta directement au palais de son père, pressant les chevaux. Rues et ruelles étaient désertes. Les habitants avaient rabattu des volets de bois sur les ouvertures étroites qui laissaient filtrer la lumière dans leurs demeures. La nouvelle s'était vite répandue dans tous les quartiers, semant la désespérance. Avec la disparition de David s'ouvrirait une période de troubles pendant laquelle les ambitieux se battraient pour conquérir le pouvoir. Le peuple subirait les conséquences d'affrontements sanglants. Déjà les mères songeaient à dissimuler leurs enfants. Beaucoup d'hommes avaient l'intention de se réfugier dans la campagne, redoutant le déferlement de hordes sauvages voulant imposer leur favori à la pointe de l'épée.

Le palais du roi n'était qu'une maison plus vaste et plus solide que les autres. Bâtie en calcaire, elle possédait des murs épais, dressés sur le roc qui constituait la meilleure des fondations. Ni les tempêtes ni les pluies n'emporteraient la résidence du souverain que son fils eût souhaitée plus riche et plus somptueuse. Le mortier d'argile, utilisé pour lier les pierres, était aussi grossier que l'édifice lui-même. Il n'existait aucun architecte de génie, en Israël, qui eût été capable d'ériger un immense palais rivalisant de beauté avec celui de Pharaon.

David n'avait cédé qu'à un seul luxe : des sols de galets dans les pièces principales et un magnifique parquet de cèdre dans sa chambre. Les pauvres se contentaient de terre battue. Pour expier ses péchés, le monarque aurait préféré les imiter, mais son épouse, Bethsabée, s'y était opposée.

L'endroit déplaisait à Salomon. Il le jugeait glacial et inhospitalier. Alors qu'il avait décidé de s'en ouvrir à son père, espérant le convaincre de faire construire une demeure enfin digne de lui, l'avenir s'obscurcissait. David ne serait-il pas immortel, lui dont les chants avaient réjoui le cœur de Dieu?

Salomon n'avait jamais envisagé la disparition de son père. David incarnait l'autorité suprême. Pourtant, il n'était pas exempt de critiques. Il n'avait pas réussi à rétablir la paix, à faire d'Israël une nation cohérente et suffisamment puissante pour tenir au loin ses ennemis. Obsédé par ses fautes passées, il s'était replié sur sa souffrance, songeant davantage à lui-même qu'à son peuple. Mais ces reproches comptaient bien peu en regard de l'amour d'un fils pour son père. Salomon aurait donné sa vie pour préserver celle de David. Jamais il n'avait discuté un ordre du roi, fût-il en désaccord avec ce qui lui était demandé.

Ce fut Nathan, le précepteur de Salomon, qui l'accueillit sur le seuil des appartements royaux. Bien plus que David, Nathan avait été le maître spirituel du jeune homme. Estimant que son disciple était aimé du Seigneur et que la Sagesse l'avait marqué de son sceau, il lui avait consacré l'essentiel de son temps, l'initiant à la signification des textes sacrés et à la pratique des sciences secrètes.

Salomon apprenait vite. Plus il découvrait, plus il avait envie de découvrir. Les frivolités de l'existence ne l'intéressaient pas. Travailler sous la direction de son précepteur lui semblait la plus enviable des existences.

Nathan, vieillard de haute taille à la barbe blanche, était vêtu d'une longue robe blanche au décolleté carré. Il ne portait aucun bijou, aucune marque distinctive de sa haute fonction à la cour. Mais sa seule prestance témoignait de son rang. Son humeur était d'une égalité parfaite et son visage, d'ordinaire, ne trahissait pas ses émotions.

Cette fois, cependant, il portait des marques de fatigue. Au fin sourire du précepteur sûr de lui et de son savoir avait succédé une expression de gravité inquiète.

Salomon lui saisit le bras.

— Mon père... comment va-t-il?

— Il est au plus mal. C'est pourquoi je vous ai envoyé chercher.

— L'Arche est de retour à Jérusalem. Sa présence le sauvera.

— Dieu vous entende.

Un instant, la voix de la grotte emplit la tête de Salomon. Il fut assez maître de lui pour ne rien laisser paraître.

— Puis-je le voir ?

— Votre mère vous attend, répondit Nathan.

Le précepteur introduisit Salomon dans une petite pièce aux murs nus. Bethsabée était assise sur un siège bas. Les yeux clos, elle semblait dormir. Dès que son fils entra, elle se leva et le prit dans ses bras.

— Salomon, enfin !

— Je n'ai pu revenir plus vite, mère.

— Je ne te reproche rien. J'avais si peur...

— Pourquoi ?

— Le mal rôde, mon fils. Israël est en péril. David n'est pas encore mort et, déjà, certains se proclament roi !

Celle que le peuple nommait « la grande dame » avait gardé, la soixantaine passée, une exceptionnelle noblesse. Mince, élancée, le visage aux traits si fins qu'ils avaient séduit David au point de mécontenter Yahvé, elle régnait sur une cour que son époux avait délaissée.

— Qu'attendez-vous de moi, ma mère ? Vous savez bien que je vous protégerai contre tout agresseur, fût-il prétendant au trône.

Bethsabée s'écarta de son fils. Elle cachait mal sa détresse.

— J'aime David et David m'aime... Comment pourrais-je...

— Le temps n'est plus aux sentiments, déclara Nathan. Le roi se meurt. Si vous n'agissez pas au plus vite, c'est Israël qui perdra la vie.

Retenant ses larmes, Bethsabée sortit de la petite pièce et se rendit dans la chambre où son époux agonisait.

Salomon tentait en vain de comprendre le sens de ces étranges événements.

— Que se passe-t-il, Nathan ?

Le précepteur se fit sévère.

— L'heure est venue de vous révéler le secret que je

partage depuis longtemps avec votre mère. Un secret qui engage l'avenir du pays.

Un froid atroce pénétra les os de Salomon, si vif qu'il faillit lui arracher un cri de douleur.

— En quoi me concerne-t-il?

— Il ne concerne que vous, Salomon. David a promis à son épouse qu'il vous choisirait comme successeur.

— Moi?

Salomon perdit la voix. Devenir souverain d'Israël, s'asseoir sur le trône de David, recevoir la charge de conduire le peuple de Dieu sur le chemin de la Sagesse... Jamais il n'en serait capable.

— Qui a imaginé cette folie?

— Celui qui vous connaît le mieux : votre précepteur. Depuis votre jeune âge, j'ai discerné en vous la grandeur des rois. Je me suis confié à votre mère. Elle était parvenue à la même conclusion.

— Et mon père...

— David a reconnu la pertinence de nos propos. Il a donné sa parole. Aujourd'hui, il doit la rendre officielle. Suivez-moi.

Salomon ne protesta pas. Assommé par la nouvelle, il se laissa guider par son précepteur.

Les deux hommes pénétrèrent dans la chambre du monarque.

David, les yeux fixés sur la flamme d'une torche, avait le corps recouvert d'une étole de laine. Le parquet de cèdre crissa sous les pas de Salomon qui se plaça aux côtés de sa mère, à la tête du lit.

Le visage du mourant était creusé par la souffrance. Toute trace de séduction avait disparu. Il ne restait plus que le poids de soixante-dix années passées à aimer, à prier et à combattre.

— Roi d'Israël, dit Bethsabée d'une voix tremblante, tu as juré à ta servante que mon fils Salomon régnerait après toi et siégerait sur ton trône. Israël a les yeux fixés sur toi. Il attend que tu fasses connaître le nom de ton successeur.

— Que Nathan sorte de ma chambre, ordonna David, sans bouger la tête.

Le précepteur obéit.

Le vieux souverain se redressa, comme s'il retrouvait par miracle sa vigueur passée. Il contempla son épouse.

— Par la vie de Dieu qui m'a délivré de toutes les détresses, ce que j'ai juré, je le respecterai. Approche, mon fils, et donne-moi ta main.

Salomon obéit, stupéfait par la fermeté du ton. Il fut persuadé que David vaincrait la maladie, qu'il connaîtrait encore de nombreuses années à la tête de son peuple.

Le fils plaça sa main droite dans celle de son père qui la serra avec force.

— Je te transmets la royauté, Salomon, celle que Dieu m'a confiée et dont je me suis montré indigne. La mort est la corde qui est coupée par Sa main, le piquet arraché, la tente emportée par le vent du désert. Mon âme est prête à traverser le ciel pour comparaître devant mon juge. J'ai guerroyé et j'ai vaincu. Que cette époque soit à jamais révolue. Toi qui portes le nom de Salomon, « à lui la paix », obtiens-la sur cette terre. Fais-en le lien entre Israël et le ciel. Ma couronne est tachée de sang. Des têtes coupées gisent au pied de mon trône. C'est pourquoi je n'ai pas pu bâtir la maison du Seigneur. Acquitte-toi de cette tâche, mon fils. Recherche sans cesse la sagesse, celle qui fut créée avant les origines, avant que naissent la mer, les fleuves et les sources, avant que ne se dressent les montagnes, avant que les jours ne se différencient des nuits, avant que la lumière ne sorte du chaos et que les cieux soient fermement établis. C'est avec la sagesse que Dieu mesure l'univers et c'est avec elle qu'il fonda la Terre, c'est grâce à elle qu'il traça les sentiers que parcourent les astres. Sans elle, tu ne construiras rien.

La main de David trembla. Ses yeux se révulsèrent. Salomon l'aida à s'allonger. La mort lançait un nouvel assaut.

— Bethsabée, demanda le roi dans un souffle, convoque sur l'heure le conseil de la Couronne... Je veux parler à ses membres. Mon fils restera auprès de moi.

L'épouse de David ne tarda pas à réunir les trois dignitaires qui composaient le conseil : Nathan le précepteur, Sadoq le grand prêtre et Banaias le chef de l'armée. Ce dernier était un colosse dont l'impressionnante musculature contrastait avec la maigreur du grand prêtre. Chacun savait que Banaias était devenu l'homme le plus puissant d'Israël. Sans son accord, le futur roi ne serait qu'un pantin désarmé. Le chef de l'armée ne parlait presque jamais. Il avait servi David avec la plus absolue fidélité. Mais nul ne connaissait ses pensées concernant la succession.

David demanda à Salomon de lui redresser le buste, malgré l'intense douleur qu'il éprouvait dans cette position. Il tenait à s'exprimer comme un monarque et non comme un mourant.

— A vous qui formez mon conseil, annonça-t-il avec une énergie presque hargneuse, je révèle mon ultime décision : Salomon est le nouveau roi d'Israël. Quiconque oserait s'attribuer ce titre et ne lui prêterait pas serment d'allégeance serait mis à mort.

Sadoq fut le premier à incliner la tête. Puis ce fut le tour de Nathan. Banaias, vêtu d'une cuirasse d'argent, semblait réfléchir. La gorge de Bethsabée s'assécha. Si le chef de l'armée avait choisi un autre prétendant, son épée percerait bientôt le cœur des proches de David.

— La volonté du roi est celle de Dieu, dit Banaias d'une voix rauque. Que Salomon commande et j'obéirai.

David sourit. Son visage retrouva soudain le charme auquel personne ne résistait. L'envoûteur écartait le masque hideux qui l'attendait.

— Retirez-vous... Toi, Salomon, reste.

Dès qu'ils furent seuls, le roi repoussa sèchement son fils. Etonné par ce changement d'attitude, Salomon vit le regard de son père s'allumer d'une flamme ardente, presque juvénile, où passait l'ange de la folie.

— Je te consacre mes derniers instants, mon fils... Promets-moi de m'obéir.

— Je suis ton serviteur...

— Non, Salomon! Tu es le roi, à présent. Ton seul maître, c'est Dieu. Mais moi, ton père, j'ai une requête à te présenter.

Le fils de David s'agenouilla et serra entre ses mains celles de l'agonisant dont le souffle se faisait de plus en plus court.

— Parle, et j'exécuterai.

— Grâce te soit rendue, Salomon... Tu peux m'offrir la paix dont j'ai besoin... Tu sais que Joab, ce traître infâme, a tué des êtres qui m'étaient chers, dont un de mes neveux. Venge-moi, Salomon! Applique la Loi : œil pour œil, dent pour dent, vie pour vie. Supprime cet assassin. En tant que roi, tu es le juge suprême. Tu agiras selon ce que tu estimeras sage... mais par amour de moi, par amour de ta fonction, ne laisse pas les cheveux blancs de Joab descendre en paix au séjour des morts.

La voix de David se brisa. Son buste s'inclina. Dieu venait de reprendre l'âme du poète à la voix de miel.

3.

Autour de la citerne, les spectateurs hurlaient. Ils encourageaient leur champion, l'homme le plus courageux d'Israël, Banaias. Au fond de la cuve vide, glissant sur une mare huileuse, il affrontait un lion capturé dans les montagnes. Pendant la période de deuil séparant la mort de David du couronnement de Salomon, le chef de l'armée avait jugé bon de distraire le peuple en lui prouvant que sa sécurité était assurée par un brave plus fort qu'un fauve. Banaias avait foi en sa puissance depuis qu'il avait terrassé un géant égyptien, lui arrachant la lance dont il le menaçait et lui fracassant le crâne à coups de bâton. Les mains en sang, l'Israélien n'avait ressenti aucune douleur. L'ivresse de la victoire le rendait invulnérable.

Incapable de trouver une assise, le lion, furieux, attaqua à contretemps. Banaias, habitué à s'entraîner sur cette surface, évita les griffes et s'empara du fauve par-derrière, enserrant sa nuque dans l'étau de ses énormes mains aux doigts rigides comme la pierre. Le hurlement de victoire se confondit avec le râle d'agonie de l'animal.

Banaias fut acclamé par la foule. Il lui restait à peine le temps de se laver et de se vêtir pour se rendre au palais où Salomon l'avait convoqué. Quand il passa dans la rue menant à la résidence royale, le colosse fut salué par de nombreux citadins.

Salomon reçut Banaias dans un bureau austère. Les deux hommes restèrent debout. Le militaire sentit que le fils de David, vêtu d'une tunique bleue sans couture, n'était plus un prince élégant, uniquement soucieux de poésie. La gravité de son expression, même chez un homme jeune, trahissait l'intensité de ses préoccupations.

— Es-tu décidé, Banaias, à me servir comme tu as servi mon père ?

— J'appartiens à une famille de soldats, Majesté. Je suis né aux confins du désert, là où l'on apprend à se battre et à défendre sa vie.

Salomon, de ses yeux bleu profond, regarda longuement Banaias. Ce dernier fut subjugué.

— Je te nomme chef suprême de mon armée, déclara le fils de David, et chef de ma garde privée. Nous nous entretiendrons souvent. Ne t'éloigne jamais de la cour. A tout instant, je peux avoir besoin de toi.

Banaias fut inondé d'une immense fierté. David, certes, avait déjà reconnu sa valeur. Mais Salomon faisait bien davantage.

— Sur le saint nom de Yahvé, jura-t-il, je m'engage à rester fidèle à mon maître dans la joie comme dans la peine.

Salomon cacha sa jubilation. Il venait de remporter la première victoire de son règne. Mais comment aurait-il goûté un vrai bonheur, alors qu'il était hanté par l'atroce exigence de son père défunt ?

— Il me faut te consulter, Banaias.

Le nouveau chef de l'armée émit une sorte de grognement.

— Je sais me battre, Seigneur, et non conseiller un roi.

Salomon prit Banaias par le bras et l'entraîna hors du bureau. Ils traversèrent un couloir et s'avancèrent sur une terrasse surplombant les demeures des riches. Les murs blancs brillaient sous le soleil. En cette fin de journée, la ville demeurait inquiète. Aurait-elle bientôt un souverain capable de gouverner ?

— Quels sont les crimes que Dieu condamne, Banaias ? Se révolter contre Lui, être idolâtre, proférer des blasphèmes, ne pas célébrer la pâque, ne pas respecter le sabbat, ne pas faire circoncire son fils, s'adonner à la magie noire... Mais exécuter les ordres du roi, est-ce un crime?

— Bien sûr que non! protesta le chef de l'armée.

— Puisque tu en juges ainsi Banaias, trouve Joab, l'ennemi de David.

— Et quand je l'aurai trouvé...

— Que ton bras applique ma sentence : la mort.

— Avant que naisse le soleil de demain, Seigneur, tu seras satisfait de moi.

Banaias parti, Salomon eut envie de crier sa détresse. Il n'avait pas le choix. Comment refuser d'accomplir la dernière volonté de David?

Le futur roi d'Israël dîna en compagnie de sa mère mais ne toucha à aucun mets. Il renvoya les musiciens et ordonna que le plus grand silence régnât dans le palais.

— Pourquoi tant de tourments, mon fils? Dieu a voulu que tu succèdes à David. Toute révolte est inutile. Respecte son désir et tu connaîtras des jours sereins. Permets-moi... permets-moi de te présenter une requête.

Salomon sortit de sa torpeur. Sa mère adoptait l'attitude d'une servante envers son maître. Elle ne le considérait plus comme son enfant, mais comme son roi. Un monde s'écroulait. Un univers s'ouvrait. Il lui restait à en découvrir les lois.

— Parle, ma mère.

— Adonias, un courtisan, a demandé comme épouse une concubine de David. Il implore ton consentement.

Salomon, blême, se leva.

D'un revers de main, il renversa une coupe de vin. Jamais Bethsabée n'avait vu son fils en proie à une telle fureur froide.

— Etes-vous consciente, ma mère, de la signification de cette démarche? Les concubines de mon père sont aujourd'hui les miennes! Ce que réclame Adonias, c'est le trône!

Salomon ne se trompait pas. La prière du courtisan masquait une tentative de coup d'Etat. Bethsabée avait commis une erreur impardonnable.

— Qui se rend coupable de se proclamer roi à la place du roi, rappela-t-elle, se condamne lui-même à disparaître.

*
**

Quand Banaias revint au palais, Salomon contemplait l'étoile Polaire. Le regard posé sur l'axe du monde, d'où pendait un fil invisible reliant le ciel à la terre, il avait tenté d'oublier les affaires humaines pour s'emplir du champ de lumières célestes qui s'étendait à l'infini.

Banaias demeura dans la pénombre. Salomon ne se retourna pas.

— J'ai échoué, Seigneur, marmonna-t-il de sa voix rauque.

— M'aurais-tu désobéi ?

— Quand Joab fut prévenu de mon arrivée, il s'est réfugié contre un autel, dans la campagne. Un lieu saint. Il s'est mis hors de portée de mon épée. Il faudra attendre...

— Nul ne peut porter la main sur l'homme qui cherche refuge auprès de Dieu, reconnut Salomon, sauf s'il s'agit d'un criminel. N'est-ce pas le cas, Banaias ? Joab a tué le neveu de David. Il a fait assassiner ses amis. Crois-tu qu'il mérite ton indulgence ? Crois-tu que Dieu acceptera de le protéger ?

Lorsque Salomon leva à nouveau les yeux vers l'étoile Polaire, le cheval de Banaias franchissait l'une des portes fortifiées de Jérusalem.

*
**

Conformément aux coutumes de deuil, Salomon ne s'était ni lavé ni rasé et portait de vieux vêtements.

Tandis qu'un cortège de pleureuses exprimait bruyamment sa peine, le fils de David s'approcha du cadavre de son père, déposé sur un traîneau de bois au milieu de la petite esplanade précédant le palais. La dépouille mortelle avait été lavée avec de l'huile odoriférante et parfumée avec de la myrrhe et du bois d'aloès.

Une robe pourpre recouvrait le cadavre. Sur son côté droit, la harpe dont il s'accompagnait pour chanter ; sur son côté gauche, l'épée avec laquelle il avait combattu. Au front de David, un diadème scintillant.

Salomon embrassa son père sur la tempe. C'était l'ultime baiser, celui de l'amour filial qui survivrait au-delà de la mort. Ainsi, l'âme du souverain d'hier passait-elle dans celle du futur roi.

En tête du cortège, Bethsabée, suivie des pleureuses qui entonnèrent une mélopée soutenue par un air de flûte aux lugubres tonalités. La veuve était le vivant symbole d'Eve qui, après avoir introduit la mort dans l'espèce humaine, devait lui ouvrir la route de l'autre monde.

Plus la procession avança, plus les femmes s'animèrent, s'aspergeant la tête de poussière et poussant des cris désespérés. Bethsabée, dont l'allure majestueuse impressionnait la foule massée sur le parcours menant au tombeau, ne prit pas la route habituelle des funérailles, qui allait jusqu'à la vallée de Josaphat, à plus de cinquante coudées de la ville, mais se dirigea vers la plus haute muraille de la cité fortifiée.

A mi-hauteur avait été creusé un caveau profond, à la voûte surbaissée, auquel on accédait par une rampe. A l'intérieur, la pierre avait été grossièrement taillée. Salomon, Banaias et Sadoq, le grand prêtre, halèrent le traîneau. Le fils de David pénétra seul dans la tombe et médita longuement auprès du cadavre reposant sur une banquette calcaire. A la tête, un paquet d'aromates qui évoquaient l'odeur suave de l'Eden offerte à David.

Dès que Salomon quitta la dernière demeure de son père, Banaias obstrua l'ouverture avec un bloc que les maçons ajustèrent en le dissimulant. La mémoire des siècles oublierait, les os et les chairs se décomposeraient, mais David resterait présent dans les fortifications de sa capitale, prêt à la défendre contre les ténèbres.

Lors du repas qui réunit Salomon, Bethsabée et les membres du conseil de la Couronne, l'unique nourriture fut un pain de deuil consacré par le grand prêtre. Chaque convive avait droit à un verre de vin.

En servant Salomon, Banaias se pencha vers lui et murmura à l'oreille :

— C'est fait, Seigneur. Le criminel a été châtié.

Le chef de l'armée avait arraché Joab à l'autel où il s'était agrippé en hurlant, les doigts ensanglantés. Puis il lui avait tranché la gorge. Ensuite, il s'était rendu chez Adonias et lui avait infligé le même sort, pour haute trahison et complot contre le roi, obéissant ainsi aux ordres de la veuve de David. Ainsi le monarque défunt reposerait-il en paix.

Le vin rituel brûla la gorge de Salomon.

Demain, il serait couronné.

4.

La mule à la belle robe gris perle trottinait en cadence sur la route de Gihon, là où se trouvait la source principale utilisée par les habitants de Jérusalem, là où avait été construit le sanctuaire de l'Arche.

Sur son dos, Salomon, magnifique dans sa tunique rouge aux fils d'or, se préparait à la cérémonie du couronnement qui créerait, aux yeux de Dieu et de son peuple, le nouveau roi d'Israël.

Sous un soleil tendre, le trajet fut vite parcouru. Salomon communiait avec l'animal, à travers le rythme de sa course, oubliant tout ce qui n'était pas l'instant présent.

Devant l'Arche se tenaient le grand prêtre, Sadoq, et Nathan, le précepteur. Ils portaient des robes beiges. Sadoq avait dû renoncer à ses luxueux habits de fonction car, en cette journée de sacre, seul le roi devait apparaître dans la richesse de ses attributs.

Salomon descendit de la mule et lui flatta l'encolure. Puis il fit neuf pas, s'arrêtant entre Sadoq et Nathan, face à l'Arche découverte. Un cordon de soldats maintenait au loin les courtisans. Ce qui se passerait à Gihon ne devait être contemplé que par Dieu et ses plus proches serviteurs.

Sadoq et Nathan élevèrent au-dessus de la tête de Salomon une corne remplie d'huile et en déversèrent lentement le contenu sur l'occiput du souverain.

— L'esprit descend en toi, révéla le grand prêtre. Il rend ta personne sacrée. La grâce divine inspire désormais ton cœur. Ton passé est effacé. Tu deviens le Messie d'Israël, son sauveur et son roi.

Nathan remit à Salomon un sceptre d'or et ceignit son front d'un diadème d'or.

Après avoir salué les deux Chérubins gardant l'Arche d'alliance, le grand prêtre l'ouvrit. Il en sortit les Tables de la Loi et les éleva devant Salomon qui les vit pour la première fois, telles qu'elles avaient été gravées par la main de Dieu.

— Eternelle est la Loi de l'Eternel ! proclama Sadoq.

***

Salomon, couronné, les bracelets de David aux poignets, s'installa sur son trône. Il lut le décret de Yahvé qui le reconnaissait comme monarque et concluait avec lui un pacte d'alliance que seules la mort ou l'indignité pourraient détruire.

Les portes de la salle furent ouvertes.

Les trompettes sonnèrent. Le peuple, assemblé au bas de la colline, cria d'un seul cœur : « Vive le roi Salomon ! », heureux d'avoir échappé à une guerre civile. La fête dissiperait les ultimes angoisses.

Salomon s'habituait au trône d'ivoire et d'or, au dossier surmonté de têtes de taureaux. Deux corps de lion servaient d'accoudoir. Le roi avait spontanément adopté l'attitude qui lui permettait d'occuper l'illustre siège avec dignité.

Dignitaires et courtisans rendirent hommage à Salomon pendant que le vin coulait à flots dans les rues de Jérusalem. Chacun remarqua la prestance surprenante d'un homme si jeune que nulle crainte de régner ne semblait habiter.

Deux condamnations à mort, l'une prononcée par son père, l'autre par sa mère. Deux exécutions accomplies avant que ne commençât le règne de Salomon. Le rituel du couronnement avait effacé son passé. Mais comment chasserait-il ces actes de sa mémoire ? Ne rongeraient-ils pas sa conscience, jour après jour ?

Salomon s'était installé dans le palais qu'il n'aimait pas. Des ombres inquiétantes sortaient des murs. Le fils de David, jusqu'à cette heure, n'avait émis aucune critique sur la manière dont Israël avait été gouverné. Le silence était sa loi. La fonction que Yahvé lui avait confiée l'obligeait à devenir lucide, fût-ce au prix de déchirements dont lui seul connaîtrait la gravité.

Qui avait été le fameux roi Saül ? Un paysan qui se nourrissait du produit de ses terres, conduisait lui-même ses troupeaux, dormait volontiers à la belle étoile et considérait Israël comme un simple champ fertile. Le monde extérieur ne l'intéressait pas. Les autres peuples n'étaient que pillards rêvant de le dépouiller.

Qui avait été David, sinon un berger épris de danses campagnardes et de jeux rustiques, un amoureux insatiable qui avait préservé le mode d'existence traditionnel des Hébreux en oubliant que l'univers se modifiait autour de lui ? David, comme ses prédécesseurs, avait considéré son pays comme un îlot émergé au cœur d'une mer hostile.

Construire un nouveau palais : voilà quelle serait la première tâche de Salomon. Le roi d'Israël ne pouvait résider dans une demeure aussi modeste, qui le différenciait à peine de ses plus riches courtisans. Il fallait donner à la monarchie le rayonnement qu'elle méritait. Le maître de l'Etat hébreu ne devait plus être comparé à un chef de clan.

Salomon s'assit sur les marches de l'escalier menant à la chapelle royale, si pauvre et si dépouillée que Dieu ne devait guère prendre plaisir à y résider. Mais David s'était obstinément refusé à bâtir un autre sanctuaire. L'Arche d'alliance bénéficiait d'un abri sûr, pourquoi voir plus grand ?

Le roi évita l'ombre d'un sorbier en buisson où aimaient s'abriter les mauvais génies. Il lui fallait songer à organiser son gouvernement, à nommer auprès de lui des hommes responsables, aux vues larges, ambitieux pour Israël et non pour eux-mêmes. Ce que concevait

Salomon l'effrayait. Aurait-il l'audace de concrétiser ses projets ? Ne se heurterait-il pas à une opposition si violente qu'elle le contraindrait à renoncer ?

Une femme s'assit à ses côtés.

Sa mère, Bethsabée, dépourvue de tout ornement en signe de deuil.

— Tu as évité l'ombre mauvaise, mon fils. Ton règne devra se dérouler en pleine lumière. N'oublie pas que les humains, fussent-ils tes sujets, préfèrent les ténèbres.

— Vous siégerez à ma droite, ma mère. Vous qui êtes la grande dame d'Israël, vous continuerez à exercer votre influence à la cour.

— Non, mon fils. C'est précisément le sujet que je voulais aborder avec toi sans plus tarder. Je me contenterai des honneurs. Tu n'es pas roi à partager ton pouvoir. C'est toi, et personne d'autre, qui prendras les décisions. Mes conseils ne pourraient que t'importuner. J'ai commis une faute grave. J'appartiens à une époque révolue, à l'ère de David sur laquelle tu portes, dans le secret de ton cœur, le plus sévère des jugements.

Salomon ne protesta pas.

— Jusqu'à présent, continua-t-elle, je crois avoir perçu la réalité. Privée de la présence de David, j'ai besoin de repos. Laisse-moi me retirer dans la quiétude du palais.

Salomon n'avait pas envie de contraindre Bethsabée à revenir sur une décision qu'elle avait longuement pesée.

Elle ouvrit la main droite, qui contenait un anneau d'or, et le passa à l'auriculaire de la main gauche de son fils.

— Une pomme d'or sur une ciselure d'argent, dit Bethsabée, telle est la parole d'un sage. N'est-elle pas aussi parfaite que cet anneau qui appartint à David et, avant lui, à notre père Adam ? Garde-le avec soin, Salomon. Quand tu le tourneras sur ton doigt, tu connaîtras le message du vent, par-delà le sommet des montagnes. Ton esprit survolera ces paradis où poussent d'inaltérables moissons, où des perles naissent des pampres. Tu parleras le langage des oiseaux, percevras les intentions des êtres, soumettras les esprits. Les bêtes fauves se prosterneront à tes pieds et lècheront tes sandales. Cet anneau est celui de la puissance. Il te servira aussi longtemps que tu obéiras à Dieu. Ta pensée s'étendra d'un bout à l'autre de la terre et atteindra le ciel. Mais si tu quittes la voie de la sagesse, tu deviendras la plus misérable des créatures. Ainsi le veut la destinée des rois.

Salomon détailla l'étrange objet. Il se caractérisait par un sceau en forme d'étoile à l'intérieur duquel étaient gravées les quatre lettres formant le nom secret de Yahvé. Le fils de David aurait aimé obtenir davantage d'explications de sa mère, mais déjà celle-ci s'était levée pour regagner ses appartements.

*
**

Nathan recopiait sur un papyrus de qualité un très ancien texte dont l'original tombait en poussière. Il traitait de la sortie des Hébreux hors d'Egypte. Voir entrer Salomon dans la bibliothèque ne le surprit pas.

— J'attendais votre visite, Majesté.

— Pourquoi, Nathan ?

— Parce que votre règne a commencé au moment même de l'onction. Vous avez de grands desseins et ne perdrez pas de temps pour les mener à bien.

— Lesquels ? interrogea le roi, intrigué.

Nathan déplaça plusieurs rouleaux de papyrus encombrant une étagère. Il découvrit un énorme rubis qu'il présenta à Salomon.

— Cette pierre précieuse m'a été confiée par David le lendemain de son intronisation. Elle est le secret des rois. D'après les premiers prophètes, c'est le chef des anges qui l'a remise à Moïse au sommet du mont Sinaï. Elle est le gage de l'Alliance. Par sa présence, le souffle de tout être vivant célèbre l'Eternel. Le monarque qui la possède règne sur les créatures de l'air, de l'eau et de la terre. Lorsqu'il désire leur appui, il lui suffit d'élever cette pierre vers les nuées et de les appeler. La désirez-vous, mon maître ?

Salomon tendit la main et la referma sur le rubis.

— Cette pierre céleste... n'est-ce pas la base sur laquelle doit s'élever le temple de Dieu?

Nathan parut ignorer la question.

— Nous en avons souvent parlé, précepteur. J'aimerais abandonner la chapelle et bâtir un nouveau sanctuaire. Mon père rejetait cette idée avec violence. Vous l'approuviez.

— En effet, reconnut Nathan.

— De multiples petits temples à travers le pays... cela ne suffit pas.

— C'est exact, avoua le précepteur.

Salomon fut étonné. Nathan souriait.

— J'avais une grande influence sur votre père. Je renonce à l'exercer sur vous. C'est moi qui ai empêché David d'ouvrir un grand chantier à Jérusalem.

— Pour quelle raison?

— Parce que l'édifice de David se serait écroulé, à cause de ses péchés.

***

Le roi n'eut pas le temps de méditer sur les paroles de son précepteur. A peine avait-il quitté la bibliothèque de Nathan qu'il fut accosté par Banaias. Le chef de l'armée était plongé dans l'anxiété.

— Seigneur... les trois fils d'un chef de clan demandent votre arbitrage! S'ils n'obtiennent pas satisfaction, ils menacent de lancer leurs troupes les unes contre les autres!

Le danger était réel. Si Salomon échouait dans sa tentative de conciliation, il y aurait des dizaines de morts. Et il serait obligé d'envoyer ses propres soldats contre les rebelles.

— Convoque-les sur l'esplanade. J'y rendrai mon jugement.

Banaias était effaré. Un jugement! David n'aurait pas osé utiliser cette procédure. Il aurait essayé d'apaiser les querelleurs et, en cas d'échec, aurait mené contre eux une guerre expéditive.

*
**

Les courtisans s'étaient rassemblés pour assister au jugement. Beaucoup misaient sur l'échec du roi qui le condamnerait à renoncer au trône. Des ambitions déçues se réveillaient.

Salomon s'assit sur un siège pliant à croisillons, au centre de l'esplanade, face à trois jeunes gens qui portaient dans leurs bras le cadavre d'un vieillard à la barbe noire.

— Que voulez-vous ? interrogea le roi.

— Ce qui m'est dû, répondit l'aîné des trois frères. Mon père, sur son lit de mort, a révélé qu'un seul de nous trois était son fils véritable et qu'il lui léguait la totalité de ses biens. Il a rendu son âme avant de le désigner. Je sais que je suis son fils. Ces deux imposteurs contestent mon bon droit.

— Personne ne peut connaître le secret des morts, affirma le cadet. Partageons.

— Je refuse, dit le troisième. La volonté de mon père doit être respectée.

— Remettez le cadavre de votre père à Banaias, ordonna Salomon. Il l'attachera à un pilier, au fond de l'esplanade. A chacun d'entre vous, il donnera un arc et une flèche. Vous viserez le cadavre. Le meilleur tireur sera l'héritier.

Des murmures animèrent l'assistance. Les trois plaideurs étaient obligés d'accepter.

L'aîné fut le plus prompt. Dès que Banaias s'écarta de la dépouille, il tira. Le projectile transperça la main. Le cadet, satisfait par ce tir médiocre, prit le temps de viser. La flèche se ficha dans le front du mort. Le coup était parfait. Le plus jeune tendit l'arc, pointant le trait vers le cœur. Furieux, il jeta son arme à terre.

— C'est indigne, protesta-t-il. Je ne serai pas l'assassin de mon père, fût-il réduit à l'état de cadavre. Je préfère devenir pauvre.

Alors qu'il quittait l'esplanade à grandes enjambées, Salomon l'interpella.

— Reste ici et sois le digne héritier d'un chef de clan. Toi seul peux être son fils.

— Vive le roi Salomon! cria Banaias.

Bientôt cent autres voix retentirent.

5.

Le maître du palais, chargé d'organiser la vie de la cour royale, était à bout de nerfs. Pour la quatrième journée consécutive, il refusait d'ouvrir les portes de la demeure du souverain aux courtisans demandant audience. De plus en plus nombreuses et acerbes, les protestations s'amplifiaient. Mais le maître du palais, homme bedonnant et jovial, demeurait inflexible. Portant la clé de la porte principale sur son épaule et détenant le sceau royal, il s'entretenait chaque matin avec le monarque qui lui indiquait le nom des personnes qu'il acceptait de recevoir. Le haut dignitaire patientait, sur le seuil, pendant la durée des audiences. La journée était souvent longue et fastidieuse. Mais la fonction suscitait tant d'envie que son titulaire en acceptait volontiers les inconvénients.

Salomon avait bousculé ses habitudes en s'enfermant dans son cabinet de travail où le maître du palais lui apportait les listes de fonctionnaires formant l'administration du pays. Salomon les étudiait avec un soin extrême.

Qu'annonçait cette attitude, sinon de profonds bouleversements ? Le maître du palais lui-même ne nourrissait plus guère d'illusions. Le nouveau roi était décidé à modifier la hiérarchie. Le héraut partageait son avis ; ancien fermier à la peau hâlée qui devait sa bonne fortune à David, il avait mission d'indiquer au roi ce qui se passait dans le pays et de régler les cérémonies officielles. Il s'inquiétait pour son avenir. Le mutisme de Salomon ne présageait rien de bon.

Alors que le couchant offrait ses derniers feux à Jérusalem, Salomon convoqua le maître du palais et le héraut. Mal à l'aise, les deux dignitaires comparurent ensemble devant le monarque autour duquel gisaient plusieurs papyrus déroulés. Le visage du roi n'était pas marqué par la fatigue.

— Les fonctionnaires nommés par mon père, indiqua Salomon, resteront à leur poste. L'administration de ce palais est correcte. J'y ajouterai douze préfets qui, à tour de rôle, approvisionneront la maison royale. Chaque jour, ils fourniront de l'orge et de la paille pour les chevaux et les bêtes de trait. Ils apporteront de la farine et conduiront aux abattoirs dix bœufs engraissés, vingt de pâture et une centaine de moutons. Que mes cuisiniers veillent à répartir équitablement les nourritures. Toi, le héraut, tu rendras ces décisions publiques dès demain matin.

Le dignitaire, radieux, se retira. Il gardait son poste. Le maître du palais, inquiet, osa néanmoins poser une question.

— Seigneur, qui recevrez-vous demain ?

— Une seule personne : Elihap.

— Je crains que votre souhait...

— Ce n'est pas un souhait, rectifia Salomon, mais un ordre. Elihap fait partie du personnel de ce palais. Il est au service du roi d'Israël.

— C'est que... Elihap est d'origine égyptienne et...

— Continue.

— Votre père l'ignorait sans doute et l'a engagé parce qu'il parlait plusieurs langues.

— C'est plutôt une qualité.

— Sans doute, Seigneur, mais Elihap a commis une faute grave.

— Laquelle ?

— Lorsque son père est mort, peu avant le décès de David, il a voulu l'enterrer selon les rites égyptiens. Nous avons protesté et...

— Vous l'avez même menacé, ajouta le roi.

— Sans doute a-t-il mal interprété notre mise en garde.

— Où se trouve-t-il à présent ?
— Elihap s'est enfui, révéla le maître du palais.
— Il se cache. Toi et le héraut êtes chargés de le retrouver avant l'aube.
— Majesté...
Le regard de Salomon ne toléra aucune réplique.

*
**

Elihap fut introduit dans le cabinet particulier de Salomon peu après le lever du soleil. C'est un homme fatigué qui s'agenouilla devant le souverain. Sous les guenilles transparaissait néanmoins une fierté que l'adversité n'avait pas entamée. Chauve, âgé d'une cinquantaine d'années, grand, les yeux noirs et perçants, Elihap ne tremblait pas devant le monarque qui allait prononcer sa condamnation.
— Jérusalem règne-t-elle effectivement sur Israël ? demanda Salomon.
La question étonna Elihap. Elle faisait appel à ses compétences d'ancien secrétaire du palais.
— Non, Majesté. Les provinces disposent d'une autonomie certaine par rapport à la capitale.
— Comment sont perçus les impôts ?
— Soit en espèces, soit sous forme de corvées effectuées sur les chantiers ouverts par le roi.
— Combien en existe-t-il ?
— Très peu. Deux ou trois en province, un à Jérusalem pour la restauration d'une partie de la muraille sud.
— Assieds-toi devant cet écritoire, Elihap.
Avec une joie manifeste, l'Egyptien recouvra son calame, un rouleau de papyrus et un godet rempli d'encre noire. Il adopta avec aisance la posture du scribe, le buste droit, les jambes croisées devant lui.
— Tu deviens mon secrétaire et mon homme de confiance, indiqua Salomon. C'est toi qui écriras les décrets. Commençons par celui qui précise tes attributions. Tu rédigeras la correspondance intérieure et extérieure du palais, tu recueilleras et inscriras le produit des contributions, tu dirigeras la chancellerie.

Elihap rédigea d'une main sûre et rapide.

— Quel est ton dieu? demanda Salomon.

L'Egyptien posa son calame sur l'écritoire. Le piège s'ouvrait devant lui. Il ne l'évita pas.

— Je vénère le dieu Apis. C'est la signification de mon nom : « Apis est mon seigneur. » En lui s'incarne le dieu suprême.

En prononçant ces paroles, Elihap se condamnait lui-même. Au pays du dieu unique, jaloux de sa suprématie, il n'avait pas le droit d'exposer de telles croyances. Mais l'Egyptien ne voulait plus vivre comme un reclus et nier le chemin de son cœur.

— Quelle est la nature de ce dieu suprême? interrogea le roi.

— Il est Lumière, répondit le secrétaire. Le taureau Apis est le symbole terrestre de sa puissance. C'est pourquoi Pharaon porte à son pagne une queue de taureau.

— Le dieu d'Israël est Lumière, lui aussi. Ecoute ce que t'enseigne ta foi, Elihap. Mais sache taire ta langue. Reprends ton calame. Nous avons beaucoup de travail.

***

Oliviers et figuiers protégeaient le val du Cédron des ardeurs du soleil. L'endroit était douceur et paix. Les bruits de la capitale se brisaient sur la pente des collines environnantes. Pourtant, rares étaient ceux qui s'aventuraient en ces lieux retirés. Là, en effet, avait été aménagé un cimetière où dormaient de fameux héros, tel Absalon.

Le roi Salomon priait le Seigneur, devant la tombe de Nathan.

Le précepteur était mort une nuit de pleine lune, pendant son sommeil. Son visage exprimait une parfaite sérénité, celle d'un serviteur qui avait su ne pas être servile. Avec sa disparition mourait l'adolescence de Salomon. Désormais, il n'aurait plus de confident, plus d'ami à qui parler, plus personne avec qui partager ses doutes et ses angoisses. Nathan l'avait éduqué, formé à son métier de roi sans lui inculquer la vanité de croire qu'il présiderait un jour aux destinées d'Israël. Il s'était effacé derrière son enseignement pour mieux élargir la conscience de son élève. Il avait consacré sa vie à faire naître Salomon, loin des rumeurs et des intrigues de la cour.

Le roi avait creusé de ses propres mains la tombe de son précepteur. Il avait refusé la présence des pleureuses pour communier, dans le silence parfumé du val du Cédron, avec l'âme de celui qui l'avait élevé vers son être vrai.

Salomon ne savait pas s'il se montrerait digne de l'espérance de Nathan. Puisqu'il était seul, abandonné par ses proches, obligé de régner sans partage, il tenterait de bâtir son peuple et son pays à la gloire du Très-Haut.

Sur la tombe de Nathan, il le jura.

6.

David n'avait-il pas proclamé : « Je créerai Jérusalem pour ma joie et ses habitants pour mon allégresse » ? Ne lui avait-il pas donné son nom en ordonnant à ses fidèles d'y vivre pour gagner leur salut ? Ne s'était-il pas installé dans cette ville pour en faire la cité sainte, le centre de la révélation ? David y avait résidé parce qu'elle était située à la limite des deux royaumes de Juda et d'Israël, affirmant sa vocation de conciliatrice. A la fin des temps, Jérusalem n'accueillerait-elle pas les élus à l'intérieur de ses murs recouverts d'or, dans ses rues pavées de rubis ?

Ce destin admirable, auquel Salomon voulait donner corps pendant son règne, risquait d'être contrarié par un événement grave. La salle du trône venait d'être envahie par les riches parlant au nom des quinze mille âmes habitant la capitale.

— La situation est désespérée, Seigneur, déclara le héraut, qui avait été assailli de plaintes. La ville haute est privée d'eau. L'unique source, celle de Gihon, a été polluée et ne sera pas utilisable avant un mois. Les bas quartiers seront bientôt atteints par la pénurie. Des émeutes sont à craindre.

David avait été confronté au mauvais approvisionnement en eau de la capitale. Aux tentatives de soulèvement, il avait répondu par une répression très dure.

— Je n'enverrai pas de soldats contre les habitants de Jérusalem, dit Salomon. Ce sont eux qui ont raison, cette situation est intolérable.

Assis au pied du trône, Elihap, le secrétaire égyptien

entré officiellement en fonction, prenait note des propos échangés lors de cette audience exceptionnelle.

— Je confie à Banaias une mission pacifique, annonça Salomon. Les hommes employés à la corvée sur les chantiers de province formeront des équipes de porteurs pour amener à Jérusalem l'eau des sources situées à une heure de marche d'ici. Dès que Gihon aura retrouvé sa pureté, des canalisations seront creusées et l'eau sera stockée dans des réservoirs.

Le héraut, parlant au nom d'un vieux notable, présenta une objection.

— Il faudra plusieurs mois, Seigneur, pour mener à bien vos projets.

— Un peu moins de un an, en raison des faibles équipes d'ouvriers dont nous disposons.

— Les citernes sont vides, rappela le maître du palais. Que deviendrons-nous dans les jours prochains ?

— Aujourd'hui, il pleuvra. Accordez votre confiance à Dieu et à son roi.

Salomon se leva. L'audience était terminée.

Jérusalem espérait, anxieuse.

Un grand ciel bleu déployait sa lumière intense au-dessus de la cité. Les anciens connaissaient assez les signes de la nature pour savoir qu'il ne pleuvrait pas avant longtemps. Salomon avait eu tort de s'engager et de défier le Seigneur des nuées. Le fils de David n'était qu'un vantard qui aurait à se repentir de ses prétentions.

Au milieu du jour, Salomon monta au sommet de son palais. De la plus haute tour de guet, occupée en permanence par un archer qu'il congédia, il s'approcha du firmament qui devait offrir l'eau salvatrice.

« Toi qui règnes dans la lumière, murmura le roi, écoute ma prière. Si tes cieux se ferment et nous privent de pluie, comment ton pays survivrait-il ? Exauce-moi. Ne répands pas le malheur sur ta cité. Fais pleuvoir sur la terre que tu as donnée en héritage à ton peuple. »

Salomon tourna trois fois l'anneau d'or qu'il portait à

l'auriculaire de la main gauche. Il appela les esprits du vent et leur ordonna de déclencher l'apparition d'un orage.

Lorsque le premier nuage noir, au ventre gonflé comme celui d'un éléphant du pays des merveilles surgit des montagnes du nord, Salomon remercia le Seigneur.

Le potier, alerté par ses apprentis, sortit en hâte de sa demeure au sol de terre battue. Il ceignit un pagne autour de ses reins et contempla l'incroyable spectacle.

Salomon, son secrétaire Elihap, Banaias le chef de l'armée et une escouade de soldats venaient de mettre pied à terre devant son atelier, au cœur d'un petit village de Judée qui n'avait jamais eu l'honneur de voir s'arrêter un roi.

Depuis que Salomon avait obtenu l'eau en quantité suffisante pour remplir les citernes de Jérusalem, sa renommée avait atteint toutes les provinces. Même si les prêtres émettaient des réserves, évoquant une coïncidence heureuse, les plus humbles clamaient leur croyance en une nouvelle ère de prospérité qui transformerait Israël en ce paradis dont avait rêvé Moïse.

Le roi s'attarda sur le tour du potier. Comment ne pas songer au travail de Dieu créant l'espèce humaine sur cet outil, parfait entre tous, arrachant à la glaise les formes vivantes qu'il façonnait de sa main et de son esprit ? En Egypte, c'était le dieu bélier qui créait le monde sur son tour. Les Hébreux avaient conservé cette symbolique, leurs artisans ayant appris le métier sur la terre des pharaons. Salomon rêvait à l'univers qu'il désirait extraire du chaos. Au potier, ne devait-on pas les objets les plus quotidiens comme les vases les plus raffinés, les petites cruches comme les grandes jarres à grains, les lampes comme les jouets ? Salomon imiterait l'artisan. Il donnerait à son peuple la richesse matérielle. Mais elle ne durerait qu'à la condition de découler de l'abondance spirituelle. C'est pourquoi le roi tentait de franchir une nouvelle étape en réunissant, loin de leurs fiefs, les chefs des douze tribus d'Israël, Ruben, Siméon, Lévi, Juda, Zabulon, Issachar, Dan, Gad, Aser, Nephtali, Joseph et Benjamin. Ces hommes riches et puissants, grands propriétaires terriens, avaient rivalisé d'élégance pour rencontrer leur roi en ce lieu indigne de leur grandeur. Leurs coiffeurs particuliers, utilisant des peignes d'or ou d'ivoire, avaient composé des chevelures raffinées aux boucles flottantes ou aux longues mèches huilées retombant dans le dos. Les ceintures, serrant à la taille des tuniques aux couleurs vives, étaient ornées de diamants et de rubis. A côté des chefs de tribu, Salomon ressemblait presque à un homme du peuple.

Il les pria de s'asseoir sur des nattes que Banaias avait déroulées au pied d'un grand figuier dont l'ombre ne toucherait personne. Ses invités, intrigués, s'interrogeaient sur la raison de cette étrange convocation. Salomon leur offrit un plat de concombres, d'oignons et de laitues. Certains mangèrent avec appétit, d'autres se méfièrent. Les rois avaient souvent employé l'arme du poison pour se débarrasser de leurs adversaires. Ne disait-on pas que Salomon désirait régner en monarque absolu ?

— J'ai planté des vignes, indiqua le monarque, créé des jardins et des vergers, construit des pièces d'eau pour arroser les plantations, je vous ai donné des serviteurs, des troupeaux de bœufs et de brebis. Vous bénéficiez d'un bien-être ignoré naguère. Pourquoi seriez-vous méfiants à mon égard ?

— Tu nous as enrichis, reconnut le chef de la tribu de Dan, mais n'est-ce pas un piège pour endormir notre vigilance ? Tu n'es pas homme à distribuer des cadeaux sans rien demander en retour.

— Tu parles vrai, admit Salomon. Nul ne conteste vos droits. Sans vous, les provinces seraient à l'abandon. Mais vous devez fidélité au roi.

— Qui songerait à se révolter contre toi ? s'indigna le chef de la tribu de Lévi. Celui-là, je le combattrai !

Ses pairs, avec plus ou moins d'empressement, l'approuvèrent d'un hochement de tête.

— Je sais que votre loyauté m'est acquise, jugea Salomon, mais elle ne me suffit pas.

Les chefs de clan se regardèrent les uns les autres, interloqués.

— Tant que vous serez des rivaux, Israël restera un Etat faible. Votre seule chance de conserver ce que vous avez acquis, c'est le roi. De Jérusalem, je ferai une vraie capitale. De notre peuple, le plus puissant et le plus glorieux. J'ai besoin de votre soumission absolue. Vous continuerez à diriger vos clans, mais serez mes vassaux obéissants. Si j'ai besoin d'hommes de troupe, vous me les enverrez, privilégiant l'intérêt du pays au vôtre. Si je réclame de nouveaux impôts, vous les lèverez pour moi, en garderez une partie. A chacun de mes désirs, vous répondrez avec diligence. Non pour moi, mais pour Israël. Je veux votre réponse, ici et maintenant.

Salomon s'était exprimé sur un ton très doux, amical, mais la vigueur du propos n'en était pas moins intacte. Les chefs se réunirent derrière la maison du potier où le roi s'était installé en attendant leur décision.

L'artisan décorait une jarre à vin. Malgré la présence du monarque, il continua son travail.

— Qu'espères-tu de ton roi, potier?

— Le bonheur de mes enfants.

— De quoi dépend-il?

— De la paix, Seigneur. Elle est mère de toutes les joies. La gloire qui naît de la guerre est le malheur des humbles. Mais quel roi s'en souvient?

— Salomon ne l'oubliera pas.

La délibération dura trois heures.

Trois heures durant lesquelles le souverain regarda tourner le tour du potier dont la musique l'enchantait. Ces moments seraient d'inoubliables souvenirs ou les derniers soubresauts de l'existence du guide d'Israël... La vision des mains habiles libéra d'angoisse et de ténèbres l'esprit du roi. Il se sentit aérien, indifférent à son avenir.

Ce fut le chef de la tribu de Dan qui, au nom des onze autres familles, présenta à Salomon le résultat des délibérations.

— Je fus le dernier à être convaincu, avoua-t-il. Mais l'unanimité s'est faite. Nous acceptons.

— Faute d'une grande vision, dit Salomon, le peuple vit sans horizon. Heureux qui perçoit la pensée du roi, car il discerne le lointain.

Le chef de la tribu de Dan scruta l'âme de Salomon. Il n'y discerna pas la vanité d'un tyran mais la volonté d'un roi.

7.

Salomon avait unifié Israël. Jérusalem, le centre religieux de David, était devenue la capitale politique d'un royaume dont le jeune souverain, auquel on attribuait des pouvoirs magiques, était le maître incontesté. Les chefs de tribu se félicitaient de leur choix. Le spectre d'une guerre civile écarté, les conflits internes terminés, chacun ne songeait qu'à vivre plus heureux, à rendre la terre plus fertile ou l'atelier plus industrieux. Les riches s'enrichissaient, les pauvres devenaient moins pauvres. Et le grand prêtre de rappeler que Nathan avait vu la Sagesse inscrite sur le front de Salomon.

Le roi travaillait sans relâche. Le palais, si morne et si froid à l'époque de David, ressemblait à une ruche en perpétuelle activité. Elihap ne cessait d'enregistrer les décrets royaux qui, par petites touches, modifiaient l'administration et la rendaient efficace. En moins de deux ans de règne, Salomon avait appris Israël. Du sommet de l'Etat au plus minuscule pouvoir local, il n'ignorait rien de son pays. Le secrétaire particulier avait prouvé sa remarquable compétence, mettant à profit des dossiers bien tenus où les renseignements précis s'étaient accumulés au fil des mois.

La première étape de l'œuvre de Salomon s'achevait.

Il lui fallait aborder la seconde : construire, transformer les soldats en ouvriers, fermer des casernes et ouvrir des chantiers. Convaincre Banaias s'avérait indispensable. Israël garderait un corps d'élite, apte à défendre la Couronne, mais réduirait son effort de guerre.

Plusieurs décrets royaux étaient prêts quand le chef de l'armée fut convoqué. Le visage du colosse, d'ordinaire si peu expressif, témoignait d'un profond désarroi. Salomon sut aussitôt qu'un événement grave s'était produit.

Banaias était incapable de parler. Il donna au roi une tablette de bois couverte d'un texte rédigé par le gouverneur de Damas. Il était écrit en araméen. Salomon le lut à deux reprises.

— Que... que décidez-vous, Seigneur?

— D'abord de réfléchir. Ensuite, nous aviserons ensemble.

Le chef de l'armée se retira.

Elihap estima nécessaire de briser le monologue intérieur du roi.

— Une tribu aurait-elle commis un acte belliqueux, Majesté?

— C'est désastreux, Elihap. Un général araméen, un véritable Satan, a attaqué la bourgade de Damas; il a refusé de se soumettre à mon autorité et a décimé notre garnison qui occupait l'oasis, surveillant les routes venant de Palestine et de Phénicie. Ce révolté a proclamé l'indépendance de son royaume de Damas!

Le secrétaire comprenait la déception de Salomon. Ce coup de force ruinait ses projets. David, lui, n'avait pas perdu Damas.

— C'est donc la guerre, Majesté.

— Non, Elihap. Je m'y refuse. Si je tente de reprendre Damas, il faudra livrer bataille contre les alliés de cet Araméen. Le cycle infernal recommencera.

— Alors, ce sera la honte. On vous reprochera d'être faible. Votre œuvre s'écroulera.

— Une journée... j'ai besoin d'une journée. Apporte-moi une carte détaillée du pays.

Où se cachait la sagesse? Ne se dissimulait-elle pas dans un abîme si profond qu'il fallait y descendre le long d'une corde de lumière tressée par les anges, plus longue que le temps? Devait-on s'enfermer dans une cage de clartés et plonger dans le gouffre insondable dont on n'avait pas encore atteint le fond après douze fois trente jours et douze fois trente nuits ? Dieu seul avait parcouru le chemin de la sagesse et connaissait le lieu de son séjour.

Etudier la carte d'Israël fut pour Salomon un enseignement inattendu. Ce qu'il avait imaginé n'était qu'utopie prétentieuse. Amoindrir l'armée de David aurait mis le pays en danger. La prise de Damas était un avertissement divin qui remettait le roi sur la bonne voie.

Salomon convoqua Banaias et Elihap. Ce conseil de guerre restreint suffirait.

— Damas est perdue, estima-t-il. Ce n'est qu'une oasis sans valeur. Ce revers sera vite oublié, d'autant plus que les territoires que nous contrôlons sont déjà plus nombreux que du vivant de mon père. Ce maudit Araméen troublera longtemps mon sommeil. Néanmoins, il m'a éclairé sur une urgence : renforcer notre dispositif de défense. Nous commencerons par fortifier Palmyre puis nous réorganiserons l'armée. Lorsqu'elle sera suffisamment nombreuse, elle impressionnera l'ennemi et n'aura plus à se servir des armes.

Banaias ne comprenait pas le discours de son roi. Pourquoi des soldats seraient-ils privés de combat ? Mais il avait confiance dans le jugement de Salomon.

Des moutons à queue grasse, pesant plus de dix kilos, passèrent devant la chaise à porteurs de Salomon, posée à l'abri d'une tonnelle. En ce milieu d'automne, la campagne de Jérusalem était douce au regard. La chaleur de midi était la bienvenue, après la fraîcheur matinale. Au terme de plusieurs semaines de labeur, le roi goûtait quelques heures de repos, loin du palais.

« Nous avons un grand roi », affirmaient les Hébreux, de plus en plus haut et de plus en plus fort. Mais Salomon avait conscience de régner sur un petit pays qui n'était rien face à la grande Egypte. Israël... la forêt, la plaine et le désert, un ciel de feu, des rocs brûlés par le soleil, des fleuves traçant leur cours entre des rives tantôt arides, tantôt herbeuses. A peine une heure de marche séparait les solitudes desséchées, d'étendues verdoyantes. Une terre sainte, offerte par Dieu, de Dan à Bersabée, des abords de l'Hermon jusqu'aux steppes du Moab. Un peuple que le roi avait défendu contre lui-même et qu'il devait préserver des périls extérieurs.

Après avoir réussi l'installation d'un réseau de canalisations amenant l'eau à Jérusalem, Salomon s'était préoccupé de l'état des voies de circulation. La grande route menant à la capitale avait été pavée de basalte ; les autres routes, devenues sûres pour les marchands, avaient favorisé l'établissement de relations économiques suivies entre les provinces, ainsi que le passage des chars de l'armée dont la vue avait impressionné les espions étrangers.

Ayant supprimé les conflits internes, Salomon avait réorganisé en toute quiétude son armée, répartissant ses trente mille fantassins en unités de cinquante, cent et mille hommes dirigées par des officiers. Les guerres menées par David contre les Philistins, les Edomites, les Ammonites, les Moabites et les Araméens avaient abouti à la formation d'un empire israélien qui, sans pouvoir être comparé à celui de Pharaon, possédait néanmoins une cohérence certaine. Lors de plusieurs discours aux différents régiments, Salomon les avait avertis qu'il ne poursuivrait pas une politique d'expansion territoriale mais de défense du pays, sanctuaire de Yahvé. C'est pourquoi la plus puissante armée jamais possédée par Israël s'occupait de bâtir ou de consolider des citadelles après avoir démoli les plus anciennes. Aux briques grossières avaient succédé des moellons bien taillés. Le travail était souvent grossier, mais présentait l'avantage de la robustesse. A tous les points stratégiques du royaume veillaient désormais des forteresses qui rendaient enfin sûres les frontières.

Le secrétaire particulier de Salomon avait rédigé un texte largement diffusé : « Le roi a comblé Israël de richesses, de chariots et de soldats ; il a élevé des citadelles dans les plaines et sur les monts. Sur leurs murs, il a fait sculpter des figures d'anges et de héros, au corps d'airain et de pierres précieuses. Toutes les routes mènent à Jérusalem, notre mère protectrice. »

Si le roi se reposait sans crainte dans une campagne pacifiée, c'était grâce aux résultats de sa politique. Les Hébreux découvraient avec ravissement le bonheur de vivre en sécurité, loin des pillards et des sanglants conflits entre factions. Les mères pouvaient laisser leurs enfants jouer librement dans les jardins et dans les champs. Les paysans rentraient chez eux en chantant, ne craignant plus d'être agressés au détour d'un chemin. Déjà, le peuple murmurait que le siècle de Salomon ne serait comparable à nul autre, qu'une génération entière ignorerait la guerre. Un miracle qui ne s'était jamais produit depuis que des rois régnaient sur Israël.

Salomon espérait bien davantage. Cette paix, il voulait la consolider pour plusieurs siècles.

Son succès dépendrait de la première bataille qu'il livrerait à Megiddo, la plus récente des forteresses rebâties, contre laquelle se préparait un assaut de Bédouins révoltés. Sans tenir compte de l'avis de ses conseillers, le roi avait décidé de commander ses troupes en personne. Il n'y avait pas d'autre moyen de savoir si le mode de défense qu'il avait imaginé était suffisamment dissuasif.

Un souffle de vent chaud caressa la nuque de Salomon. Le sommet des montagnes se teintait d'ocre. Dans un bras d'eau, des adolescents se baignaient. Un cultivateur conduisait au marché son âne chargé de paniers regorgeant de grappes de raisin.

Mais l'heure venait de partir au combat.

Salomon avait mobilisé l'ensemble de la garde royale, composée en majeure partie de mercenaires étrangers. Il ne resterait à Jérusalem que des vétérans, encadrés par des officiers israéliens, pour assurer la protection du palais pendant l'absence du monarque. Les corps d'élite gagneraient Megiddo sous son commandement direct.

Salomon se rendit aux écuries desservies par une large

cour pavée de calcaire et pourvue d'une citerne en pierre contenant plus de dix mille litres d'eau. Depuis sa dernière visite, un mois auparavant, les travaux avaient beaucoup avancé. Chaque écurie, divisée en cinq unités, comportait une entrée indépendante, l'ensemble étant accessible par un large chemin empierré qui rendait aisé l'approvisionnement des nourritures pour les chevaux et le nettoyage de leurs logements. Chaque bête était attachée à un pilier marqué d'un numéro. Entre les piliers, des anges de plâtre. Aération et éclairage étaient assurés par des ouvertures réglables aménagées dans le toit.

— Qui est le responsable de ces bâtiments ? demanda Salomon.

Le secrétaire consulta le registre qui ne le quittait jamais.

— Jéroboam, Majesté.

Deux gardes allèrent quérir un homme d'une trentaine d'années aux cheveux roux. Le front barré d'une cicatrice due au sabot d'un cheval, le nez écrasé, le menton anguleux creusé d'une fossette, Jéroboam était un athlète presque aussi impressionnant que Banaias. Pieds nus, le pagne maculé de la glaise qui lui servait à former des joints entre les dalles de calcaire, il vacillait d'émotion en s'approchant du roi.

— Où es-tu né ? demanda Salomon.

— Dans les montagnes d'Ephraïm, Seigneur. Mon père est mort. Ma mère est restée au pays.

— Quel est ton titre ?

— Inspecteur des travaux. J'ai été formé dans une milice agricole puis dans l'équipe qui a restauré les fortifications de Jérusalem. Ensuite, on m'a demandé à la porte des chevaux. J'ai donné mes idées. On m'a écouté. Depuis deux mois, je suis à l'œuvre.

Salomon jaugea l'homme : vif, autoritaire, ambitieux.

— Je te nomme à la tête des ouvriers venant des tribus d'Ephraïm et de Lévi. Quand tu auras terminé ces écuries, tu me proposeras les projets que tu as en tête.

Un large sourire illumina le visage ingrat du colosse roux. Une formidable carrière s'ouvrait devant lui.

*
**

Salomon examina de près les murailles de la forteresse de Megiddo, rebâtie par des soldats devenus maçons. Aidés par quelques hommes de métier, ils avaient remplacé les briques par des moellons correctement taillés et ajustés. L'ensemble paraissait solide.

Elihap, aux côtés du souverain, observait la plaine où déferlerait l'attaque des Bédouins. Souffrant de vertige, il se sentait mal à l'aise au sommet de cette tour où soufflait un vent violent. Banaias attendait l'ordre de son roi pour lancer ses hommes les plus valeureux contre l'ennemi.

Salomon, un diadème d'or dans ses cheveux noirs, un sceptre dans la main droite, aperçut le premier un nuage de poussière qui annonçait l'arrivée de l'adversaire.

Les Hébreux tendirent leurs arcs.

— Dégarnissez les murailles, ordonna Salomon. Laissez-les approcher.

Le commandant de la garnison n'aurait pas agi ainsi. En outre, le roi n'avait pas une réputation de guerrier.

Les cavaliers bédouins, hurlant, lancèrent leurs flèches contre les murs de la forteresse. Les Hébreux ne ripostant pas, ils furent persuadés que leur nombre était infime.

— Otez les barres de fermeture de la porte principale, exigea le monarque.

— Majesté !

Le commandant ne protesta pas davantage. Son attitude était déjà une insulte à la personne royale. Mais pourquoi Salomon prenait-il un tel risque ? Pourquoi s'offrait-il aux coups de l'adversaire ?

Les Bédouins forcèrent sans peine la porte d'accès qui n'était plus défendue. Certains d'avoir remporté une victoire facile, ils poussèrent des cris d'allégresse. Mais cette première enceinte débouchait sur une seconde, moins élevée et plus large. Aux créneaux apparurent les archers hébreux qui percèrent la poitrine des Bédouins désorientés, prisonniers d'un espace étroit où leurs chevaux se lançaient dans de folles ruades.

Dans les rangs de l'agresseur, il n'y eut pas de survivants. Aucun Hébreu ne fut blessé. Le piège tendu par Salomon avait parfaitement fonctionné. La victoire de Megiddo serait chantée par les poètes de la cour et la gloire du roi d'Israël se répandrait dans l'univers, semant la crainte dans le ventre de ses ennemis.

8.

Le rapport rédigé par Elihap ne laissait aucune place au doute. L'arme du futur, c'était le char à trois hommes, sur lequel monteraient l'archer, le conducteur et son adjoint protégeant ses camarades avec un large bouclier. Les meilleurs chevaux se trouvaient dans les haras égyptiens. Les arsenaux égyptiens fabriquaient les meilleurs chars. Un cheval égyptien valait cent cinquante sicles[1]. Un char de guerre égyptien six cents sicles. Pour assurer la sécurité d'Israël, Salomon avait besoin d'au moins quatre mille chevaux et de trois mille chars.

— Prends un papyrus, ordonna le roi à son secrétaire.

Elihap écarta sceaux et tablettes qui encombraient son écritoire. Il délaissa un papyrus fourni par une fabrique de province utilisant les plantes poussant dans des marais, près du Jourdain, et choisit un exemplaire provenant de Memphis, la grande cité marchande de Basse-Egypte.

— Je n'en possède pas de plus beau, Majesté. Je le réservais pour une occasion exceptionnelle. Peut-être préféreriez-vous une tablette de bois ou de cire?

— Le texte que j'ai à te dicter est trop long, Elihap. Lorsqu'on écrit au pharaon d'Egypte, il ne faut pas être avare de formules de politesse.

Salomon perçut une émotion intense dans le regard de son secrétaire. Elihap mélangea du noir de fumée et de

1. Environ 20 000 F. Le sicle est une monnaie d'argent.

la gomme qu'il délaya dans l'eau pour obtenir une belle encre noire. Il nettoya le sceau royal qu'il apposerait au bas de la missive.

— Ta main me semble hésitante, apprécia Salomon.

— Ecrire au pharaon... n'est-ce point une entreprise vouée à l'échec?

— Lui seul peut nous vendre les chevaux et les chars dont nous avons besoin. Il refusera sans doute ma première proposition. J'espère qu'elle lui donnera envie de répliquer par une autre.

— Pourquoi accepterait-il de renforcer votre armée?

— Parce qu'il sait que je veux la paix. Si forte soit-elle, l'Egypte du pharaon Siamon ne se porte pas au mieux. N'aurait-elle pas intérêt à refuser la guerre?

Le secrétaire opina du chef. De fait, Siamon voyait son pouvoir contesté par le grand prêtre de Thèbes, fortement implanté dans le sud de l'Egypte, là où les traditions religieuses demeuraient vivaces. C'est pourquoi le pharaon avait installé sa capitale à Tanis, dans le Delta, non loin de la frontière nord-ouest du pays.

— Que sais-tu de lui? demanda Salomon.

— C'est un homme secret qui remplit sa fonction avec beaucoup de rigueur. Comme la plupart de ses prédécesseurs, il travaille sans relâche et connaît à merveille ses dossiers.

— A-t-il un tempérament belliqueux?

— Comment un pharaon ne rêverait-il pas de grandeur? L'Egypte n'a plus la splendeur du temps des Ramsès, mais elle demeure ambitieuse. Siamon doit envisager de conquérir à nouveau l'Asie. La route de ses victoires passera par Israël. C'est pourquoi je crains que votre missive ne soit pour lui un motif d'hilarité.

Elihap avait parlé sans ambiguïté. Salomon appréciait cette sincérité.

— Je partage ton avis, mon secrétaire, mais j'aime l'impossible. Le nom de ce pharaon ressemble trop au mien pour que nos destins ne se croisent pas. Puisqu'il est « l'aimé de Maât », la déesse qui incarne l'ordre du monde et la vérité, il comprendra mes intentions. Au travail, Elihap. Commençons : « Le roi Salomon à son Frère, le pharaon d'Egypte... »

*
**

La précieuse missive avait été confiée à la poste royale depuis plus d'un mois. Salomon, dont le sommeil était de plus en plus léger, parvenait mal à masquer son irritation. Il raccourcissait ses audiences et s'accordait de longues méditations dans la chapelle du palais. Il savait que les Hébreux détestaient l'Egypte, pays où, selon la légende, ils avaient été réduits en esclavage. Mais il savait aussi que la monarchie pharaonique, établissant un lien solide entre le ciel et la terre, était un modèle extraordinaire qui plaçait sur le trône un être inspiré par la divinité. Seul un roi héritier de cette tradition pourrait mener son peuple sur le chemin de la Sagesse et du bonheur. Aussi Salomon, passant outre les réactions sentimentales et les rancœurs passées, avait-il façonné l'Etat hébreu et son administration d'après l'exemple pharaonique.

Salomon était persuadé de ne pas trahir son peuple. Il espérait néanmoins un signe de Yahvé qui le conforterait dans son choix : devenir le pharaon d'Israël. Cette réponse du Seigneur des nuées lui parvint un soir, alors qu'il croisait un vieillard chargé de balayer les marches du trône. Une question traversa l'esprit du roi. Une question qu'il se sentit obligé de poser à ce modeste serviteur.

— Toi, que penses-tu de l'Egypte ?

Le balayeur réfléchit.

— J'y ai vécu. Mon père aussi. Et le père de mon père. Et nos ancêtres. Tous ont dit la même chose : c'est un pays de cocagne. On y mange bien et l'on n'y connaît pas la privation. Là-bas, nous étions heureux. Nous aimons l'Egypte autant que nous la haïssons. C'est un voisin trop puissant pour Israël... Alors, il faut bien que la haine l'emporte sur l'amour. C'est stupide, mon roi. Mais la nature humaine est ainsi faite. Personne n'y changera rien.

— La plus haute des montagnes n'est-elle pas celle qui mérite l'ascension ? La sagesse a parlé par ta bouche. Dépose ton balai et engage un homme jeune pour te remplacer. Le palais veillera sur tes vieux jours.

***

— Voici enfin la réponse de Pharaon, annonça Elihap.

— Lis-la-moi, exigea Salomon.

— Ce n'est pas un papyrus, Majesté, mais une nouvelle apportée par Banaias. L'armée égyptienne a vaincu les Philistins, pris la ville de Gezer et se dirige vers la frontière d'Israël.

Salomon blêmit. Non seulement il avait échoué, mais encore il provoquait une réaction violente de la part de l'adversaire le plus redoutable. L'existence d'Israël était en péril.

— Que soient rassemblés tous mes régiments, ordonna le fils de David. Nous ne mourrons pas sans combattre.

Plein d'ardeur, Banaias marchait à la tête des troupes israéliennes. Le prestige de Salomon était si grand, ses forteresses offraient une sécurité si exemplaire que la victoire sur les Egyptiens s'annonçait certaine.

Salomon ne partageait pas cet optimisme. L'armée égyptienne n'était pas aussi naïve que les Bédouins. Si son avant-garde se laissait prendre au piège des enceintes successives, il n'en irait pas de même du gros des troupes. En vainquant les Philistins à Gezer, le pharaon Siamon avait prouvé ses qualités de stratège. Envahir Israël lui coûterait beaucoup de vies. Mais il avait l'avantage du nombre et de l'armement.

Malgré la confiance qu'ils plaçaient en leur roi, les soldats hébreux frissonnèrent quand ils virent se déployer les Egyptiens sur un large front. Devant les fantassins, des dizaines de chars tirés par deux chevaux. Chacun connaissait la précision des archers égyptiens, réputés pour décimer leurs adversaires. Banaias lui-même perdit un peu de sa fougue.

Au faîte de la tour fortifiée où avaient pris place Salomon, son secrétaire et le chef de l'armée, régnait un silence angoissé. Il faudrait lutter à un contre six, repousser sans cesse les échelles que les assaillants dresseraient contre les murs de la citadelle, les empêcher de prendre pied à l'intérieur. Combien de temps la résistance pourrait-elle durer?

Un char se détacha, avançant lentement en direction des positions israéliennes. Ce comportement était inhabituel. Le char s'arrêta à bonne distance. En descendit un officier supérieur qui jeta ostensiblement à terre son épée et son bouclier. Puis il marcha dans le désert et s'immobilisa à une centaine de mètres de la frontière.

— Seigneur, laisse-moi lui trancher la gorge! supplia Banaias.

— Attends ici mes directives.

Le roi fit ouvrir la porte de la forteresse. Il avança vers l'officier égyptien. Bientôt, les deux hommes furent face à face.

— Les dieux veillent sur toi, dit l'Egyptien. Je suis le commandant en chef des armées de Pharaon dont tu as l'avant-garde sous les yeux.

— Que Yahvé accorde sa bénédiction au maître de l'Egypte. Pourquoi t'approches-tu si près de la frontière de mon pays?

— Seigneur, n'as-tu pas envoyé une lettre au pharaon? Ne lui as-tu pas demandé des chevaux et des chars?

— Je ne demande rien. Je désire les lui acheter. Son prix sera le mien.

— Mon maître veut connaître le secret de ton cœur, roi d'Israël. Désires-tu la paix ou la guerre?

— Un roi ne se dévoile qu'en présence d'un autre roi, dit Salomon.

Le général égyptien s'inclina.

— La vérité parle par ta bouche. Pharaon te recevra sur l'heure, si tu le désires.

— Qu'il en soit ainsi.

Sous le regard effaré des Hébreux, leur souverain monta sur le char du dignitaire égyptien.

Salomon n'était pas inconscient du danger. Si Pharaon le prenait en otage, il s'emparerait d'Israël sans coup férir. Mais jamais un roi d'Egypte n'avait agi ainsi. N'était-il pas fils de Maât, l'ordre cosmique, qui haïssait le mensonge et la lâcheté ?

Le vent du désert fouetta le visage de Salomon. Le général avait lancé ses chevaux au galop, évitant avec habileté les amas pierreux qui auraient fait verser le véhicule.

Quelques minutes plus tard, il stoppa devant une tente blanche dont l'entrée était gardée par deux fantassins armés de lance. A l'invitation de son guide, Salomon pénétra dans la demeure de Pharaon.

Celui-ci, vêtu d'un pagne aux fils d'or, un large collier de cornaline au cou, vint au-devant de son hôte.

— Je suis heureux d'accueillir mon Frère, dit Siamon avec chaleur. La sagesse de Salomon est déjà fameuse.

— Réputation est souvent illusion. Mon Frère le pharaon appartient à une lignée plus illustre que la mienne. La sagesse n'est-elle pas sa nourriture depuis des siècles ?

Siamon sourit.

— Puisse ma table être toujours servie avec cette nourriture-là ! Mon Frère me fera-t-il l'honneur d'accepter une coupe de vin blanc du Delta ?

— Sa réputation est trop solide pour être illusion. Qui refuserait un tel plaisir ?

Les deux monarques s'assirent sur des sièges en cèdre, face à face. Pharaon servit lui-même son hôte. S'il avait écarté tout serviteur, pensa Salomon, c'était non seulement pour l'honorer de manière particulièrement marquante, mais aussi pour s'entretenir avec lui dans le plus grand secret.

— Israël est un Etat florissant, avança le pharaon.

— Dieu le veut ainsi, indiqua Salomon. Mon pays est jeune, il manque d'expérience. Sans modèle, qu'espérerait-il ?

— Quel est ce modèle ?

— En est-il de meilleur que l'Egypte ?

— Pourtant, objecta Pharaon, nos deux peuples ne s'apprécient guère.

— Les Hébreux aiment et détestent l'Egypte avec la

même passion, expliqua Salomon. A leur roi d'incliner le fléau de la balance dans un sens ou dans l'autre. J'ai choisi le mien et ne varierai pas.

Siamon était un homme racé, au visage fin et aux yeux marron perpétuellement animés. Il ne paraissait pas disposer d'une grande force physique, mais Salomon ne se fia pas à cette apparence. Siamon n'était pas un pharaon indécis, mais un véritable chef d'Etat. Son sens de la diplomatie masquait une volonté farouche que le moindre obstacle devait exaspérer.

— J'ai vaincu les Philistins à Gezer, rappela le maître de l'Egypte. C'est une victoire importante, mais non décisive. Les Philistins sont des guerriers redoutables qui se battront jusqu'à l'extinction de leur peuple. Beaucoup d'Egyptiens seront tués. Je suis responsable de leur existence. Ce qu'ils attendent de moi, c'est de vivre heureux, pas de mourir au combat.

Les deux monarques dégustèrent le vin blanc du Delta. Un cru remarquable qui enchantait le palais. Salomon commençait à percevoir la stratégie de son interlocuteur.

— La lettre du roi d'Israël est bien étrange, poursuivit Pharaon. Pourquoi mon Frère souhaite-t-il acquérir tant de chars et de chevaux, sinon pour préparer la guerre contre l'Egypte ?

— C'est précisément pour l'éviter, rectifia Salomon. Israël est en danger. Si son armée est forte, ses voisins songeront à la paix et non à la guerre.

— Vision tout égyptienne, mon Frère. Mes glorieux ancêtres n'ont pas pensé autrement. Ma démonstration militaire contre les Philistins n'avait d'autre valeur que celle de l'exemple. Dois-je conduire mes troupes à l'assaut de mes adversaires ou m'en tenir là ?

— Auriez-vous besoin de mon aide ? demanda Salomon avec gravité.

Le roi d'Israël avait mesuré l'incongruité de sa question. Il outrepassait les bornes de la courtoisie. La réaction de Pharaon dépendrait de sa sincérité.

Siamon versa de nouveau à boire.

— Oui, mon Frère. J'ai besoin de toi. Si l'Egypte et

Israël concluent une alliance, la mort, la détresse reculeront. Les Philistins seront pris en tenaille et contraints de déposer les armes. Aussi loin que souffle le doux vent du nord régnera la paix.

Accepter la proposition du pharaon, c'était inverser la politique étrangère d'Israël, imposer aux Hébreux la reconnaissance de ce voisin envié et détesté comme ami privilégié. Les Egyptiens deviendraient les protecteurs des Hébreux.

Salomon jouait son trône.

Le roi d'Egypte, silencieux, exigeait une réponse.

— La situation n'est pas si simple, jugea le roi d'Israël. Mon pays, même avec des chevaux et des chars, n'aura pas la puissance de l'Egypte. Ce que me propose mon Frère est un tel bouleversement...

Siamon considéra Salomon avec attention.

— Bien sûr, le roi d'Israël attend des garanties de la part du pharaon d'Egypte.

— Bien entendu, répondit Salomon. Sinon, le roi d'Israël serait un naïf. Pharaon le mépriserait.

— La vérité ne serait-elle pas la principale des garanties ? Israël veut vivre en sécurité, l'Egypte aussi. Nous redoutons une attaque libyenne. Un jour ou l'autre, ces chacals déferleront. Il faut aussi protéger nos frontières asiatiques. Ce n'est pas en me dressant contre Israël que je pourrai conduire la politique que j'estime être la meilleure. Ces explications suffisent-elles ?

— Que Pharaon en soit remercié, mais...

— Mais il faut davantage pour satisfaire Salomon ! s'emporta Pharaon. Est-il en position d'exiger ?

Salomon soutint le regard de son hôte.

— A mon Frère d'en juger, énonça-t-il avec calme.

— Je veux la paix, affirma le monarque égyptien. Je désire ardemment que nous la construisions ensemble. La garantie que souhaite mon Frère, il l'obtiendra.

9.

Peu avant l'aube, Salomon quitta le palais de David. Ce matin-là, le cérémonial ne serait pas respecté. Le maître du protocole devrait s'accommoder des circonstances. Le roi avait besoin de réfléchir, loin de cet endroit.

Vêtu d'une tunique blanche, Salomon conduisit lui-même son char. Il prit la direction d'Etam[1], lieu retiré où avait été édifiée une résidence d'été, entourée d'un parc au cœur duquel sourdait une source guérisseuse.

En cette saison, le domaine était désert. Le soleil se levait quand Salomon y pénétra. Abandonnant le char, il marcha jusqu'à l'extrémité du promontoire rocheux qui dominait la source. Autrefois, les paysans y offraient des sacrifices à Yahvé. Le roi, retrouvant des gestes ancestraux, cueillit des herbes folles, en composa un bouquet et l'éleva vers le ciel. Ainsi le Seigneur recueillerait-il le parfum immatériel de la nature qu'il avait créée.

Le jaillissement de l'eau était presque furieux. Des larmes d'argent bondissaient dans les rayons de lumière. Suivant l'un d'eux du regard, Salomon entendit la voix de Dieu. « Je t'ordonne, disait-elle, de bâtir un temple sur ma montagne sainte. La Sagesse créera ton œuvre. Elle sera présente à tes côtés, elle qui fut auprès de moi quand j'ai créé le monde. C'est par elle, et par elle seule, que sont tracés droit les sentiers de ceux qui sont sur terre. »

1. Ein Atan.

Salomon se souvint de la légende que lui avait racontée plusieurs fois son précepteur. A l'origine des temps, le ciel s'était ouvert. En sortit une pierre qui tomba dans la mer. Sur cette surface solide se constitua la terre. Dieu avait étendu le cordeau sur le vide et organisé le chaos avec le niveau. L'architecte des mondes avait séparé la lumière des ténèbres.

Bâtir un temple... La vocation de Salomon prenait forme. L'appel qu'il ressentait au plus profond de lui-même depuis tant d'années, c'était bien celui du futur édifice destiné à Yahvé. Pour être un grand roi, il fallait devenir un constructeur. Salomon songea à la célèbre pyramide à degrés du pharaon Djéser : en ouvrant un gigantesque chantier, il avait définitivement unifié son pays. Israël avait besoin d'un temple. Un magnifique sanctuaire à la gloire du dieu unique. Une demeure sacrée qui serait le soleil du règne.

Ivre de joie, Salomon courut vers son char et reprit la route de Jérusalem.

Les soldats formant la garde privée du souverain avaient été mis en état d'alerte. Nul ne savait où était parti Salomon. Le maître du palais avait maladroitement tenté de cacher sa disparition qui causait un véritable scandale.

L'esplanade était remplie de religieux et de dignitaires qui exigeaient des explications. Certains n'hésitaient pas à qualifier le roi d'esprit faible, de feu follet ou d'oiseau de passage.

Quand Salomon réapparut, resplendissant dans son habit blanc, les rumeurs se turent. Ses sujets, le fixant avec étonnement, demeurèrent immobiles. Chacun attendait l'explication de ce mystère.

Elihap, un rouleau de papyrus scellé dans la main droite, fendit la foule des courtisans, marcha vers le roi et s'inclina en lui présentant le précieux objet.

— Voici ce que le prophète Nathan, votre précepteur, m'avait demandé de vous remettre.

— Pourquoi choisir ce moment ?

— Dieu a inspiré Nathan. Le testament de David ne devait vous être offert que le jour où vous auriez quitté le palais de grand matin pour y revenir, seul sur votre char, lorsque le soleil ferait briller la pureté de votre habit. Ainsi parla le prophète.

La déclaration d'Elihap sema l'effroi dans l'assistance. Salomon ne pouvait plus être considéré comme un homme. N'était-il pas l'un de ces anges qui avaient pris forme humaine pour accomplir sur terre la volonté d'en haut ?

Quand Salomon pénétra dans la résidence de David, il ne savait pas encore que son prestige était devenu immense et que nul ne songeait plus à contester son autorité. Il n'avait qu'un désir : lire ce texte qui lui avait été si longtemps caché.

Le roi déroula le papyrus sur les dalles de la salle du trône. C'était bien l'écriture de son père.

« *J'habite un palais modeste*, indiquait David, *et l'Arche de Yahvé est installée sous une simple tente. J'ai voulu construire une noble demeure pour le dieu unique. Mais le prophète Nathan s'y est toujours opposé avec la dernière rigueur. Si j'avais tenté de mettre mon projet à exécution, Yahvé m'aurait foudroyé. Aussi, sous mon règne, Dieu s'est-il contenté de voyager de logis en logis, tandis que je versais beaucoup de sang sur terre. Mais j'ai préparé l'avenir. Un énorme trésor est dissimulé dans les caves du palais. Il servira à mon fils Salomon pour bâtir le temple que mon cœur désirait et que mes yeux ne verront pas. J'ai rassemblé des matériaux, des lingots d'or, du bronze, du fer. J'ai élevé un autel à l'emplacement du futur sanctuaire. J'ai acheté le terrain qui appartient aujourd'hui à la Couronne. Mon fils, quand tu liras ces lignes, montre-toi digne de la tâche dont tu hérites. Enfin, tu partages mon secret.* »

Salomon convoqua son secrétaire.

— Ce texte est incomplet, affirma-t-il. Il s'accompagne d'un enseignement oral. Toi seul peux l'avoir reçu.

— Il est vrai, Seigneur. C'est pourquoi je me suis

éloigné du palais, attendant de savoir quel roi vous comptiez devenir.

— Es-tu conscient de l'impudence de tes propos?

— Certes, mon maître. Auriez-vous agi d'une autre manière?

Salomon ne manœuvrait pas aisément l'Egyptien. Mais il appréciait son absence de veulerie et sa droiture. Nathan le prophète ne s'était pas trompé en lui accordant sa confiance et en laissant un jeune monarque dévoiler ses intentions.

— Où se trouve l'autel qui servira au temple de pierre de fondation?

— Vous rencontrerez de nombreux adversaires, prophétisa à son tour Elihap. Bâtir un édifice comme celui que vous envisagez est contraire aux habitudes des nomades, profondément enracinées dans l'âme d'Israël.

— C'est exact, reconnut Salomon. Mais mon père m'a confié une mission. Je la remplirai. Ce pays a besoin d'un temple. Du plus magnifique des temples.

— L'autel se trouve sur le rocher de Jérusalem, Seigneur, au sommet septentrional de la montagne. L'endroit est interdit depuis plusieurs années. Il est rendu presque inaccessible par le ravin qui le sépare des premières maisons.

— L'ancienne aire à battre le grain, là où Noé a offert un sacrifice, là où Jacob a vu une échelle reliant la terre aux cieux... Est-ce bien à cet endroit, Elihap?

— Oui, Seigneur. Nathan pensait que ce rocher était la pierre primordiale autour de laquelle le monde s'est formé. En son sein jaillit la source du paradis qui monte jusqu'au soleil et redescend en pluie sur la terre. Cette pluie dont vous êtes devenu le maître.

— La pierre primordiale... Les Egyptiens ne la possèdent-ils pas aussi, à Héliopolis?

— Autant de lieux sacrés, autant de centres du monde, répondit le secrétaire. A vous de manifester celui de votre peuple.

Salomon quitta le palais de David. Aidé de deux soldats qui tendirent des cordes en guise de passerelle, il franchit le précipice et passa le reste de la journée,

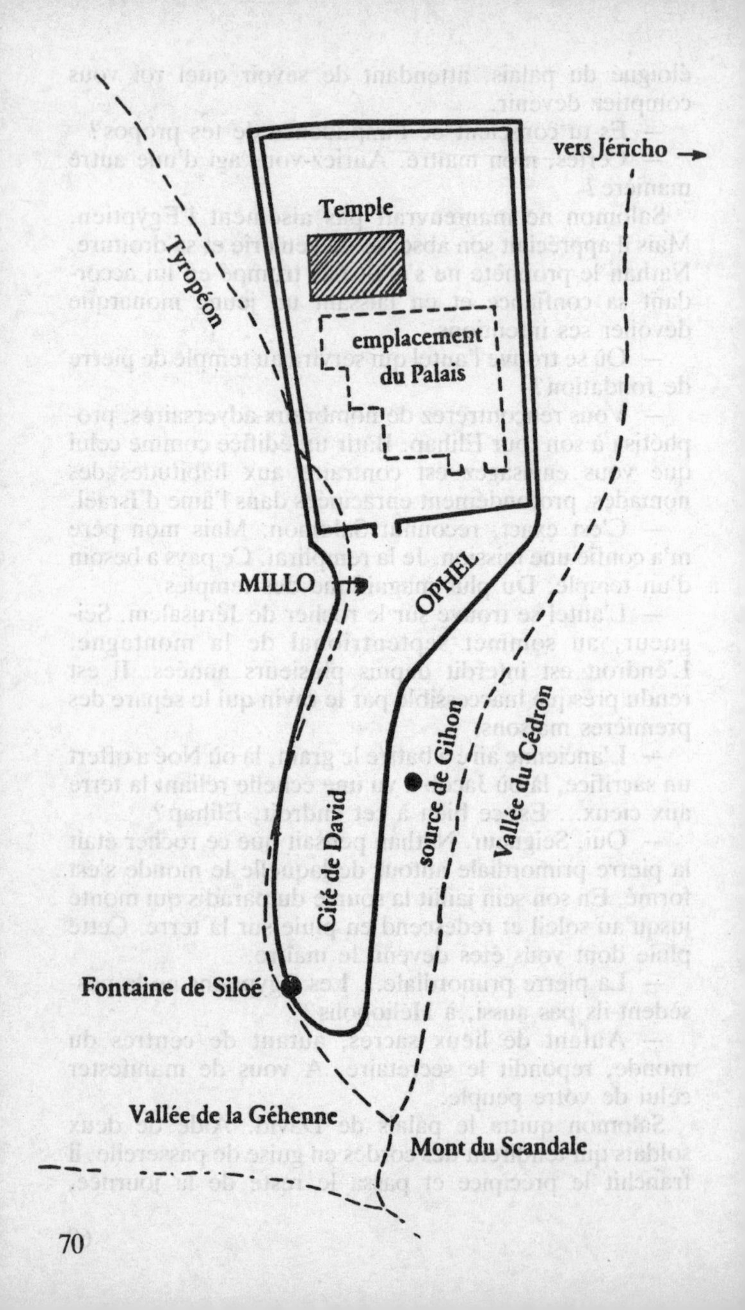
vers Jéricho
Temple
Tyropéon
emplacement
du Palais
MILLO
OPHEL
source de Gihon
Vallée du Cédron
Cité de David
Fontaine de Siloé
Vallée de la Géhenne
Mont du Scandale

jusqu'au coucher du soleil, sur le roc majestueux où s'élèverait son temple.

Du haut de la montagne de Jérusalem, il découvrit sa capitale et son pays. Au nord, la Samarie et la Galilée. A l'est, le Jourdain, la mer Morte et le désert. Au sud, la Judée. A l'ouest, les plaines s'achevant par la côte méditerranéenne. Salomon régnait sur ces terres, ces monts, ce fleuve, ces mers, ces tribus qu'il avait unifiées. Personne, depuis que David avait consacré un autel sur ce rocher occupant la largeur de l'éminence, n'avait contemplé Israël d'aussi haut et d'aussi loin.

David avait bien choisi le site. Il possédait la puissance, la beauté et le mystère nécessaires à la maison de Dieu. Bientôt l'Arche d'alliance ne serait plus errante. Bientôt, les Hébreux verraient le sanctuaire qui les ancrerait à jamais dans l'amour du Très-Haut.

10.

Le lendemain du premier sabbat d'automne fut marqué par une succession d'audiences imprévues. Salomon, qui espérait un signe de la part du pharaon et croyait encore en sa parole, était d'humeur morose. Il étudiait le plan laissé par David pour le futur temple de Jérusalem, mais le jugeait imparfait. Son père n'avait envisagé qu'une chapelle plus vaste, sans génie architectural.

Où trouver un Maître d'Œuvre ? Les Hébreux avaient appris à paver les routes, à bâtir ou à consolider des murs de forteresse, mais ils ignoraient les secrets d'assemblage des pierres d'éternité destinées au sanctuaire.

Quand fut annoncé Jéroboam, porteur d'une nouvelle suffisamment importante pour oser troubler la méditation du roi, ce dernier fut empli d'un nouvel élan. Ce jeune chef de travaux ne serait-il pas l'architecte dont Israël avait besoin ?

L'athlète roux, torse nu, les reins ceints d'un pagne de cuir, était en proie à une vive exaltation. Quand le roi lui donna la parole, il s'exprima avec volubilité.

— Maître, les écuries sont achevées ! Vos chevaux y seront heureux. Les équipes chargées de les nourrir et de les nettoyer y circuleront aisément. Rien de si accompli n'existe ailleurs !

— Sois-en fier, Jéroboam.

— Mon roi, j'ai d'autres desseins ! Je les réaliserai si un nombre d'ouvriers suffisant est placé sous mes ordres.

— Je t'écoute, dit Salomon.

Jéroboam avait-il le désir de voir Jérusalem couronnée par un temple ? Avait-il perçu l'avenir du pays ? S'il en était ainsi, il deviendrait sur-le-champ le Maître d'Œuvre chargé de travailler aux côtés du monarque.

— Je veux construire le nouveau palais du roi d'Israël, déclara Jéroboam avec assurance. Le peuple murmure que la maison de David est indigne de Salomon. J'utiliserai la brique et le bois, sur plusieurs étages, avec une immense terrasse, et...

— Crois-tu que cet édifice soit le premier à bâtir ?

— Certes, mon roi !

— N'y aurait-il pas plus urgent ?

— Bien sûr que non !

— Réfléchis bien, Jéroboam.

Lèvres serrées, regard anxieux, le colosse cherchait vainement la réponse qu'eût aimée Salomon. Ce dernier fut patient. Mais ce qu'il lut dans l'âme de son interlocuteur le dissuada de lui offrir davantage que sa fonction présente.

— Abandonne l'idée de ce palais, Jéroboam. Nous aurons bientôt besoin de grandes écuries. Choisis un terrain proche de Jérusalem, prépare des plans et organise le chantier. Tu travailleras sous les ordres du maître du palais.

Vexé, Jéroboam fut contraint de se retirer. A peine était-il sorti de la salle d'audience que le maître du palais y entra, aussi troublé que son prédécesseur.

— Majesté, nous courons à la catastrophe !

— Pourquoi donc ?

— Votre secrétaire, Elihap, a détourné de nombreuses contributions qui devaient me revenir pour l'entretien de la cour. Je demande un châtiment exemplaire.

— En ce cas, il faudra châtier le roi. Car Elihap a agi sur mon ordre.

Affolé, le maître du palais recula de deux pas.

— Pardonnez-moi, Majesté... j'ignorais... mais comment pourrais-je continuer à...

— J'attendais ton intervention beaucoup plus tôt.

Elle prouve que tu n'examines pas souvent tes comptes. Déploie donc ton intelligence. L'argent engrangé par Elihap servira à la construction du temple. Les dépenses de la cour seront réduites au minimum sans que sa grandeur en soit altérée.

Trop heureux d'échapper à un sort funeste, le dignitaire se précipita vers son bureau. Il se heurta à l'ancien grand prêtre, Abiathar, qui demandait à s'entretenir d'urgence avec Salomon.

Abiathar, nommé par David, était le seul descendant d'une illustre famille de religieux qui avait habité Silo, le plus fameux des lieux saints avant que Jérusalem ne devînt la capitale d'Israël. Abiathar avait échappé au massacre des partisans de David organisé par Saül. C'est lui qui avait réussi à sauvegarder l'Arche et les vêtements rituels du grand prêtre.

Averti de la présence du vieillard, Salomon vint à sa rencontre et, lui donnant le bras, l'emmena sur l'une des terrasses abritées. Abiathar marchait avec peine.

— Tu es un homme jeune, Salomon, et moi, je suis presque mort.

— Tu as été l'ami de mon père, reconnut le souverain, tu as partagé ses épreuves. La bénédiction de Dieu est sur toi.

— Je suis le gardien de la tradition, Salomon. Si je sors de ma réserve, c'est pour te mettre en garde. Jamais ton père n'a voulu construire un temple. Cet édifice serait un sacrilège. L'Arche ne doit pas être enfermée dans Jérusalem mais continuer à voyager dans les provinces. Ne profane pas la coutume. Chasse de la ville des étrangers dont le nombre ne cesse de grandir. Débarrasse-toi au plus vite de cet Egyptien, Elihap, qui est un mauvais conseiller.

— La construction d'un temple troublerait-elle le clergé ?

Le vieil Abiathar s'assit sur l'un des rebords de la terrasse, dos au soleil.

— Il ne l'admettra pas, sois-en sûr ! Ton père l'a divisé en vingt-quatre classes qui se partagent le service divin. Un temple les obligerait à se regrouper à Jérusalem, à quitter leurs provinces! Rien ne doit changer. La force d'Israël, c'est son passé. Vouloir le détruire serait trahir la volonté divine.

Salomon admirait le roc qui dominait Jérusalem.

— Toi, Abiathar, connais-tu cette volonté?

— Je sais faire parler les oracles!

— C'est l'une des fautes que je te reproche. Un grand prêtre doit se préoccuper du rituel, pas de magie. Ton successeur, Sadoq, ne commet pas de telles imprudences.

Abiathar était surpris par la vigueur du ton.

— Il y a plus sérieux, poursuivit Salomon. Je sais que tu as soutenu mon ennemi Adonias dont je déplore l'exécution, hélas indispensable.

Le vieillard chancela. Salomon l'empêcha de tomber.

— Tu as mérité la mort, Abiathar. En raison de ton grand âge, je me contente de t'envoyer dans un village, au nord de Jérusalem, d'où tu ne sortiras plus. Si tu désobéissais, n'espère aucune clémence.

L'ancien grand prêtre se leva, sans aide.

Avec des yeux d'enfant égaré, il observa un monarque à la jeunesse étincelante qui balayait le monde d'hier, le réduisait à néant plus sûrement que s'il l'avait incendié. Salomon n'avait pourtant cédé à aucune agressivité. Son expression était restée calme et souriante, comme s'il avait chanté un poème sur les couleurs apaisées de l'automne.

— Sadoq, mon successeur... n'a-t-il pas essayé de convaincre le roi qu'il s'égarait?

— Sadoq est, lui aussi, un homme âgé, rappela Salomon. Il est prudent. S'il venait à s'opposer au souverain qu'il a lui-même couronné, comment serait-il jugé par Dieu? Peu importent les prêtres. C'est au roi de guider son peuple vers la lumière. N'est-ce pas l'enseignement que tu as reçu de ton père?

Abiathar baissa la tête.

Salomon le regarda quitter la terrasse, sachant qu'il ne reverrait jamais le vieillard.

11.

Après avoir éveillé la puissance divine dans le Saint des saints du temple de Tanis, le pharaon Siamon se recueillit. Seule la lumière cachée dans le mystère de ce lieu accessible au seul roi d'Egypte inspirerait son action en cette journée où il prendrait une décision capitale.

Précédé de son porte-sandales, il traversa la grande cour à ciel ouvert. Le ciel était nuageux, l'air chargé de senteurs marines exhalées par la Méditerranée. Un char emmena Siamon du temple au palais. Il apprécia une fois encore la beauté de Tanis, parcourue de nombreux canaux bordés d'arbres et de jardins. Les architectes s'étaient inspirés de Thèbes la magnifique pour recréer dans le nord une cité aux majestueuses villas où il faisait bon vivre.

Quand Pharaon entra dans la salle du conseil, le grand prêtre d'Amon, le premier des ritualistes et le général en chef se levèrent pour saluer le maître de l'Egypte. Ce dernier s'assit sur un trône en bois doré dont le dossier s'ornait d'une scène de couronnement.

— Mes amis, commença-t-il, j'ai appris de source sûre que le roi Salomon avait décidé de construire un temple immense sur le rocher de Jérusalem.

— Absurde, jugea le grand prêtre. Israël n'est pas un pays pauvre, mais il n'a pas la fortune nécessaire pour réaliser un tel projet.

— Détrompe-toi. David a accumulé des richesses dont son fils se servira.

— Pourquoi cette volonté de nous imiter? Les

Hébreux sont des nomades, rappela le ritualiste. Ils n'ont pas besoin d'un grand sanctuaire pour abriter leur dieu.

— Salomon a compris qu'il devait devenir bâtisseur pour faire d'Israël un grand royaume, exposa le pharaon. Nous le soutiendrons.

Le général ne dissimula pas ses réticences.

— Lui avoir vendu chars et chevaux fut une largesse de Votre Majesté. Pourquoi l'aider davantage ?

— Pour qu'il consolide la paix, répondit Siamon. Le temple de Jérusalem évitera des guerres. Si le roi d'Israël lui consacre tous ses efforts, nos deux pays communieront dans le sacré. Mais Salomon est aussi prudent que rusé. Il n'acceptera un traité d'alliance qu'en échange d'une preuve de notre bonne foi.

— Laquelle, Majesté ? interrogea le grand prêtre.

— Salomon connaît nos traditions. Il sait que seul un mariage peut sceller un pacte de paix.

Les trois confidents de Siamon étaient atterrés. Ce que sous-entendait Siamon était impossible.

— Pharaon ne songe pas à... donner sa fille à un Hébreu ?

— C'est l'unique moyen de convaincre Salomon que nous haïssons la guerre autant que lui. Comme vous, je sais que jamais fille de Pharaon n'a épousé un étranger. Mais nous devons être lucides. L'Egypte s'affaiblit. Elle ne supporterait pas le poids de plusieurs conflits. Notre alliance avec Israël garantira notre sécurité au nord-est. Nous pourrons nous consacrer à la protection de notre frontière de l'ouest.

L'analyse de Pharaon était juste. Le général n'avait aucun argument à lui opposer.

— Israël n'a ni la pierre ni le bois ni l'or indispensables à la construction d'un grand temple, estima le ritualiste. Pharaon les lui fournira-t-il ?

— Ce serait une erreur, jugea Siamon. Elle rendrait Salomon trop dépendant de l'Egypte. Il ne l'accepterait pas. Nous agirons de manière détournée. Salomon sera contraint de s'adresser au roi de Tyr.

— Il ne peut rien nous refuser, reconnut le général.

— Outre un allié sûr contre les raids des nomades, indiqua Pharaon, Israël sera un partenaire économique important. Il nous permettra d'accéder aux routes commerciales que nous ne contrôlons pas.

L'alliance avec Salomon, après examen, ne présentait que des avantages. Pourtant, le pharaon demeurait soucieux.

— Subsiste-t-il un obstacle ? demanda le grand prêtre.

— Un obstacle majeur, répondit Siamon. Nous devons connaître les mystères que Salomon enfermera dans son temple.

— Il faudrait qu'un Egyptien acceptât de se convertir à la religion de Yahvé, objecta le ritualiste. Cela, Majesté, vous ne pouvez l'exiger.

— Je ne me rendrai pas coupable d'un tel méfait, promit Pharaon. Il est un autre matériau, humain celui-là, dont manque Salomon : le Maître d'Œuvre capable de bâtir son temple. L'architecte qui érigera le sanctuaire de Yahvé sera un Egyptien.

La Maison de Vie du temple de Tanis connaissait une agitation inhabituelle. D'ordinaire, l'endroit était voué au silence, à l'étude et à la méditation. Là venaient travailler ceux qui apprenaient les hiéroglyphes et composaient les rituels. Architectes, sculpteurs, médecins, grands administrateurs avaient passé un temps plus ou moins long dans les ateliers de la Maison de Vie pour y apprendre leur métier.

Peu nombreux étaient les initiés qui demeuraient en permanence dans cet endroit où se transmettait la sagesse des anciens. Le monde extérieur ne présentait guère d'attrait à leurs yeux. Ils avaient choisi de consacrer leur vie au sacré et de ne plus se préoccuper des affaires humaines. Aussi furent-ils étonnés de voir apparaître, à la nuit tombante, le maître de l'Egypte, Pharaon en personne.

Le roi avait été l'élève du sage qui dirigeait la Maison de Vie. Ce dernier fit entrer le souverain dans une salle à colonnes pourvue, sur son pourtour, de banquettes de pierre. Une dizaine d'adeptes étaient assis.

— Si j'ai demandé cette réunion, dit le roi, c'est parce que j'ai besoin de vous consulter. Israël est devenu une grande nation. Elle est gouvernée par un monarque exceptionnel, Salomon. Ce dernier désire construire un temple à la gloire de Yahvé. Aucun architecte hébreu n'en est capable.

— Qu'importe, jugea un adepte. Israël est notre adversaire.

— Il l'était, rectifia Pharaon. Salomon veut mettre fin à l'hostilité qui nous oppose.

— Méfiez-vous des Hébreux, recommanda un autre adepte. Ils sont fourbes.

— Salomon désire la paix. Aidons-le.

— De quelle manière ?

— En lui envoyant un architecte qui sera capable de bâtir le temple de Yahvé, répondit le pharaon.

— Impossible. Nos secrets doivent rester en Egypte.

— Rien ne sera dévoilé, affirma Siamon. Ils demeureront cachés dans la construction. La forme sera celle voulue par Salomon.

Le maître de la Maison de Vie s'adressa au pharaon.

— Puisque votre décision est prise, Majesté, lequel d'entre nous avez-vous choisi ?

Siamon, habitué à maîtriser ses émotions, fut contraint de reprendre son souffle.

— Horemheb, fils d'Horus.

Les regards convergèrent vers un adepte d'une trentaine d'années, au large front et à la puissante musculature. Apprenti à douze ans, il avait passé son adolescence sur les chantiers de Karnak. Devenu Maître d'Œuvre trois ans auparavant, il avait choisi d'approfondir son art en étudiant les traités d'Imhotep, le plus grand des architectes, conservés dans les archives de la Maison de Vie.

Horemheb ne s'épanchait pas volontiers. Il n'émit aucun commentaire.

— Je connais le poids du sacrifice que je t'impose, dit Siamon. Quitter l'Egypte est une épreuve que peu d'entre nous, aussi sages soient-ils, seraient capables d'affronter. Si tu juges ma décision injuste, refuse.

Horemheb s'inclina devant le pharaon.

Le maître de la Maison de Vie se leva.

— Le roi et moi-même avons longuement conversé avant d'adopter la position qui est aujourd'hui la nôtre. Peut-être nous trompons-nous. Peut-être Salomon et les Hébreux taisent-ils leur passion pour la guerre. Notre architecte n'est pas certain de réussir. Mais s'il parvient à édifier ce temple à Jérusalem, la sagesse de nos anciens sera transmise à une autre nation qui la transmettra à son tour aux générations futures. Cette entreprise reposera sur les épaules d'un seul homme. Qu'il médite et qu'il se prépare. Laissons-le seul.

Siamon sortit le dernier de la salle du conseil. Il se retourna vers Horemheb, immobile.

— Ce soir, annonça-t-il, nous partons pour Memphis.

Dans la nuit claire, la grande pyramide du roi Khéops apparaissait telle une immense montagne dont le parement de calcaire blanc rayonnait à travers les ténèbres.

Siamon et le Maître d'Œuvre pénétrèrent à l'intérieur après avoir parcouru les allées silencieuses du temple haut. Horemheb connaissait le plan du prodigieux édifice qu'aucun constructeur ne pourrait jamais égaler. Le pharaon lui ordonna de descendre dans la salle souterraine et d'aller y prendre les objets rituels qui avaient été déposés là bien des siècles auparavant.

Le Maître d'Œuvre s'accroupit et se glissa dans l'étroit conduit de granit qui conduisait jusqu'aux entrailles de la terre.

Quand il remonta, muni de son précieux fardeau, Pharaon lui donna l'accolade.

— Désormais, lui dit-il, tu t'appelleras Hiram.

12.

Nagsara, la fille du pharaon Siamon, était terrorisée. A dix-sept ans, elle n'avait jamais quitté l'Egypte et la cour royale où elle avait vécu dans un luxe douillet, loin du monde extérieur et de ses viles réalités. N'étant pas destinée à régner, Nagsara avait joui de la culture offerte aux femmes de la haute société : poésie, danse, musique, participation aux rites de la déesse Hathor, service au temple, promenades dans la campagne et sur le Nil, banquets somptueux. L'adolescence de la fille de Pharaon se déroulait dans un éblouissement de plaisirs et de fêtes. Quand elle l'aurait décidé, Nagsara épouserait l'homme dont elle serait tombée amoureuse et lui offrirait deux enfants, un garçon et une fille. Puis les jours heureux succéderaient aux jours heureux, s'écoulant au rythme des saisons sous la protection du soleil divin.

Les rêves de bonheur de la jeune princesse s'étaient brutalement brisés quand son père l'avait mandée au palais de la manière la plus officielle, en présence de ses conseillers. Il lui avait communiqué sa décision : afin de servir les intérêts de l'Egypte, Nagsara partirait pour Jérusalem où elle deviendrait l'épouse du roi Salomon, scellant ainsi le pacte qui ouvrirait une ère de paix et d'amitié.

Bouleversée, la jeune femme n'eut même pas la force de rappeler qu'une telle pratique était contraire à la tradition et qu'elle serait la première fille de Pharaon donnée en mariage à un étranger.

Nagsara sanglota une journée entière. Elle songea à se jeter dans le vide, du haut du palais. Mais le suicide était le lot des condamnés à mort. Nul être humain n'avait le droit de se supprimer lui-même, sous peine d'anéantir son âme et d'être incapable de franchir les portes de l'au-delà.

Jusqu'au départ, Nagsara avait vécu dans une brume semblable à celle qui envahissait les rues de Tanis, les matins d'hiver, et ne se dissipait qu'à l'heure où le soleil triomphait. Mais le cœur de la fille de Pharaon, prisonnier d'une nuit glacée, avait perdu le chemin de la lumière.

Elle, si rieuse, avait un visage triste et fatigué. Elle languissait, s'était laissé maquiller et vêtir sans réagir. Sa coiffeuse pleurait. Bien sûr, elle avait embelli les traits encore enfantins de Nagsara, mais sans les égayer. La perruque nattée, parfumée au jasmin, était une œuvre d'art. Les yeux noirs de la princesse, ses lèvres soulignées de rouge, ses joues ornées d'une pointe de fard orange, ses longs cils lui donnaient un charme ravissant. Mais à quoi bon rendre séduisante une condamnée à la pire des peines, l'exil?

Depuis le départ de Tanis, Nagsara avait fermé les yeux, espérant que ce faux sommeil la conduirait dans le monde des dieux. Lorsqu'elle les ouvrit à nouveau, c'était pour découvrir la route pavée de basalte menant à Jérusalem sur laquelle roulait son chariot, tiré par des chevaux empanachés. Le suivait une file de véhicules chargés de cadeaux à l'intention de Salomon. La princesse était protégée par une troupe d'élite et pourvue d'une nombreuse domesticité chargée de satisfaire ses moindres désirs. Mais quel souhait aurait pu former une fille de Pharaon promise à un roi étranger qu'elle redoutait davantage qu'un démon de la nuit?

En ce début d'hiver, le ciel revêtait une robe au gris inquiétant. Le cortège avait affronté la pluie et le vent, après avoir quitté les aubes claires et les couchants dorés de l'Egypte.

Une odeur de poisson agressa les narines de Nagsara. C'était jour de marché dans la capitale d'Israël. Les ruelles sentaient. Elles étaient si étroites que le chariot y passait avec difficulté. Nagsara poussa un cri d'effroi quand une dizaine de mendiants, s'excitant les uns les autres, s'agrippèrent aux grillages de bois qui servaient de fenêtres. En haillons, hurlant des injures, les mains sales, ils voulaient toucher la belle Egyptienne venue d'un pays légendaire. Les archers les écartèrent avec brutalité. Ils détalèrent en piétinant un lépreux qui n'avait pu s'enfuir assez vite.

Entre les maisons des riches, couvertes de tuiles, et celles des pauvres, aux toits de roseau et de terre battue, les soldats tentaient en vain de faire respecter un semblant d'ordre. L'excitation était à son comble. La foule manifestait une joie bruyante, stupéfaite de constater que la rumeur n'avait pas menti : une fille de Pharaon venait s'offrir au roi d'Israël!

Aucune grande avenue, comme à Thèbes ou à Memphis, mais une succession de petites artères enchevêtrées dont certaines comportaient des degrés pour faciliter l'ascension des ânes chargés de nourritures. Nagsara eut le sentiment d'entrer dans un monde clos, étouffant, où elle serait à jamais prisonnière.

Perdus les jardins précédant les demeures des nobles égyptiens; évanouis les arbres et les buissons fleuris; disparues les constructions en bois, recouvertes de feuillages, sous lesquelles on prenait le frais.

La progression du chariot fut interrompue par le passage d'oies et de poules évadées d'une ferme située en plein centre de la capitale. L'incident n'arracha pas un sourire à Nagsara mais un parfum connu calma quelques instants sa nervosité : celui des fleurs d'un jasmin géant qui ornait les murs d'une courette où étaient entassés des ustensiles de cuivre. En cette saison, c'était un miracle. La jeune femme adorait cette odeur qui lui rappelait ses jeux d'enfant près du bassin du palais.

Quelques tours de roue et la merveilleuse senteur fut supplantée par la pestilence émanant de fumées noirâtres. Les ménagères brûlaient des détritus et des excréments; d'autres faisaient cuire de la viande ou du poisson. La brutalité des odeurs de Jérusalem avait vite dissipé un instant de rêve.

Soudain, Nagsara se mordit le poignet, presque jusqu'au sang. Puis elle prit conscience qu'elle se comportait comme une écervelée, indigne de son rang. Qu'une fille de Pharaon apparût au roi d'Israël dans ce méprisable état la révolta. Le fouillis des maisons, le manque d'espace ne devaient pas lui faire oublier qu'elle entrait dans la capitale d'un Etat puissant, gouverné par un monarque à la renommée grandissante. En cette contrée, Nagsara était l'Egypte. Elle devenait héritière et responsable de la noblesse de son pays.

Le cortège fut contraint de s'arrêter au pied d'une chaudronnerie. Les ouvriers avaient encombré la voie de leurs ustensiles. A coups de marteau, ils frappaient le métal, façonnaient des chaudrons. Apostrophés par les soldats, ils libérèrent le passage à contrecœur. Un porteur d'eau s'approcha du chariot.

— Buvez, ma princesse! Voyez comme elle est fraîche!

Nagsara accepta. En échange de l'outre, elle donna au marchand une coupe d'argent.

Le porteur d'eau brandit son magnifique trophée et vanta la bonté de l'Egyptienne qui apportait la richesse aux petites gens. Nagsara venait de conquérir le cœur d'un quartier de Jérusalem. Malgré le désespoir qui la rongeait, elle prit la décision de ne pas rester une petite fille languissante.

Bientôt, Nagsara comparaîtrait devant Salomon dont on lui avait vanté la beauté et l'intelligence.

Elle ne le décevrait pas.

Au terme de deux heures d'efforts patients et attentifs, les serviteurs du grand prêtre Sadoq achevaient de vêtir leur maître des habits rituels. Les coins de la barbe non coupés, comme l'exigeait la coutume, Sadoq était coiffé d'un turban aux bandeaux violets recouvert d'une tiare d'or sur laquelle une inscription proclamait : « gloire à Yahvé ». Sur sa tunique de lin, un surplis violet orné de grenades entre lesquelles pendaient des clochettes d'or dont le son aigrelet écartait les forces démoniaques. Par dessus, une pièce unique, l'éphod, tissée avec des fils d'or et de cramoisi, fixée sur les épaules du grand prêtre par des attaches dorées que fermaient deux onyx. A l'éphod était attaché le fameux pectoral aux douze pierres précieuses, dont la topaze, l'émeraude, le saphir, le jaspe, l'améthyste, l'agathe, l'escarboucle et la sardoine qui symbolisaient les douze tribus d'Israël. Joint au pectoral, un petit sac contenant deux dés. En les jetant, le grand prêtre révélait les Nombres utilisés par Dieu pour construire le monde.

Le maigre Sadoq, ainsi vêtu, suscitait une admiration proche de la crainte. Précédé de deux prêtres, il fut introduit dans la salle du trône où Salomon l'attendait.

— Pourquoi cette demande d'audience, Sadoq? Ne devais-tu pas surveiller les préparatifs de mon mariage?

Hautain, le grand prêtre répondit sur un ton cinglant.

— Cette union déplaît à Yahvé, Majesté. Pourquoi ne pas choisir une épouse parmi vos concubines? Cette Egyptienne ne partage pas notre foi. Elle sera une mauvaise reine et attirera le malheur sur Israël. Renonce à ce mariage et ne mécontente pas ton peuple. C'est Dieu qui parle par ma voix.

Le regard de Salomon flamboya. La fougue qui montait en lui le poussait à gifler ce religieux insolent qui lui devait une obéissance absolue. Mais le roi des Hébreux devait conserver la maîtrise de lui-même en toutes circonstances.

— Si je passe outre, Sadoq, qu'adviendra-t-il?

— Je refuserai de célébrer ce mariage impie, Majesté. J'apparaîtrai au peuple et me dépouillerai de mes ornements rituels aux yeux des croyants. Je leur expliquerai que le grand prêtre de Yahvé appelle ainsi le mauvais sort sur la tête du roi et de l'Egyptienne.

Sadoq, un rictus aux lèvres, triomphait. Salomon pensait avoir nommé un homme de paille qui exécuterait ses directives à la lettre. Il se rendait compte que le grand prêtre exerçait un pouvoir bien réel. Sadoq comptait devenir un personnage d'une immense stature, presque l'égal du roi qui serait désormais obligé de le consulter avant de prendre une décision.

Sadoq s'étonnait du calme de Salomon. Il espérait une réaction violente qu'il aurait utilisée à son profit en stigmatisant la véhémence d'un monarque trop jeune. Mais ce dernier, faible ou raisonnable, ne tentait même pas de lutter.

– Prends les dés que tu détiens, Sadoq.

– Les dés, mais...

– Avant de les lancer sur le dallage de cette salle, prouve-moi que tu parles au nom de Dieu en m'annonçant les Nombres qui seront dévoilés.

– C'est une légende, Seigneur, rien de plus, et...

– Le Cinq et le Sept, Sadoq. Le Cinq, nombre de l'homme, et le Sept, nombre de la femme. Si ma prévision est juste, Dieu bénira mon mariage avec la fille du roi d'Egypte. Lance les dés, grand prêtre.

D'abord hésitant, Sadoq les sortit du sachet de cuir. Il les serra dans la main droite puis s'exécuta. Ils roulèrent longtemps, résonnant sur la pierre.

Salomon ne bougea pas.

Sadoq se déplaça, faisant tinter les clochettes d'or de son habit d'apparat. Leur chant métallique lui parut diabolique quand il vit les Nombres que le hasard avait élus.

Le Cinq et le Sept.

13.

Nagsara, fille de Pharaon, avait la certitude d'être accueillie avec les honneurs dus à sa haute naissance. Le moindre d'entre eux était la présence de son futur époux, le roi Salomon.

Quand le chariot s'arrêta devant un bâtiment gris, jouxtant le palais, un homme bedonnant, portant une clé et un sceau sur l'épaule, l'aida à descendre.

— Je suis le maître du palais, déclara-t-il avec bonhomie. Bienvenue en Israël.

Nagsara s'indigna.

— Où est le roi?

— Il viendra bientôt. Les préparatifs du mariage l'ont retardé.

— C'est une injure grave! Je ne suis pas sa domestique.

Le maître du palais fut impressionné par la virulence de cette femme plutôt petite et d'une beauté médiocre. Comme il l'avait supposé, la présence d'une fille de Pharaon à la cour d'Israël ne tarderait pas à provoquer conflits et scandales.

— Veuillez me suivre, Majesté. Ma fonction consiste à vous montrer les lieux où vous vivrez.

Nagsara regarda autour d'elle. Les soldats égyptiens étaient peu nombreux. La garde de Salomon n'aurait guère de peine à réprimer un accès de révolte. La fille de Pharaon n'avait aucun moyen de riposte immédiat contre le mépris qu'elle subissait.

Elle suivit donc le maître du palais. Sa déception fut

immense. La demeure aux murs rugueux dans laquelle il l'introduisit était moins luxueuse que la plus modeste des maisons de Thèbes. Pas de jardin intérieur, aucun plan d'eau, pas de salle à colonnes. Des pièces carrées, sans élégance, sans décor, indignes d'une altesse royale. La colère bondissait dans la poitrine de Nagsara quand elle entendit des rires. Deux jeunes femmes court vêtues, écartant un rideau, sortirent d'une chambre et passèrent en courant devant l'Egyptienne. Une troisième femme, plus âgée, les suivit. Ironique, elle dévisagea Nagsara comme une bête curieuse puis se retira dans une autre chambre d'où émanaient des effluves épicés.

— Qui sont-elles ?

— Les autres épouses de Salomon, répondit le maître du palais. Auparavant, elles appartenaient à son père, David. Il y en a une vingtaine... Des Moabites, des Edomites, des Sidoniennes et même des Hittites. Celle qui vous a observée est une Ammonite. Elle vient de la cité d'Ammon qui contrôle la route allant de Jérusalem à Damas. C'est une importante position stratégique. Aussi cette épouse secondaire occupe-t-elle une place prééminente parmi les concubines. Malheureusement pour elle, son âge... Salomon a besoin d'une nouvelle reine, très jeune...

— Et ce serait moi qui...

Nagsara n'osa pas terminer sa phrase. Ce roi monstrueux avait-il décidé de faire d'elle son esclave, de la soumettre à ses plus bas instincts ? Pharaon avait prévu un mariage diplomatique qui se traduirait par une existence de recluse. Ce misérable destin paraissait doux à Nagsara en regard de ce qu'elle entrevoyait à présent.

— Je refuse de devenir la chienne de votre roi, annonça-t-elle au maître du palais. S'il me touche, ce sera la guerre. Jamais mon père n'acceptera de me voir traitée ainsi. Je n'habiterai pas ici, en compagnie de ces horribles femmes.

— Majesté...

— Je vous interdis de m'adresser la parole. Salomon est un être indigne. En Egypte, vous seriez moins qu'un pêcheur du Delta. Je ne sortirai plus de ce chariot.

Nagsara se dirigea vers le véhicule. Elle ne fit que quelques pas. Sur le seuil de la bâtisse se tenait Salomon qui avait assisté à l'arrivée de la fille de Pharaon.

Il souriait, paisible. Nagsara le contempla. Les yeux bleus du roi d'Israël étaient ceux d'un enchanteur. Il ravissait l'âme. Une étrange maturité transparaissait sous la juvénilité des traits.

— Pardonnez mon retard, implora-t-il d'une voix chaude. Le manque de courtoisie d'un roi est inacceptable. Je pourrais vous expliquer que j'ai dû affronter le grand prêtre qui s'oppose à notre mariage, mais serais-je convaincant ?

— Un grand roi ne dépend d'aucun de ses sujets, rétorqua Nagsara, et moins encore d'un prêtre.

Elle avait voulu être acide, mais ses yeux démentaient ses paroles. En vérité, elle échappait avec peine à la fascination qui s'emparait d'elle. Salomon n'était pas une bête brutale, mais un homme d'une merveilleuse beauté.

— Vous avez raison, reconnut le monarque. Cet endroit ne convient guère à votre noblesse. Mais Jérusalem n'est ni Tanis ni Thèbes. J'ai l'intention de rendre magnifique ma capitale. M'accorderez-vous un peu de patience ? Des appartements spéciaux vous seront réservés, afin d'éviter le contact des concubines.

Nagsara eût aimé protester, affirmer avec force que ces dispositions s'avéraient insuffisantes, qu'elle était la garante d'un traité de paix et non celle qui partagerait la couche d'un roi étranger, mais les mots ne franchirent pas la barrière de ses lèvres.

— Reposez-vous, Nagsara, et préparez-vous pour le grand banquet où nous célébrerons notre union.

***

Nathan le précepteur avait appris à Salomon le secret de l'ivoire que fabriquait l'éléphant, du miel que préparait l'abeille, de la perle qu'engendrait l'huître, du venin de la vipère. Il lui avait enseigné la signification du vol des faucons, l'art de choisir les fruits, le nom des étoiles auxquelles il envoyait des baisers pour les remercier de briller. Au soleil, il offrait de l'huile sainte, à la lune du parfum. Dans la mer, il avait jeté des pierres précieuses de sorte que les brillants des vagues resplendissent davantage. Nathan avait montré à Salomon comment éloigner les fantômes et les démons en frappant des peaux de félins à coups de baguette de coudrier. Du maître, le disciple avait reçu la connaissance du coq annonçant la naissance de la lumière, celle de l'hirondelle messagère de la pluie bienfaisante, celle du hibou capable de discerner la clarté dans les ténèbres, celle de la grue rythmant les saisons. Salomon avait partagé le mystère de l'aigle capable de regarder le soleil en face.

Lorsque ces sciences furent passées dans l'esprit et dans le sang du jeune homme, Nathan lui avait transmis le moyen de connaître l'avenir. Non pas la mauvaise divination, triste apanage des anges déchus, mais l'astrologie, l'art des rois, pratiquée depuis les temps les plus anciens.

Salomon traça un zodiaque dans le sable. Observant le ciel nocturne, il y repéra les planètes et inscrivit leur position dans les signes. Seul le roi avait le droit de connaître l'avenir, non pour lui-même, mais pour la communauté d'êtres dont il avait la charge. Salomon lut le thème astrologique de cette journée qui avait vu la fille d'un pharaon arriver à Jérusalem et ouvrir une ère nouvelle que n'avaient imaginée ni David ni ses prédécesseurs. Puis il en appela à un lointain futur, demandant au ciel la vision des lendemains éloignés.

Les réponses furent équivoques. Jamais elles ne lui avaient paru aussi compliquées, formant un réseau inextricable comme celui des rues de Jérusalem. Annonçaient-elles le bonheur ou le malheur, la réussite ou l'échec? Si le zodiaque et les astres refusaient de parler, n'était-ce pas à Salomon lui-même de prendre les initiatives et de ne reculer devant aucun danger?

En effaçant le tracé, le roi d'Israël eut le sentiment de se priver d'une aide précieuse. Semblable au marin s'enfonçant dans la tempête, il ne pouvait se fier qu'à son intuition afin d'éviter les écueils.

Salomon avait quitté la terre de l'illusion. Son mariage bouleversait l'âme de son peuple. En jetant les dés, il jouait le jeu du Seigneur des nuées. Mais un homme, fût-il roi, en connaissait-il les règles ?

14.

— Les Hébreux sentent mauvais, dit la princesse Nagsara à sa coiffeuse. Fais brûler de l'encens et de la myrrhe. J'exige que cette misérable demeure soit constamment parfumée.

Les servantes de la fille de Pharaon travaillaient sans relâche depuis les premières heures de la matinée pour parer leur maîtresse en vue du banquet du soir où se célébrerait le mariage d'Etat. Utilisant un peigne d'or, la coiffeuse avait avantagé les cheveux fins de Nagsara qui se contemplait sans cesse dans un miroir en cuivre à la surface parfaitement polie.

En dépit des conseils mesurés du maître du palais, Nagsara avait refusé d'accorder la moindre concession à la mode juive. Elle se vêtirait à l'égyptienne et apparaîtrait dans la splendeur d'une reine issue de la plus ancienne et de la plus respectée des civilisations. Aussi, avant de quitter ses appartements pour le palais, Nagsara se fit-elle poser sur la tête un cône d'essences parfumées qui fondrait sur sa perruque tout au long de la soirée. Par prudence, elle plaça dans sa sandale un minuscule vaporisateur de peau. D'une simple pression de l'orteil, elle libérerait de délicates senteurs.

Nerveuse, la princesse vérifia une fois de plus sa coiffure qu'elle jugea insuffisamment frisée. Son maquillage ne lui plaisait plus. Coiffeuse et maquilleuse durent se remettre à l'œuvre, manipulant spatules, peignes et cuillers à fard. Elles affinèrent le dessin des lèvres, soulignèrent davantage la ligne des sourcils avec une pâte bleu-noir. Les cils furent bleuis, les ongles des mains et des pieds peints en rouge.

Enfin satisfaite, Nagsara accepta la robe de lin fin qui lui avait été offerte par les tisserandes de Tanis avant son départ. A cause de la fraîcheur de la soirée, elle jeta sur ses épaules une étole de laine.

Salomon lui avait envoyé des soldats de sa garde personnelle, commandés par Banaias, et un chariot en bois doré pourvu d'un siège confortable et couvert d'un dais. A l'intérieur du palais, le roi avait fait abattre deux murs, dégageant un grand espace où avaient été installées des tables basses.

Le souverain accueillit chacun de ses invités, leur donna le baiser de paix et leur lava les pieds. Ils s'assirent à la place qui leur était indiquée par le maître du palais, les uns jambes croisées sur des coussins, les autres sur des sièges de bois. Au milieu de la salle, la table d'honneur, isolée et superbe. Ses dorures étincelaient sous la lumière de grandes torches.

Cuisiniers, échansons, panetiers avaient travaillé avec ardeur pour que ce banquet fût évoqué comme le plus somptueux de l'histoire d'Israël. Sur des nappes de couleur étaient disposées des coupes et de la vaisselle en argent, des cuillers d'ivoire et de bois. Dans les plats en terre, des câpres, de la menthe, du romarin, de l'ail, de l'oignon, de la coriandre et du safran. Personne n'osait toucher à ces entrées. Les yeux étaient fixés sur la porte d'accès à la salle des réjouissances.

Apparut Nagsara, fille du pharaon Siamon. La future reine d'Israël, par la magnificence de sa robe de lin et des bijoux d'or, ridiculisa les femmes des courtisans. C'était la beauté légendaire de l'Egypte qui pénétrait à Jérusalem, brutalement réduite au rang de petite cité provinciale.

A travers cette femme qui suscitait déjà jalousies et convoitises, Salomon ne voyait qu'une paix sauvant des milliers de vie. Nagsara perçut la froideur de celui qui serait son époux. Dans sa robe rouge et bleue bordée de fils d'or, le roi d'Israël la regardait sans tendresse. Ses pensées voguaient vers l'alliance entre deux pays, non vers l'amour d'une jeune princesse.

— Le puissant souverain d'Israël daignera-t-il entendre la voix de mon pays? demanda-t-elle avec douceur. Les chants et les danses me rappelleront la terre où je suis née. Elles dissiperont ma peine, me feront oublier que j'ai quitté à jamais ma famille et répandront la joie dans les cœurs.

Entrèrent des harpistes et des joueuses de luth et de tambourin. Les suivirent des danseuses vêtues d'un simple pagne de fibres végétales qui se soulevaient à chacun de leurs mouvements. Elles s'agitèrent en cadence, au rythme envoûtant de l'orchestre. Les convives, éblouis par tant d'audace, ne quittaient pas des yeux les poitrines menues et les jambes agiles. Les oreilles se laissaient séduire par une musique suave pendant que Salomon, prenant les mains de la princesse, la conviait à s'asseoir auprès de lui.

— Je vous ferai construire une belle demeure dans l'enceinte du temple, murmura-t-il.

— Quand sera-t-il achevé?

Salomon ne répondit pas, feignant d'admirer les évolutions des danseuses. Nagsara, furieuse contre elle-même, se mordit les lèvres. Sa question stupide avait importuné l'homme qu'elle désirait à présent conquérir. Son père, le pharaon Siamon, contre lequel elle avait nourri un sentiment de révolte, ne lui avait pas réservé un destin néfaste. Saurait-elle assez le remercier pour lui avoir permis de vivre ces heures où elle deviendrait l'épouse d'un monarque aussi séduisant? Etait-ce cela l'amour, cette extase qui anéantissait les êtres à l'exception d'un seul?

Furent servis un veau gras, des pigeons, des perdrix, des cailles rôties au feu de bois et, mets de choix entre tous, un agneau de lait aux ceps de vigne. Plus délicates encore étaient les sauterelles cuites à l'eau et au sel, dont les cuisiniers avaient ôté les pattes et la tête après les avoir séchées au soleil. D'autres avaient été confites dans du miel. Les échansons ne cessaient de remplir les coupes d'un vin vermeil.

C'est à l'issue de la dernière veille que le maître du palais exigea le silence. Salomon prit la main droite de

Nagsara. Le héraut proclama leur mariage, scellant le traité de paix et d'amitié qui unissait l'Egypte et Israël et ferait d'eux des alliés contre un éventuel agresseur. Des acclamations saluèrent l'événement. Puis les agapes reprirent, plus bruyantes et plus débridées.

Salomon avait retiré sa main. Nagsara s'en étonna.

— Ne sommes-nous pas mari et femme, Seigneur?

— La loi des rois le veut ainsi. Mais comment vous obligerais-je à m'aimer?

— Jamais femme d'Egypte n'a vécu sous la contrainte.

Nagsara regretta aussitôt ses trop vives paroles. Elle se comportait comme un être farouche, indomptable, alors qu'elle aurait souhaité manifester sa confiance. Quel mauvais génie l'obligeait à se trahir ainsi elle-même?

Salomon reprit la main de son épouse. Le doux contact de ses doigts fit frémir Nagsara.

— Toi qui deviens reine d'Israël, lui conseilla-t-il, souviens-toi que le souffle de notre existence est une fumée qui se dissipe dans le ciel. Quand elle disparaît, notre corps se réduit en cendres, notre esprit s'évanouit comme l'air léger. Notre vie passera comme le sillon d'un nuage, comme la trace invisible d'une ombre. Nos pensées n'auront été que des étincelles jaillissant selon les battements du cœur. Jouis de l'instant et ne songe qu'à lui. Qu'importent la misère et la vieillesse. Ici, elles sont illusions. Le vin vermeil que je t'offre est le messager du soleil qui l'a mûri. Laisse-le glisser dans tes veines, qu'il soit la lumière illuminant tes gestes.

Nagsara accepta la coupe que lui tendait Salomon. Après avoir bu avec délectation, elle la lui présenta. Quand il la porta à ses lèvres, elle goûta la communion accomplie. D'une légère pression du pied, elle libéra le parfum caché dans sa sandale. Il forma un invisible écran entre le couple et les autres convives.

Nagsara était seule, cruellement déçue. Au terme du

banquet, ses serviteurs l'avaient accompagnée à ses appartements. Salomon était resté en compagnie de ses hôtes. Sans doute avait-il terminé la nuit dans le lit d'une de ses nombreuses concubines. L'amour naissant avait été bafoué. Non seulement elle étoufferait le sentiment qu'elle éprouvait déjà mais encore elle repousserait ce monstre avec la dernière vigueur s'il tentait de l'approcher.

Quand la coiffeuse annonça la venue du roi d'Israël, Nagsara, au mépris de tout protocole, refusa de le recevoir.

Salomon força la porte de son épouse.

Furieuse, elle se dressa devant lui.

— Quittez immédiatement ma maison! ordonna-t-elle.

— Elle est aussi la mienne, dit Salomon avec calme, serrant les poignets de Nagsara qui tentait en vain de le frapper.

— Partez, je vous en prie!

— J'accepte, tendre épouse, mais pas sans vous. J'ai tant de merveilles à vous montrer. Notre char est prêt. Je le conduirai moi-même.

— Je veux rester ici.

L'agressivité de Nagsara faiblissait. Le contact de Salomon l'enchantait. Elle résistait mal à l'étrange chaleur qui l'envahissait.

— Laissez-moi seule, implora-t-elle.

— Pourquoi me repoussez-vous?

— Parce que je vous déteste!

Nagsara s'arracha à l'emprise de Salomon.

— Vous m'avez insultée, ridiculisée! Vous me traitez comme l'une de ces chiennes de concubines! Enfermez-moi donc dans ce palais et abandonnez-moi.

Le roi parut surpris.

— Je ne comprends pas, Nagsara. Ai-je commis de si lourdes fautes?

La princesse, boudeuse, se détourna.

— Votre absence, cette nuit...

— C'est donc cela... Le protocole, belle Nagsara, rien d'autre que le protocole! Je n'avais pas le choix. Mes pensées étaient auprès de vous. Oseriez-vous en douter?

Les dernières résistances de l'Egyptienne s'effondrèrent. Elle accepta le bras de Salomon.

— Mais... je suis à peine vêtue, je...

— La reine d'Israël est très belle ainsi. Ne perdons plus de temps.

Nagsara monta sur le char, aux côtés de son époux. Quand il la prit par la taille, elle se raidit. Sa victoire était trop aisée. Il la manipulait comme l'une de ces poupées de chiffon que les enfants affectionnent. Salomon ne la brusqua pas, se contentant de l'attacher pour qu'elle ne tombât pas.

Le couple traversa de petites plaines égayées par des bosquets d'arbustes dissimulant des villages paisibles. Entre le vallon des mûriers et le coteau des pêchers s'étendaient de nombreuses vignes. Salomon s'arrêta au pied de terrasses qui retenaient la terre, empêchant un glissement de terrain. Il entraîna Nagsara vers un lac que dominait une colline boisée. Sur la rive, des pêcheurs réparaient leurs filets, maniant l'aiguille avec habileté. Posés sur le sol, des hameçons en cuivre. L'épervier, lesté de plomb, était un grand filet que les plus adroits savaient jeter d'un seul geste à partir de barques larges résistant aux courants. Les hommes chantaient. Ils avaient réussi une bonne pêche et rejetaient les poissons impurs, ceux qui n'avaient ni nageoires ni écailles. Leur patron proposa au couple royal un brochet grillant sur un feu de bois. Nagsara repoussa cette nourriture dont se contenta son époux.

Puis ils repartirent, traversèrent une garrigue odoriférante, peuplée de genêts et d'acanthes. Des oiseaux voletaient dans les branches des sénevés dont les cuisiniers broyaient le grain pour obtenir de la moutarde. Laissant pendre sa main le long de la caisse du char, Nagsara se piqua à un chardon géant. Salomon déposa sur la brûlure un long baiser.

En vue de la mer de Galilée[1], la jeune épousée oublia sa douleur. Il ne s'agissait que d'un petit lac en forme de harpe. Un bon nageur le traversait en moins d'une

1. L'actuel lac de Tibériade.

heure. Mais sa beauté était telle que le regard le plus blasé s'illuminait à sa vue. Ses eaux, bleu saphir, étaient sillonnées par de petites barques de pêcheurs habitant les maisons blanches construites parmi les jasmins et les lauriers-roses qui ornaient les rives. Les collines au vert tendre les protégeaient des vents qui, en cette belle journée, faisaient danser les fleurs.

— Ici, révéla Salomon, rien n'a changé depuis la naissance du monde. Seule règne la paix. C'est après avoir vu cette mer tranquille, aux couleurs d'éternité, que j'ai voulu l'offrir à mon peuple et au vôtre.

Nagsara cessa de lutter contre elle-même.

Elle éprouvait des émotions qui l'avaient effleurée, dans les jardins du Fayoum, au bord des plans d'eau où voguaient de jeunes princes au corps parfait.

Elle posa sa tête sur l'épaule de Salomon. La sentant s'abandonner, il demeura longtemps immobile avant de l'enlacer et de lui offrir un premier baiser.

Le regard de Nagsara avait changé. Il pleurait et riait en même temps. En elle, le passé mourait, effacé par la brise ridant le cours du Jourdain vers lequel le roi l'entraîna. Il guida son épouse sur un étroit sentier qui surplombait des marécages avant de grimper entre des blocs de basalte et de s'enfoncer dans un paysage formé de berges escarpées et d'épais buissons.

Nagsara n'osa pas interroger Salomon sur le but de leur escapade. Elle aimait se laisser guider par celui qui l'avait envoûtée.

Tombant du haut d'une falaise sur un îlot peuplé d'ibis, une cascade répandait sa voix cristalline dans l'air léger. Le monde devenait un rêve limpide, plus suave que le miel. Des lauriers-roses fermaient le chemin. Salomon écarta les branches, découvrant un curieux étang aux eaux agitées de soubresauts. D'une butte s'envola une cigogne. Nagsara eut un mouvement de recul en posant le pied dans une terre molle et humide d'où jaillissaient joncs et paryrus. Mais un liquide tiède caressa ses pieds.

— Des sources chaudes, expliqua Salomon. Les plus secrètes d'Israël. Venez vous y baigner. Elles effaceront la fatigue.

Le roi ôta la robe de la princesse avant de se dévêtir lui-même. Puis, ses lèvres jointes aux siennes, il la prit dans ses bras et s'enfonça au cœur des sources. Dorés par le soleil couchant, le corps massé par un bouillonnement délicieux, le roi et la reine s'aimèrent dans l'ivresse de leur désir.

15.

Le rêve ne se brisait pas. Nagsara ne quittait plus Salomon, oublieux de ses concubines. La nouvelle reine d'Israël avait conquis la cour par sa prestance et son élégance, bien que la jalousie des dames de qualité envers une étrangère ne s'estompât point. Le roi, attentif aux élans de sa jeune épouse, avait abandonné les affaires courantes à son secrétaire et au maître du palais.

Les deux hommes ne s'aimaient pas. Ils se tendaient des pièges, si bien qu'éclata un conflit ouvert, imposant l'intervention de Salomon.

Lorsque ce dernier s'assit sur son trône, après une nouvelle journée amoureuse passée aux sources chaudes, il refusa d'écouter les récriminations des deux dignitaires. Une évidence se fit jour en lui : le grand monarque était capable d'un coup d'éclat diplomatique exceptionnel, mais il oubliait sa mission dans les jeux de l'amour.

Salomon renvoya le maître du palais et garda son secrétaire auprès de lui.

— As-tu établi l'inventaire des richesses accumulées par mon père, Elihap?

— Oui, Seigneur.

— Sont-elles suffisantes pour financer la construction d'un grand temple?

— Certes non.

— Existe-t-il un architecte hébreu capable de dresser de nouveaux plans et d'organiser le chantier?

— Vous savez bien que non, mon maître. Nous manquons de matériaux de qualité et de bois de cèdre. Nos charpentiers et nos tailleurs de pierre sont en nombre insuffisant et n'ont pas d'expérience. Renoncez à ce temple. Echouer dans cette entreprise ternirait la gloire dont vous bénéficiez grâce à l'alliance avec l'Egypte.

Renoncez... Le mot faisait horreur à Salomon. En oubliant le temple, il avait perdu toute dignité. Le corps adorable de Nagsara, la fierté d'avoir épousé une fille de Pharaon, lui avaient fait négliger ses devoirs. Comment le fils de David avait-il pu se comporter de manière aussi méprisable ?

Le temple : ce serait lui, le garant de l'union d'Israël avec Dieu, de la terre avec le ciel. Lui seul rendrait durable l'accord avec l'Egypte. Il serait le lieu de paix que nulle barbarie n'oserait détruire. Salomon ne se contenterait pas d'un bonheur humain.

Renoncer... ce serait se détruire lui-même, accepter une mort hideuse qui lui rongerait le cœur. Mais comment réussir, sinon en rendant plus riche Israël, en transformant un petit pays en puissance commerciale et en trouvant ailleurs les hommes et les matériaux dont il avait besoin ?

Ce défi à l'impossible, Salomon le relèverait, même s'il partait au combat avec moins de chances que David contre Goliath.

— A qui mon père a-t-il acheté les métaux précieux qu'il a cachés ?

— Au roi de Tyr, répondit Elihap.

— Fais préparer un bateau. Je pars pour Tyr dès demain.

*
**

En se rendant précipitamment dans la grande cité maritime, capitale économique de l'ancienne Phénicie, située à l'ouest du lac Merom et au sud de Byblos, Salomon ne respectait pas la coutume voulant que deux monarques échangent lettres et ambassadeurs avant de se rencontrer.

Homme prudent et rusé, âgé d'une soixantaine

d'années, le roi de Tyr passait pour un redoutable négociateur. La prospérité de sa ville reposait sur le commerce et sur l'habile exploitation des richesses naturelles de la région qu'elle contrôlait.

Tyr était protégée par une Bonne Déesse, héritière de la souriante Hathor d'Egypte qui veillait sur les marins et leurs bateaux. Le capitaine qui lui offrait un sacrifice avant de prendre le large était assuré d'échapper aux colères de la mer et d'arriver à bon port. Bien que sa mère fût une Israélienne de la tribu de Nephtali, le roi de Tyr avait refusé de se convertir à la religion de Yahvé qu'il jugeait intolérante et guerrière. Certes, il avait consenti à vendre du bois de cèdre à David en vue de la construction d'un temple. Mais ce projet irréaliste avait été vite abandonné. Salomon ne s'était pas empressé de réanimer les relations avec la Phénicie. Après son alliance avec l'Egypte, se préparait-il à envahir une région si proche d'Israël?

Quand fut annoncée l'arrivée de Salomon, le roi de Tyr constata que le général du pharaon Siamon, qui venait de quitter son palais, ne lui avait pas menti en prédisant une intervention prochaine du monarque hébreu. L'Egypte avait dicté sa conduite au Phénicien, lui garantissant sa protection en échange d'une parfaite obéissance. Ce qui était demandé au roi de Tyr ne souillait pas son honneur. Aussi se conformerait-il aux instructions reçues, afin de ne pas se brouiller avec l'empire des bords du Nil.

Salomon se présentait seul, sans vaisseaux de guerre, sans force armée, sans cohorte de serviteurs. Démarche astucieuse, estima le Phénicien. Il se plaçait ainsi sous la protection de son hôte qui devrait veiller sur lui comme sur une personne sacrée.

L'Hébreu justifierait-il la flatteuse réputation qui le précédait? Les poètes n'affirmaient-ils pas qu'il connaissait le langage du cèdre et de l'hysope, celui des oiseaux du ciel et des animaux des champs, des créatures rampant sur le sol ou nageant dans les eaux? N'exagérait-on pas la sagesse d'un si jeune monarque?

Le palais du roi de Tyr était construit en blocs épais

sur un promontoire dominant le port où étaient ancrés de nombreux bâtiments de commerce. De larges ouvertures permettaient au soleil de lancer ses rayons dans des salles agrémentées de mosaïques colorées. La présence militaire était faible et discrète. Tyr s'affirmait comme une cité ouverte à tous, sans esprit partisan, où l'ensemble des nations avait le droit de commercer. Chacun avait intérêt à préserver Tyr et sa flotte, à y laisser circuler le fer, l'argent, l'étain et le plomb, à y réaliser de fructueuses transactions. Le port phénicien n'enrichissait-il pas les rois, fussent-ils adversaires? Les pilotes phéniciens, aux dons exceptionnels, n'étaient-ils pas réclamés par les plus illustres marines? Mais peut-être Salomon, aux ambitions vastes comme l'océan, avait-il décidé de modifier cette situation au bénéfice de son pays.

Salomon n'était accompagné que de son secrétaire qui se tenait en retrait, portant écritoire et calame. Le roi de Tyr les accueillit sur la plus agréable des terrasses de son palais, illuminé par un doux soleil d'hiver. Il leur offrit du vin de palme et des fruits confits.

Le charme de Salomon agit très vite sur l'esprit du roi de Tyr, pourtant habitué à recevoir princes et monarques. Au visage admirable, d'une étonnante sérénité, s'ajoutait une voix intelligente et posée. Il devait être difficile de résister à un tel magicien. Le Phénicien n'en fut que plus méfiant. Avec un souverain de cette trempe, Israël ne tenterait-il pas d'établir sa suprématie sur les Etats de la région?

— Je ne suis qu'un petit-fils de paysan, déclara Salomon. Israël est un pays de campagnards qui ne connaissent rien aux dangers de la mer. Mes sujets sont pauvres. Les vôtres riches. Tyr n'est-elle pas à l'apogée de sa gloire?

Le Phénicien n'écouta le compliment que d'une oreille.

— Après l'apogée, n'y a-t-il pas la chute? Je m'entendais bien avec David, votre père. Après ses victoires sur les Philistins et les Moabites, il m'a traité comme un allié. Est-ce également votre intention?

— Ma venue ne la dévoile-t-elle pas?

— Votre empire s'est agrandi depuis que vous êtes monté sur le trône d'Israël. Il s'étend du Jourdain à la mer et, à l'ouest, atteint les franges du Delta égyptien. De votre politique dépendront la tranquillité et la prospérité de Tyr.

Le Phénicien craignit d'avoir été trop direct. Ce défi ne provoquerait-il pas une réaction de colère?

Salomon sourit.

— Vos paroles me comblent de joie, dit-il. Le bonheur d'Israël dépend du vôtre. C'est dans une paix solide et durable que nous construirons notre amitié.

Le roi de Tyr hésitait.

— J'aimerais éprouver votre sagesse.

— A votre guise.

— Il existe un être vivant qui ne peut se mouvoir, indiqua le Phénicien. Lorsqu'il meurt, il se meut enfin. De qui s'agit-il?

Salomon réfléchit. D'un geste qui passa inaperçu, il fit tourner l'anneau d'or passé à l'annulaire de sa main gauche.

— De l'arbre, répondit-il. Vivant, il ne se déplace pas. Mis en pièces par le bûcheron, il meurt. Mais il devient navire qui se déplace sur l'eau.

Le roi de Tyr reconnut sa défaite.

— Soyez remercié de votre enseignement, dit Salomon. En faisant allusion à votre puissance maritime, vous avez mis l'accent sur la faiblesse d'Israël. C'est pourquoi j'ai besoin de votre aide.

Pendant que le secrétaire notait les interventions des deux souverains, le Phénicien acceptait d'être conquis par son interlocuteur. Il croyait en son désir de paix.

— La rumeur prétend que vous avez l'intention de construire un grand temple à Jérusalem.

— Telle est bien ma volonté, admit Salomon. Mon père a échoué. Je réussirai. J'ai l'intention de vous acheter beaucoup de matériaux, notamment des métaux, du bois de cèdre et de cyprès.

— Que proposez-vous en échange?

— Des céréales, du vin, des fruits, des aromates et du miel.

— Il me faudrait aussi du blé et de l'huile, exigea le roi de Tyr.

— J'y ajouterai la production agricole de vingt villages de Galilée.

Le Phénicien était comblé. La transaction lui était favorable.

— Où vous livrer tout cela ? Vous ne disposez d'aucun port. Les routes sont peu commodes.

— Dans un an, un port existera, affirma Salomon. Je vous associerai aux bénéfices que j'en retirerai. A une condition...

— Laquelle ?

— Envoyez-moi des équipes de tailleurs de pierre et de charpentiers. Les meilleurs artisans d'Orient ont travaillé à Tyr. Les Hébreux ne connaissent pas les secrets techniques pour bâtir un temple tel que je l'imagine.

— Quels avantages obtiendrais-je ?

— De l'or, répondit Salomon.

— De l'or, répéta le roi de Tyr. Cela signifie que vous exigerez davantage de moi.

— Vous m'associerez au trafic maritime. Grâce à mon alliance avec l'Egypte, je garantirai sa totale sécurité. Nous tirerons tous avantage de cet accord. La Phénicie ne peut vivre isolée.

La réflexion du roi de Tyr fut de courte durée. Les menaces latentes contenues dans le discours de Salomon n'avaient rien d'illusoire. La solution qu'il proposait était aussi raisonnable qu'inévitable.

— Marché conclu, roi d'Israël. Votre réputation n'est pas usurpée. Il reste un détail... Quel Maître d'Œuvre avez-vous choisi pour bâtir votre sanctuaire ?

Salomon sembla embarrassé.

— J'en cherche un, avoua-t-il. Mais aucun Hébreu ne me semble qualifié pour remplir une fonction aussi exigeante.

— Avez-vous examiné les murs de mon palais ? L'ouvrage n'était pas facile à réaliser. Je l'avais confié à un jeune architecte qui m'a donné satisfaction. Il quittera bientôt Tyr.

— Quel est son nom?
— Maître Hiram.
— Envoyez-le-moi, demanda Salomon.
— J'essayerai...
— Pourquoi cette réticence?
— Parce que Maître Hiram est un esprit indépendant, plutôt ombrageux, dont la présence est souhaitée dans de nombreuses capitales. Il ne dirige que de grands chantiers où son art peut s'exprimer.

Salomon était intrigué.

— Jérusalem sera-t-elle une cité assez vaste pour son génie?
— Je l'ignore, répondit le roi de Tyr.
— Tentez d'être convaincant, pria Salomon. J'aimerais rencontrer cet homme.

Salomon et son secrétaire partis, le roi de Tyr fit graver une tablette à l'intention du pharaon d'Egypte. Il avait tenu sa promesse et réclamait la récompense annoncée pour avoir ferré un poisson nommé Salomon.

16.

Nagsara se maquillait avec une crème rafraîchissante à base de feuille de troène. Elle s'était teint les ongles des mains d'un jaune d'or. Elle passait des heures à se parer et à se rendre belle pour un roi qu'elle ne voyait presque jamais. La passion de Salomon s'était éteinte à son retour de Tyr. Nagsara avait utilisé en vain les armes de la séduction. Son époux, sans la prévenir, avait quitté Jérusalem pour s'installer dans une maison médiocre, sur le site d'Eziongaber, à l'extrémité du golfe élanitique, sur les bords de la mer Rouge.

— Vous désiriez me voir, Majesté ? demanda le maître du palais, inquiet.

— Où est mon mari ?

— A Eziongaber.

— Pour combien de temps ? Cette absence devient exaspérante.

— Le roi construit un port, expliqua le maître du palais, redoutant un nouvel accès de colère de la part de l'Egyptienne. Que souhaitez-vous pour le dîner ?

— Je n'ai pas faim ! hurla Nagsara.

Le maître du palais s'éclipsa. La reine s'écroula sur son lit, pleurant à chaudes larmes.

Dans sa détresse, Nagsara se jura de trouver le moyen d'attirer l'attention de Salomon et de le retenir auprès d'elle.

Le vent venu d'Afrique soufflait avec violence sur le port d'Eziongaber, empêchant les navires de fort tonnage d'entrer dans le port et les obligeant à mouiller au loin. Les cheveux fins de Salomon volaient dans le souffle déchaîné qui soulevait de hautes vagues.

Le roi d'Israël se réjouissait du travail effectué par les équipes d'ouvriers placés sous la direction de Jéroboam, heureux d'avoir pu prouver une nouvelle fois ses compétences. Sur près de sept cents hectares, une ville s'était très vite édifiée. Certes, les matériaux utilisés étaient de qualité médiocre. Les maisons manquaient de charme et de confort. Mais le peuple d'Israël possédait enfin un grand port. Salomon, néanmoins, ne se faisait guère d'illusions. Les Hébreux redoutaient la mer. Ils aimaient sentir une terre ferme sous leurs pieds. Jamais ils ne rivaliseraient avec les marins phéniciens, jamais ils ne contrôleraient les routes maritimes d'orient et d'occident. Ce n'était pas le but recherché. Franchissant les portes fortifiées d'Eziongaber, protégée par des murailles de huit mètres de haut, des caravanes commençaient une série d'allers et retours bénéfiques pour l'économie d'Israël. Bientôt, les matériaux achetés au roi de Tyr seraient débarqués. Eziongaber, escale sur les itinéraires d'Afrique, d'Arabie et d'Inde, attirerait de nombreux navires qui régleraient un droit d'amarrage.

Ces mesures ne suffiraient pas à financer la construction du temple. Entre l'index et le pouce, Salomon caressait une pépite d'or de la taille d'un noyau d'olive. Il en existait quantité d'autres, de la grosseur d'une nèfle et même d'une grosse noix au pays d'Ophir que les Egyptiens nommaient Pount et les Africains Saba. Ses montagnes étaient d'or et la poussière d'argent. Les gens du peuple portaient aux poignets des bracelets et au cou des colliers d'un or si pur qu'il n'était pas nécessaire de l'affiner dans un creuset. La reine de Saba, Balkis, était la femme la plus riche du monde. Elle exploitait des mines d'or rouge, exempt de trace d'argent, de béryls et d'émeraudes. Les Sabéens, réputés pour leur caractère paisible, vendaient aussi de l'opium et des épices. A leur tête, ils avaient coutume de placer une femme, serviteur d'un dieu suprême.

Salomon avait besoin de l'or de Saba pour payer le roi de Tyr et bâtir le temple de Jérusalem. Mais la terre des merveilles n'était accessible que par mer. C'est pourquoi le roi d'Israël avait créé un port, ordonné la construction de bateaux de marchandise et contraint un corps de fantassins à devenir marins.

La flotte de Salomon, chargée d'huile, de vin et de blé, était prête à partir pour Saba. Quand elle reviendrait avec l'or rouge, le jeune monarque saurait que son grand œuvre pourrait être accompli.

Elihap interrompit la méditation de Salomon. Le secrétaire, qui n'aimait guère le vent, fut obligé de forcer sa voix.

— Pardonnez-moi, Majesté... Mais le maître du palais souhaite votre retour immédiat à Jérusalem.

— Que se passe-t-il ?

— Une émeute, avoua le secrétaire. Le peuple se révolte.

*
**

Des jarres de vin gisaient, renversées, sur des pièces de laine. Les bouchers brandissaient leurs couteaux et lacéraient des étoffes. Des quartiers de viande jonchaient le sol, piétinés par des foulons qui couraient en désordre vers le quartier haut de Jérusalem. Des mendiants profitaient de la confusion pour piller les étals des poissonniers et voler des fruits sur le marché. Les fabricants de souliers les jetaient à la tête des soldats de la garde qui, sous le commandement du général Banaias, interdisaient l'accès de la ruelle menant au palais. Femmes et enfants s'étaient réfugiés dans les maisons.

La foule, furieuse, avait traversé en hurlant le clos des roses, datant du temps des prophètes. Les ânes, affolés, gambadaient en tous sens, renversant leur chargement. Pas une ruelle qui ne fût envahie par une populace déchaînée, injuriant David et sa lignée.

En l'absence du roi, le général Banaias se sentait perdu. Devait-il ordonner aux archers de tirer et de déclencher une guerre civile ? Voir l'ordre ainsi bafoué le désespérait. Non, il ne livrerait pas la maison royale à ces gueux. Mieux valait mourir en combattant.

Soudain, les meneurs se retournèrent. Un événement imprévu venait de se produire dont l'impact ébranlait les rangs des révoltés ; depuis la ville basse jusqu'aux abords du palais, les hurlements cessèrent. Puis un lourd silence s'établit.

Salomon, seul et sans gardes, avait franchi la grande porte d'accès et remontait d'un pas tranquille la longue file des révoltés. Beaucoup d'habitants de la capitale voyaient d'aussi près le roi pour la première fois. Aucun d'entre eux n'osa le toucher, de peur d'être foudroyé. Nulle expression de crainte ne s'inscrivait sur son visage. Il paraissait aussi serein que s'il s'était promené seul dans la garrigue.

Salomon s'adressa à un meneur très excité, un tanneur aux mains usées.

— Pourquoi ce tumulte?

Le tanneur s'agenouilla.

— Seigneur... C'est l'Egyptienne...

— Que reproches-tu à la reine d'Israël?

— Elle rend un culte au serpent du mal, à celui qui nous a fait sortir du paradis!

— Qui le prétend?

— C'est la vérité, Seigneur! Toi, notre roi, ne tolère pas pareil outrage à Yahvé!

— Retourne au travail. Je règne par la grâce de Dieu. C'est de Lui que je tiens mon pouvoir. Jamais je ne le trahirai.

Le tanneur embrassa le bas de la robe du souverain. Se relevant, il cria à pleins poumons : « Vive Salomon! »

L'acclamation fut reprise par la foule.

Une heure plus tard, les transactions battaient leur plein sur le marché.

Nagsara, maquillée avec l'art inimitable des femmes d'Egypte, défiait son époux.

— Israël est-il incapable d'admettre d'autres cultes? Yahvé est-il à ce point jaloux et stupide?

— Ignoriez-vous que le serpent, aux yeux de mon peuple, est le symbole du mal?

— Votre peuple est inculte. En Egypte, le cobra que je vénère[1] protège les moissons. En lui rendant hommage, j'attire la prospérité sur Israël.

Salomon, indifférent aux œillades de la fille de Pharaon, demeurait sévère.

— Votre culture est vaste, Nagsara. Vous n'ignoriez pas la fable du reptile qui abusa Adam et Eve. En offrant un sacrifice public à votre cobra sacré, vous avez mis mon trône en péril.

— Oui, j'ai provoqué Jérusalem. C'était le seul moyen de vous faire revenir de ce port perdu sur la mer Rouge. Condamnez-moi. Châtiez-moi. Mais au moins, accordez-moi un regard.

Salomon enlaça la reine, la conviant à s'étendre auprès de lui, sur un lit de coussins.

— Tu es injuste, Nagsara. Le métier de roi est exigeant. Dieu m'a confié la tâche de construire Israël. Ne doit-elle pas être la première de mes préoccupations?

La jeune Egyptienne posa sa tête sur la poitrine de Salomon.

— J'accepte d'être la seconde, Seigneur, mais je veux être aimée... Le feu que tu as répandu dans mes veines ne peut s'éteindre qu'en ta présence. Grâce à toi, ma douleur se transforme en bonheur. Je t'aime, mon maître.

Salomon, d'une main habile, fit glisser la robe de Nagsara. Elle ferma les yeux, ivre de joie.

Les hirondelles dansaient dans la lumière du soir. Leur vol était si rapide que l'œil de Salomon ne parvenait pas à les suivre. Le roi d'Israël se souvint de la légende selon laquelle ces oiseaux étaient les âmes immortelles des pharaons d'Egypte retournant dans la lumière d'où ils étaient issus.

1. Il s'agit de la déesse serpent Renenoutet, souveraine du silence et garante de la prospérité. Le mot « Eve » viendrait d'un terme égyptien qui signifie « souveraine » et qui était écrit avec un serpent.

Comme il se sentait loin d'eux, en ces moments de solitude !

Salomon avait mis fin au scandale provoqué par Nagsara. Le peuple continuait à lui accorder sa confiance, bien qu'il eût permis à la reine de conserver sa foi. Désormais, elle célébrerait son culte dans un endroit retiré, sur une hauteur de la ville, à l'abri des regards. Que chacun le sache ne comptait pas. L'important, aux yeux de la caste des prêtres, était de ne rien voir.

Nagsara vivait un bonheur sans nuages. Elle avait écouté les concubines les plus sensuelles et s'offrait à son époux avec fougue. Comment Salomon aurait-il joui sans retenue d'un corps, si parfait soit-il, alors que son esprit était tenaillé par d'insupportables soucis ?

David et Nathan disparus, Bethsabée recluse et silencieuse, Nagsara campée dans son égoïsme, Salomon n'avait plus de confident à l'heure où il essuyait un terrible échec, où la grande entreprise de son règne se brisait sur la muraille d'une réalité implacable.

Ses bateaux n'avaient pas atteint Saba. La marine égyptienne, considérant ce territoire comme une chasse gardée, les avaient détournés sans violence. Comment Salomon aurait-il pu protester, lui qui avait tenté de tromper la vigilance de la flotte de Pharaon ? Expédition hâtive, mal préparée... Salomon avait présumé des capacités de ses soldats.

L'or de Saba ne viendrait pas. Le roi d'Israël perdrait la face devant celui de Tyr. Le temple ne serait jamais construit.

Salomon avait perdu son pari avec Dieu.

DEUXIÈME PARTIE

Tu m'as ordonné de bâtir un temple sur ta sainte montagne,
un autel dans la ville où tu as fixé ta tente,
image de la tente sacrée que tu préparas dès l'origine.
Avec toi est la Sagesse qui connaît tes œuvres
et qui était présente, quand tu créais le monde.

Livre de la Sagesse, 9, 8-9.

17.

Venant de Tyr, Maître Hiram suivait la route des crêtes. En cette fin d'hiver, il avait pris soin de fixer son départ au soir du vingt-neuvième jour de février, lorsque était apparu le croissant de la nouvelle lune. Sur les hauteurs brillaient des lumières, avertissant tout un chacun du changement de mois et facilitant les déplacements du voyageur.

La pluie tombait drue et froide, comme souvent à cette période. La plupart des chemins étaient déserts, transformés en bourbiers par de violentes averses. « Avant la naissance du printemps, affirmait un proverbe, le bœuf grelotte à l'aube mais il cherche l'ombre des figuiers à midi. » La fraîcheur des nuits avait obligé Maître Hiram à se munir d'un lourd manteau de laine dans lequel il s'enroulait pour dormir à la belle étoile. Il l'avait fabriqué lui-même, cousant deux épaisses couvertures et ménageant un trou pour la tête. Dans sa large ceinture, qui lui ceignait les reins, il avait glissé des pièces d'argent.

Marchait à ses côtés un âne gris pâle, bête résistante qui ne rechignait devant aucun effort. Sur son dos, deux outres, l'une contenant de l'eau pure, l'autre coupée de vinaigre, une paire de sandales, des vêtements et une citrouille séchée qui servait de coupe pour puiser l'eau. Capable de marcher plus de quarante kilomètres par jour, le quadrupède s'était pris d'amitié pour son compagnon.

Hiram avait traversé avec peine les forêts enneigées

du mont Carmel, là où s'était réfugié le prophète Elie. Par bonheur, l'âne connaissait le moindre pouce de terrain du col très étroit reliant le nord et le sud de la Palestine, permettant de quitter la zone d'influence phénicienne pour entrer dans le royaume d'Israël.

Le Maître d'Œuvre avait emprunté un sentier serpentant au-dessus de la forteresse qui gardait l'endroit. Ayant recouvert de chiffons les sabots de l'âne, Hiram n'avait pas éveillé l'attention des guetteurs. Il ne lui restait plus qu'à cheminer de crête en crête, de monter et de descendre sans cesse, de franchir le Thabor, le Gelboe, l'Ebal et le Garizim. Certes, le plus haut des monts n'atteignait pas douze cents mètres, mais le parcours s'avérait rude pour les jambes.

Hiram admira les fûts centenaires de chênes dont le faîte culminait à vingt mètres de haut et dont la plantation était attribuée à Abraham. Plus avant, une forêt de térébinthes aux innombrables ramifications. Bientôt, ils exhaleraient de puissantes senteurs purifiant la gorge et les poumons.

Afin d'éviter des rencontres, le Maître d'Œuvre avait choisi cette période où les caravaniers stationnaient dans des campements de tentes jusqu'à ce que la neige disparût des sommets. Hiram redoutait la Samarie où rôdaient encore des bandes de pillards. Les Hébreux les plus pieux considéraient la région comme un terroir d'hérétiques. Au loin, vers l'occident, derrière la plaine du Saron, des vergers précédaient les dunes signalant la côte. Le voyageur songea avec nostalgie au désert d'Egypte où il avait appris les secrets de métier aux côtés de maîtres exigeants qui l'emmenaient de temple en temple, de demeure d'éternité en demeure d'éternité. Mais Hiram n'avait ni le droit ni le loisir de se morfondre sur son passé. Sa mission importait plus que lui-même.

Harassé, il franchit le Yabboq, affluent du Jourdain et atteignit une auberge, grosse bâtisse protégée par une enceinte. Passant sous un portique de bois à demi effondré, il découvrit une cour boueuse encombrée d'animaux de trait. Une aile était occupée par des paillasses destinées aux hôtes de passage.

L'aubergiste accueillit Hiram avec suspicion.

— D'où viens-tu, l'ami?

— Peu importe. Je désire manger.

Le Maître d'Œuvre donna une pièce d'argent. L'aubergiste la glissa dans sa ceinture et, d'un signe de tête, lui indiqua la direction de la table d'hôte.

Hiram dîna en compagnie de deux hommes aussi peu bavards que lui. Ils partagèrent du pain au cumin, une soupe au fenouil et burent une tisane de rue macérée, aux vertus digestives.

Une femme échevelée fit irruption dans la salle mal éclairée par une torche fumante. Elle se précipita sur l'un des dîneurs, tentant de lui arracher les yeux. Le visage ensanglanté, la victime hurla. Son compagnon lui vint aussitôt en aide. Mais la femme, qui criait des injures, était déchaînée. Elle l'agrippa par les testicules et tira avec violence. Le second dîneur se roula sur le sol. L'homme blessé au visage assomma la tigresse d'un coup de poing sur la nuque.

La scène s'était déroulée en quelques secondes. Hiram essaya en vain de se lever. Le couteau que l'aubergiste avait posé sur sa gorge l'empêchait de bouger.

— C'est une affaire de famille. Ne t'occupe pas de ça, l'ami. Sinon, ton voyage s'arrêtera ici.

La femme fut traînée au-dehors par ses deux adversaires.

— Pourquoi cette violence? interrogea Hiram.

— Ces deux braves garçons lui servent de mari et d'amant. L'imbécile vient de comprendre qu'ils s'entendaient comme larrons en foire et s'amusaient à ses dépens. La Samarie entière le sait depuis longtemps. Elle aurait dû en rire. Elle sera durement châtiée pour son geste méprisable. La loi oblige mes amis à lui couper sa main devenue impure. Le sang doit être vengé.

D'atroces hurlements furent la preuve que le châtiment avait été exécuté sur-le-champ.

— Pourquoi cette violence? répéta Hiram pour lui-même.

*
**

Le Maître d'Œuvre avait refusé de passer la nuit dans cette auberge, préférant continuer sa route en direction de Jérusalem. Mettant ses pas dans ceux de l'âne, Hiram descendit une pente escarpée qui mourait sur un plateau fertile d'où l'on apercevait la capitale d'Israël, dominée par un rocher nu. Un troupeau de moutons barrait le chemin du Maître d'Œuvre. Les bêtes étaient nombreuses et indisciplinées, profitant de leur première sortie après l'hibernation dans les bergeries de la montagne. Certains moutons avaient une patte attachée à la queue, afin de les empêcher de s'enfuir et de se perdre. Ils rivalisaient de bêlements qui rendaient l'âne nerveux.

Pour la seconde fois en moins d'une journée, le Maître d'Œuvre sentit une arme sur sa gorge. Un long poignard à lame droite qui lui entaillait la chair. Une goutte de sang perla.

— Je tiens aussi un gourdin ferré, annonça l'agresseur. Si tu tentes de te défendre, je serai obligé de te tuer.

Hiram s'obligea à respirer avec calme, réduisant le rythme de ses battements cardiaques selon la pratique apprise auprès des médecins de la Maison de Vie égyptienne.

— Tiens-toi bien tranquille, mon prince, c'est bien, très bien... Tu es sûrement riche, et moi je suis pauvre. Très pauvre. Un simple berger, qui trime l'année durant. Alors, forcément, je fais un métier de brigand ! Tu ne m'en veux pas, au moins ?

Le berger passa la main dans la ceinture d'Hiram et en retira les pièces d'argent.

— Superbe, mon prince ! Une vraie fortune ! Quand je t'ai aperçu, j'ai eu un bon sentiment. Avec ça, je vais enfin sortir de la misère. A cause des hyènes et des chacals, je perds beaucoup de moutons. Mon existence est un enfer. La nuit, le froid me mord la peau. Les collègues me pillent. Et les bêtes malades ! Et les accouchements ! Et la tonte !

Hiram esquissa un geste. La lame s'enfonça un peu plus profondément.

— Tout doux, mon prince ! Ça fait longtemps que j'ai

envie de découper un riche en lambeaux, moi qu'on appelle Caleb, le chien ! J'ai essayé d'attaquer des caravanes, sur la route de Jérusalem à Jéricho. Mais la police de Salomon est devenue trop efficace. Même les commerçants qui me payaient pour voler leurs concurrents m'ont oublié. Les proies sont rares, aujourd'hui. Toi, tu es un cadeau du ciel.

L'âne poussa un formidable braiment qui affola les moutons. Un instant, Caleb relâcha son attention. Cette infime défaillance suffit à Hiram pour se jeter en arrière, enfoncer son coude dans le ventre de son agresseur et le désarmer.

Le Maître d'Œuvre s'attendait à davantage de résistance. Mais Caleb n'était qu'un vieil homme, incapable de se battre.

Il rampa jusqu'à un muret de pierres sèches, en jeta une dans la direction d'Hiram qui l'évita sans peine.

— Je suis un pauvre homme ! s'exclama Caleb. Ne me faites pas de mal !

Comme un vrai croyant, il se martela la poitrine et garda les yeux baissés.

— Israël est notre Dieu, déclama-t-il. Dieu est l'Eternel ! Tu l'aimeras de tout ton cœur, de toute ton âme et de tout ton esprit. Grave en toi les commandements de Dieu et surtout le plus important d'entre eux : tu ne tueras point !

— Je le respecterai, affirma Hiram. Tout homme digne de ce nom est un être sacré.

Caleb se releva et s'agenouilla devant le Maître d'Œuvre.

— Heureux le ventre qui t'a porté, jubila-t-il, bénis les seins qui t'ont allaité ! La paix de Dieu est sur toi, tu es plus glorieux que le vent, plus lumineux que le soleil !

Le visage d'Hiram demeurait impassible. Caleb était presque sûr d'avoir échappé à la mort, mais il craignait encore d'avoir le bras tranché. Le voyageur ne semblait guère enclin à l'indulgence.

Le Maître d'Œuvre ôta un bracelet, orné d'une lamelle d'or fin sur laquelle était inscrit son nom en phénicien.

— Prends ceci, Caleb, et porte-le au roi Salomon. Préviens-le que je l'attendrai trois nuits et trois jours au fond du Ghor, près du puits du cobra. S'il ne vient pas, je quitterai Israël, à jamais.

Le berger embrassa les pieds de celui qu'il n'avait pas réussi à détrousser. Il reçut le précieux objet.

— Garde les pièces d'argent, dit le Maître d'Œuvre. Mais ne t'avise pas de voler la plaquette d'or et d'oublier ta mission. Sinon, je te retrouverai, où que tu ailles. Et je ne t'épargnerai pas une seconde fois.

Caleb cessa ses démonstrations de respect et se releva. Alors qu'il détalait, Hiram vit qu'il boitait. Les moutons suivirent le berger, bêlant et se bousculant.

Quand le chemin fut libre, Hiram rendit la liberté à son âne. Le grison accepta une caresse et prit la route qui lui convenait le mieux. Hiram se dirigea vers le Ghor, la plus sinistre des régions d'Israël.

18.

Une vipère à cornes se profila, à moins de un mètre d'Hiram et se faufila sous un fourré. Le Maître d'Œuvre n'avait pas bougé. Depuis trois nuits et bientôt trois jours, il était d'une immobilité presque minérale, indifférent aux lézards et aux serpents qui visitaient le fond du Ghor, hostile à toute présence humaine. Dépression étroite mais profonde, le Ghor était un angoissant sillon dans la chair d'Israël, creusé du bas du mont Hermon à l'Idumée où rôdaient les Bédouins, ennemis d'Israël et de l'Egypte. En été, la chaleur s'y avérait aussi insupportable que le froid en hiver. D'après les vieux textes, c'était là qu'avaient été édifiées les cités de Sodome et de Gomorrhe que Dieu avait maudites. Quand surviendrait le nouveau déluge, clamaient les prophètes, des eaux furieuses s'engouffreraient dans la cuvette du Ghor pour effacer les crimes de l'humanité.

Hiram s'était assis au pied d'un palmier dattier, le dos appuyé contre le tronc rugueux, face au puits du cobra, asséché depuis longtemps. Les palmes, à plus de vingt mètres du sol, offraient un peu d'ombre lorsque le soleil devenait trop ardent. Le Maître d'Œuvre aimait ce paysage violent et décharné où rien ne troublait la méditation. Les insectes les plus venimeux faisaient moins de ravages que les hommes. Ne pas les importuner suffisait pour s'en protéger.

Hiram était habitué à ces périodes d'isolement. Elles étaient imposées par la Maison de Vie à tout Maître d'Œuvre avant qu'il ne commençât à tracer le plan d'un nouvel édifice. Il lui fallait rassembler les énergies dispersées par le quotidien, se placer au centre de lui-même, retrouver le souffle du premier travail.

Ces efforts-là n'étaient rien à côté de l'exil. Hiram avait séjourné quelques semaines à l'étranger, en Syrie, à Tyr et en Nubie, pour terminer des chantiers, étudier des temples. Jamais il n'avait envisagé de quitter l'Egypte. Le reste de sa carrière, il espérait le passer à Karnak où les sanctuaires s'embellissaient sans cesse, formant un corps gigantesque en perpétuelle croissance.

Pourquoi Siamon l'avait-il choisi ? Pourquoi l'avait-il envoyé dans ce pays hostile où il devait à la fois aider un roi et lutter contre lui ? Parlant à travers la personne de Pharaon, le destin l'éprouvait de la manière la plus impitoyable. Loin de l'Egypte, de Tanis, de Karnak, des êtres qu'il aimait, Hiram était condamné à réussir dans le secret. Il ne lui restait qu'un seul espoir : que Salomon ne vînt pas au rendez-vous.

Le troisième jour s'achevait. La lumière aérienne d'une journée annonciatrice du printemps commençait à s'obscurcir. Le roi d'Israël n'avait pas accepté l'invitation du Maître d'Œuvre. Il n'y avait pas d'autre explication. Le boiteux était trop peureux pour ne pas lui avoir remis le message.

Quand Hiram se leva, décidé à escalader la pente raide de près de un kilomètre qui le conduirait hors du Ghor, une ombre se profila à côté de la sienne.

— Bienvenue dans mon pays, Maître Hiram, dit Salomon. Ce lieu n'est pas le plus propice à une rencontre.

— J'aime le silence, Seigneur.

— Ici viennent les magiciens qui connaissent les plantes qui guérissent et celles qui tuent. Seriez-vous de ceux-là ?

— Mon royaume est celui de la pierre et du bois, répondit Hiram. Je sais mélanger les minerais, pas les poisons.

Le Maître d'Œuvre se retourna.

Sa surprise fut telle qu'il retint à grand-peine une exclamation.

Un instant, il crut que Salomon était le sosie de

Siamon. Vêtu d'une robe pourpre, tête nue, le roi d'Israël ne ressemblait-il pas au jeune pharaon qui avait fait partie des plus brillants élèves de la Maison de Vie? Mais la lumière était incertaine. Hiram avait été victime d'une illusion. Le Ghor créait des mirages.

— D'où venez-vous, Maître Hiram?

— De Tyr. Son roi m'a dit que vous cherchiez un architecte.

Salomon était impressionné par cet homme au regard de feu, au grand front et aux larges épaules. La chevelure noire, les sourcils épais, le nez très droit donnaient au visage une expression de sévérité. Robuste, sûr de sa puissance, Maître Hiram n'appartenait pas à la race des esclaves et des serviteurs. Autant Salomon était séduisant et charmeur, autant Hiram était distant, presque hautain. Personne, à la cour de Jérusalem, ne possédait une personnalité aussi tranchée que l'architecte venu de Tyr.

Salomon ressentait une admiration mêlée de crainte, comme si cet homme lui annonçait à la fois son salut et sa perte.

Hiram fut intrigué par Salomon. Le roi d'Israël avait la nature d'un pharaon. Il ne ressemblait pas à ces despotes et à ces chefs de clan qui usaient de leur pouvoir pour satisfaire leurs passions, au mépris de leur pays et de leur peuple.

Salomon n'avait pas coutume de céder aux convocations d'un inférieur, fût-il un architecte réputé. Pendant deux jours, il avait fait procéder à une enquête sur le passé d'Hiram. Elihap, son secrétaire, lui avait appris que le Maître d'Œuvre était fils d'une veuve de la tribu de Dan et d'un Tyrien. Il passait pour un être farouche et solitaire, indifférent aux honneurs et aux louanges, capable de résoudre les plus grandes difficultés techniques et de maîtriser les matériaux les plus rebelles. Hiram n'était pas choisi. C'est lui qui choisissait.

— Quelle est votre science, Maître Hiram?

— L'art du Trait.

— A quoi vous sert-il?

— A tailler les pierres, à les assembler et à les lever,

de sorte qu'elles soient mises en place sans retouche et que l'édifice résiste au temps.

L'art du Trait : qui n'avait entendu parler de cette science mystérieuse qui avait traversé les âges et sans laquelle aucun grand édifice ne pouvait être conçu ? Les artisans hébreux ignoraient le Trait.

— Accepterez-vous de me révéler cet art ?

— Non, Seigneur. Ou vous m'engagez en me donnant pleins pouvoirs sur mon chantier, ou bien je pars.

— Ce n'est pas un langage de diplomate, Maître Hiram.

— Je ne le suis pas et n'ai pas l'intention de le devenir.

— Accorder des concessions, n'est-ce point le début de la sagesse ?

— Ce n'est pas ainsi que je la conçois, roi d'Israël. La Sagesse n'est-elle pas création de Dieu, établie de toute éternité, avant la naissance de la Terre ? N'est-elle pas la source de toute connaissance humaine ?

Un feulement rauque interrompit le dialogue.

Recroquevillé sur un rocher, surplombant les deux hommes d'une dizaine de mètres, un léopard était prêt à bondir sur deux proies faciles. Haut sur pattes, pesant plus de quatre-vingts kilos, le magnifique félin était un véritable acrobate qui sautait de pente en pente avec l'agilité d'un bouquetin. Atteignant en quelques secondes la vitesse d'un vent furieux, il ne revenait jamais bredouille de ses chasses.

De ses yeux jaune et noir, il contemplait ses futures victimes.

— L'un de nous ne survivra pas, déclara Salomon, dont la voix ne tremblait pas. Saurez-vous défendre l'existence d'un roi ?

— Je défendrai d'abord la mienne, répondit Hiram. Je ne suis pas votre serviteur.

— A partir de cet instant, vous l'êtes. Je vous engage comme Maître d'Œuvre et vous confie la construction d'un grand temple à Jérusalem. Votre vie pour la mienne : tel est à présent votre devoir, si les circonstances l'exigent.

Hiram se plaça très lentement devant Salomon. Le léopard se redressa et feula à nouveau, découvrant ses crocs.

Le roi d'Israël fit tourner l'anneau que lui avait remis Bethsabée, puis passa l'index sur les lettres composant le nom de Yahvé.

Affolé, le léopard poussa un grognement de douleur. De sa patte avant droite, il tenta d'écarter un adversaire invisible qui lui piquait le flanc. Irrité, il bondit sur une coulée de pierres, perdit l'équilibre et disparut dans une forêt d'épineux.

— Dieu veille sur nous, dit Salomon.

— Votre réputation n'est pas usurpée, observa l'architecte.

— C'est Dieu qui vous a amené au fond de ce gouffre. C'est Lui qui m'a demandé de vous choisir. Vous ne vous appartenez plus, Maître Hiram.

19.

Hiram monta sur le char que conduisait Salomon, escorté par une dizaine d'hommes que commandait Banaias, lequel avait vainement supplié le roi de ne pas s'aventurer seul au fond du Ghor.

Lorsqu'il avait vu le roi apparaître en compagnie d'un étranger, une pensée sacrilège lui avait traversé l'esprit. Salomon n'était-il pas un ange qui manipulait le destin? N'avait-il pas ramené un fantôme du puits du cobra, un démon aux multiples pouvoirs dont il se servirait pour accroître sa puissance?

Banaias éprouva une sensation d'inquiétude en découvrant Hiram. L'homme que Salomon était allé chercher dans une région interdite aux croyants portait en lui une puissance dangereuse, analogue à celle d'un fauve. Le général eut peur. Comment aurait-il osé l'avouer au roi? Lui, le héros d'Israël, le combattant capable de tuer un lion à mains nues, n'avait pas le droit d'être esclave de la crainte. Profondément troublé, Banaias se promit d'observer les faits et gestes de cet inquiétant personnage qui connaissait bien trop vite les faveurs du roi.

Dans le lointain se dessinait Jérusalem, bleue et grise sous un ciel menaçant.

— Voici ma capitale, annonça Salomon à Hiram. Contemple-la, Maître d'Œuvre. Elle sera le lieu de ta gloire ou de ton infortune. Je n'admettrai pas d'échec.

— Vous m'avez engagé par la ruse, estima Hiram. Vous ne me contraindrez pas à œuvrer.

— Telle n'est pas mon intention. Regardez cette

cité... Elle est un diamant surgi des hautes terres de Judée, le lieu béni où font alliance nomades et sédentaires, l'endroit privilégié où se croisent les routes allant de la Méditerranée aux provinces de l'est, de Phénicie en Egypte. Jérusalem est le cœur d'une étoile dont les branches irriguent la Terre sainte. Elle a encore l'allure d'une forteresse. Demain, grâce à vous, elle sera l'écrin du temple des temples.

Hiram songeait à Karnak où il avait connu la joie d'apprendre et le bonheur de créer. S'il commençait à construire le sanctuaire du roi d'Israël, combien d'années demeurerait-il loin de l'Egypte ? Vivrait-il assez vieux pour la revoir ? Si peu de temps après l'avoir quittée, le poids de l'exil devenait déjà trop lourd.

Des nuages noirs s'accumulaient au-dessus de la capitale. Une ondée glaciale tomba sur le cortège royal. Le visage d'Hiram fut meurtri par les grêlons. Il demeura aussi imperturbable que Salomon.

Après avoir franchi l'enceinte, le char s'arrêta sur une petite place.

— Je vous abandonne ici, Maître Hiram. Le général Banaias vous conduira jusqu'à votre demeure. Reposez-vous. Bientôt, nous nous reverrons.

L'architecte ne s'inclina pas. Banaias fut choqué par ce défi à l'autorité du roi d'Israël. Pourquoi Salomon l'acceptait-il ?

Le général, sans mot dire, guida Hiram jusqu'à une maison en briques sise dans une ruelle menant au quartier haut.

Un rapide examen édifia le Maître d'Œuvre. Trop de paille dans la brique et cuisson insuffisante. La construction était pourtant remarquable en regard des misérables abris en torchis du quartier bas et l'intérieur ne manquait pas d'agrément : une cour centrale éclairée par des ouvertures dans le plafond et, autour, plusieurs petites pièces. Une salle d'hôte, un bureau, deux chambres, une cuisine, une salle d'eau et des latrines. La charpente, trop légère, ne résisterait pas au temps. Les murs étaient recouverts d'un simple plâtre. Mais le dispositif, dérivé de l'architecture égyptienne, conservait la fraîcheur l'été et la chaleur l'hiver.

Le ciel d'orage rendait obscur l'intérieur de la maison. Hiram sentit l'odeur caractéristique de l'huile d'olive dégagée par la lampe en terre cuite, posée dans un trou du mur, dont la mèche de lin brûlait jour et nuit. Il vérifia que le réservoir était plein et, tenant la lampe par son anse, explora son domaine tandis que Banaias se tenait sur le seuil.

Dans la salle d'hôte, un coffre à deux compartiments, l'un pour les étoffes et les vêtements, l'autre pour les provisions. Ce meuble unique, poussé au centre de la pièce, servirait de table lors des grandes occasions. La plupart du temps, il était de coutume de manger assis sur le sol. Dans l'une des chambres, un lit sur pieds ; dans l'autre, une dizaine de coussins, une pile de couvertures et un chevet en bois sur lequel le dormeur, comme en Egypte, appuyait sa nuque. Quant aux nattes, elles seraient précieuses, l'été, pour dormir sur la terrasse. La cuisine était pourvue d'un brasero à charbon de bois, signe incontestable de richesse. Nettoyés et rangés, plusieurs fourneaux alimentés avec du chaume. A l'extérieur, près de l'escalier menant au toit, un four chauffé à la tourbe pour rôtir des pièces de viande.

Salomon prouvait ainsi son estime pour le Maître d'Œuvre. Sans doute avait-il dû expulser un notable pour loger Hiram de manière aussi confortable. Mais un détail essentiel gênait l'architecte. Il examina la porte d'entrée avec davantage d'attention, la fit tourner dans son gond, manœuvra la serrure.

— Il me faut une clé, dit-il à Banaias.

— Une clé ? Mais pourquoi...

— Cette demeure sera mon atelier. Elle contiendra mes plans et mes dessins. Elle doit être hermétiquement fermée et surveillée jour et nuit.

— Ces exigences...

— Ces exigences doivent être satisfaites sur l'heure. Sinon, je quitte Jérusalem.

Banaias sortit l'épée de son fourreau.

Le regard tranquille d'Hiram lui glaça le sang. Il y avait une magie dans les yeux de l'étranger, une magie qui n'avait pas besoin d'arme pour tuer.

Le général rangea le fer et sortit de sa ceinture une lourde clé qu'il tendit à l'architecte.

— La loi veut que j'en sois le seul dépositaire.

— Votre loi, général, pas la mienne.

Banaias rougit de colère.

— Prends garde, étranger. Israël n'aime pas les insolents.

— Moi, je déteste les curieux et les menteurs. Que personne, même pas vous, ne franchisse le seuil de cette demeure.

Hiram claqua la porte et la ferma à clé de l'intérieur. Que ce soudard borné devînt un adversaire l'indifférait. Par son comportement, le Maître d'Œuvre obligerait Salomon à lui accorder une totale confiance ou bien à l'expulser.

Le Maître d'Œuvre s'installa dans le bureau. L'endroit lui plut. Il ressemblait aux cellules des prêtres donnant sur le lac sacré de Karnak. Les papyrus déposés là n'avaient pas la belle couleur dorée des exemplaires égyptiens mais leur texture semblait correcte. Les calames, alignés sur une table basse, devraient être affinés pour tracer des lignes parfaites.

Un bruit, provenant de la cuisine, alerta Hiram.

Il y découvrit une jeune fille d'une quinzaine d'années, effarouchée comme une biche de Samarie.

— Comment êtes-vous entrée ?

Elle s'accroupit, montrant une petite porte basse qui offrait le passage à un individu très mince. Hiram comprit pourquoi Banaias n'avait pas trop hésité à lui confier une clé jugée inutile. Le premier travail du Maître d'Œuvre consisterait à obturer tous les accès, hormis celui donnant sur la rue.

— Que viens-tu faire ici ?

— Vous servir, mon maître. Je suis votre voisine. C'est moi qui fournirai l'huile et surveillerai la flamme de la lampe. Si je la laissais s'éteindre, je mourrais en couches. Je vous préparerai le pain, je pétrirai la pâte et la cuirai dans le four, je..

On frappait à la porte, à coups redoublés.

Hiram ouvrit.

Fit irruption Caleb le boiteux, brandissant son gourdin ferré.

— Je m'en doutais, cria-t-il, je le savais! Que cette diablesse sorte d'ici!

Avec rapidité et violence, Caleb agrippa la jeune fille par le bras et la propulsa vers l'extérieur.

— N'intervenez pas, mon prince! Je suis venu vous aider. Jérusalem est une ville pleine de dangers. Le premier d'entre eux, ce sont les femmes! Leur méchanceté est pire que les blessures au combat. Il n'existe pas de serpent dont le venin soit plus redoutable. Mieux vaut habiter avec un lion et un dragon qu'avec une femme, mieux vaut tenir un scorpion entre ses mains que ce corps maléfique! Cette fille vous aurait conduit à votre perte. Vous avez sauvé ma vie, je sauve la vôtre!

— Sois-en remercié, Caleb, mais qui me servira?

— Moi, mon prince! Nul ne tient le balai mieux que moi. Personne ne cuit un meilleur pain que le mien. La pâte, je la pétris à la huche et je la cuis sur les braises. J'en fais un cercle qu'il faut rompre et non couper. Une femme ne vous l'aurait pas appris. Vous aurait-elle dit que la viande crue doit être posée sur du pain et jamais sur une pierre chaude? Vous aurait-elle indiqué que l'on ne ramasse pas les miettes dont la taille est inférieure à celle d'une olive? Les femmes dissimulent. Moi, je suis un homme honnête. Je vous guiderai dans les rues de Jérusalem. J'ai beaucoup d'amis, ici.

— J'aimerais me raser et me laver, dit Hiram.

Caleb sourit à pleines dents.

— Sans moi, impossible! Malgré les canalisations de Salomon, l'eau est encore rare. Seuls le roi et les riches en disposent à domicile. J'irai vous en chercher, à la fontaine, dans de grandes jarres, aussi souvent que vous le désirerez. Pour le reste, je m'en charge aussi.

Caleb procura à son maître un baquet qu'il remplit d'eau tiède, une pierre ponce, du natron et un savon à base de soude. Il lui apporta aussi une éponge, une brosse, du romarin pour aromatiser le bain et de l'anis pour se nettoyer les dents. C'était là traitement somptueux.

Le dévoué serviteur rasa Hiram avec soin. Sa lame ne provoqua pas la plus petite coupure. Elle passa avec délicatesse sur une gorge qu'elle aurait aimé trancher, quelques heures auparavant.

Le dîner fut excellent. Caleb avait préparé un plat de lentilles aux oignons, additionné d'aubergines et de poivron vert. Affamé, le boiteux dévora ensuite une salade de cresson.

— J'ai les meilleurs fournisseurs, expliqua-t-il. Ils cultivent de petits jardins dans la ville basse, à l'abri des vents.

Caleb poussa un cri de douleur et posa la main sur sa joue.

— Encore cette maudite dent... Elle me taraude la tête. Ça ne peut plus durer. Il faut l'arracher. Mais le forgeron est cher... Si vous aviez une petite pièce d'argent...

— N'existe-t-il pas de médecins? s'étonna Hiram.

— L'arrachage, c'est le travail du forgeron.

Les dentistes de l'école de Saïs, en Basse-Egypte, n'auraient guère apprécié cet usage, eux qui pratiquaient une extraction sans faire souffrir le patient et couvraient la plaie de substances végétales évitant l'infection.

— Je t'accompagne, dit Hiram.

— Moi? Ne vous donnez pas cette peine, mon maître. La pièce d'argent suffira.

Le Maître d'Œuvre ouvrait déjà la porte. Le boiteux comprit que, lorsque son maître avait pris une décision, personne ne pouvait se mettre en travers de sa route.

20.

Assis près de l'enclume, le forgeron, à la peau rougie par les flammes du foyer, achevait le façonnage d'un soc de charrue. En s'approchant, Caleb le boiteux tenta de lui parler à voix basse. Mais Hiram intervint le premier.

— Mon serviteur souffre d'une dent. Il faut l'arracher.

Caleb recula. Le forgeron abandonna son ouvrage et s'empara d'une tenaille qu'il rougit au feu.

— Je ne souffre plus, déclara Caleb.

— Paye le praticien, ordonna Hiram.

— Mon prince... il ne mérite pas tant...

Le forgeron empoigna le boiteux par la nuque, comme s'il agrippait un chat. Il le coucha sur le sol de terre battue et lui ouvrit la bouche.

— Inutile, estima-t-il. Ses dents sont pourries. Elles tomberont toutes seules.

Caleb roula sur le côté, heureux d'échapper au tortionnaire.

— Combien y a-t-il de forgerons à Jérusalem? demanda Hiram.

— Une dizaine.

— A quelles tâches se consacrent-ils?

— A la fabrication des outils pour les paysans.

— Aucune forge d'Etat?

— Aucune.

Edifié, Hiram s'engagea dans une ruelle montant vers le palais. Il marchait vite. Caleb le suivait avec peine. Le Maître d'Œuvre s'arrêta devant un unijambiste à moitié nu, affalé contre le mur d'une maison lépreuse.

— Du pain, Seigneur... je n'ai pas mangé depuis trois jours...

Caleb donna un coup de pied dans le flanc du miséreux.

— Allons plus loin, mon prince, dit-il à Hiram. Ne vous laissez pas importuner par ces gueux. Il y en a des centaines comme celui-ci, des pouilleux, des infirmes qui salissent notre belle cité.

Hiram tendit une pièce de bronze à l'unijambiste. Ce dernier la lui arracha, lui griffant la main au passage. Aussitôt, sortant de recoins obscurs, des dizaines de créatures sales et puantes se ruèrent sur le nouveau riche, tentant de lui dérober son butin. Une furieuse bataille s'engagea. Caleb obligea Hiram à s'éloigner.

— Ne restez pas ici, mon prince. Vous pourriez prendre un mauvais coup.

Troublé, Hiram ignora d'autres mendiants, d'autres mains tendues, d'autres regards torves. Il marcha droit vers le palais royal et se heurta à la garde de Salomon. Se présentant comme l'architecte engagé par le monarque, il demanda audience.

Caleb s'était éclipsé. La vue des uniformes, des lances et des épées lui inspirait une sainte terreur. Certains soldats auraient pu reconnaître en lui un pilleur de caravanes dont de nombreux marchands avaient réclamé la tête.

Hiram n'attendit pas longtemps. Le maître du palais vint le chercher et l'introduisit dans une salle chauffée par deux braseros où lisait Salomon, assis sur une chaise de bois tendue d'une étoffe brune. Le roi d'Israël étudiait des proverbes qu'il comptait rassembler en un livre.

— Votre repos aura été de courte durée, Maître Hiram. Prenez un tabouret.

— Je préfère rester debout, Majesté. Ce que j'ai vu dans les rues de Jérusalem ne m'incite pas à y demeurer plus longtemps.

Salomon roula le papyrus.

— Ces malheureux qui souffrent de la faim et de la soif... Croyez-vous que ce spectacle me réjouisse? Pensez-vous que cette misère m'indiffère?

En Egypte, pensa Hiram, aucune fête n'était célébrée s'il existait un seul pauvre dans un village. Les familles se venaient en aide. Et chacun pouvait s'adresser à Pharaon, garant du bonheur de son peuple. L'idéal proclamé par les nobles ne consistait-il pas à nourrir l'affamé, à désaltérer l'assoiffé et à vêtir celui qui était nu ?

Salomon se leva.

— Laissez-moi gouverner mon peuple et préoccupez-vous de vos nouvelles fonctions. A condition que vous en soyez réellement digne, Maître Hiram. Regardez ce bâton d'ivoire, fiché entre deux pierres. Le palais de David a été construit autour de lui, sur l'indication d'un prophète. Celui qui saura le saisir sera le prochain Maître d'Œuvre. Sa main demeurera intacte. Sinon, elle brûlera. Acceptez-vous l'épreuve ?

Hiram se dirigea vers le bâton. Ne souhaitait-il pas échouer ? N'était-il pas prêt à offrir une partie de son corps pour retourner sans délai en Egypte ? Reconnu indigne par Salomon, il n'aurait plus qu'à regagner son pays.

Hiram empoigna le bâton d'ivoire.

Il ressentit aussitôt une sensation de chaleur très vive, presque insupportable. Un immense espoir emplit son cœur. La souffrance lui semblait légère. Même si sa peau devait rester collée sur cet emblème de la puissance des Hébreux, même s'il devait perdre l'usage de la main, il lui fallait tenir encore. Sa déchéance serait l'annonce de son bonheur prochain.

Salomon vit une vague de douleur traverser le regard de l'architecte. Une odeur de chair brûlée assaillit ses narines. Mais le Maître d'Œuvre ne lâcha pas prise.

Soudain, un froid intense succéda à la brûlure. Hiram s'éloigna du bâton, regardant sa paume avec étonnement.

— C'est la gloire de Dieu de cacher les choses, dit Salomon. C'est celle des rois de les révéler. Cette épreuve vous révèle à vous-même, Maître Hiram. Comment douteriez-vous encore de votre destin ?

Le monarque alluma une lampe en bronze à sept

trous. Son anse, ciselée avec art, représentait un léopard de Judée. Le parfum de l'huile d'olive se répandit dans la pièce. Le magnifique objet, l'une des seules belles pièces du palais, avait appartenu à Nathan. Salomon rendait ainsi hommage au précepteur qui lui avait transmis la lumière.

Le roi prit Hiram par les épaules, lui donna l'accolade et l'embrassa sur les joues, comme s'il était son égal. Le Maître d'Œuvre aurait dû s'agenouiller et baiser les mains et les pieds du monarque. Il se contenta d'accepter la marque de son estime.

— Vous êtes celui que j'attends depuis le premier jour de mon règne, confia Salomon. C'est vous qui bâtirez le temple de la paix. Que chaque instant de votre vie soit désormais orienté vers cet unique but.

— Cette vie, Seigneur, vous me la volez.

Hiram ne croyait pas à la sincérité de Salomon. Sa démonstration d'affection n'était destinée qu'à amadouer un caractère farouche. La seule gloire que servirait l'architecte était celle du plus ambitieux des rois.

— Les signes célestes vous ont désigné, Maître Hiram. Vous êtes prédestiné. Ce n'est pas le hasard qui a conduit vos pas jusqu'à Jérusalem. Votre tâche est surnaturelle. Ne l'oubliez jamais.

Salomon ouvrit un coffre en acacia. Il en sortit un long manteau de couleur pourpre et en vêtit l'architecte.

— Voici votre vêtement de fonction, Maître Hiram. Vous le porterez le jour où votre tâche sera achevée.

— Je préfère le pagne de cuir. Si je vendais ce manteau, combien de pauvres pourrais-je nourrir?

L'insulte était cinglante. Salomon garda son calme.

— Si le temple n'est pas construit, la misère s'accroîtra. Les hommes ne se nourrissent pas seulement du monde matériel. A un peuple, il faut offrir un centre spirituel. Il ne saurait être qu'un espace sacré où la présence divine s'affirme quotidiennement. Elle seule guide l'âme d'un pays vers une joie hors du temps, une joie qui est la clé du bonheur de chacun. Vendre ce manteau de fonction serait une faute contre l'esprit. Trouvez plutôt le moyen d'obtenir l'or qui me manque pour financer les travaux.

— N'êtes-vous pas riche, Majesté ?

Salomon regarda en face son Maître d'Œuvre, splendide dans son vêtement pourpre.

— Pas assez, Maître Hiram. Je peux ouvrir les chantiers, mais non mener l'œuvre à son terme. Un roi plus avisé se montrerait plus patient. Mais je sens que l'heure est venue, qu'Israël tout entier doit s'unir dans la quête de sa grandeur.

Salomon n'était ni exalté ni utopiste. La passion de créer illuminait sa voix. Certes, son dieu n'était pas celui d'Hiram. Mais l'entreprise commençait à séduire le Maître d'Œuvre.

— Pourquoi ne pas demander de l'or à la reine de Saba ? suggéra-t-il. Son pays en regorge, mais elle manque de blé.

Salomon s'assit, pensif.

— Inutile. Ce royaume est inaccessible pour Israël.

— Pas pour moi, Majesté.

Salomon considéra Hiram avec une attention mêlée de stupeur.

— Que voulez-vous dire ?

— J'ai séjourné dans ce pays et j'y ai travaillé. L'un des architectes de la reine est mon ami. Les membres de notre corporation sont peu nombreux. Des liens très étroits nous unissent. Nous avons prêté serment de nous venir en aide dans les situations difficiles. Si je lui demande d'intervenir auprès de la reine pour mettre sur pied une transaction commerciale, il le fera.

— Et la reine ?

— Je ne peux rien promettre.

Salomon était incrédule.

— Parlez-moi de Saba.

— Elle est l'île d'où sort le soleil, la butte primordiale sur laquelle s'est posé le Phénix, brûlant dans un bûcher d'encens, de myrrhe et d'oliban. Dans les forêts vivent des guépards, des rhinocéros, des panthères et des girafes. Les habitants apprivoisent des babouins. Les montagnes sont creusées de galeries profondes où affleurent l'or et l'argent. Des troupeaux paissent sur leurs pentes. Il n'y a pas de pauvres. Chacun possède de la vaisselle d'or. Les pieds des chaises sont en argent. La reine n'est pas avare. Elle paye généreusement les nourritures dont son peuple a besoin. Mais elle choisit les pays qui lui fournissent ces denrées. Sa beauté, dit-on, est celle d'une déesse.

— L'avez-vous rencontrée ?

— Non. A l'époque où j'ai séjourné à Saba, je n'étais qu'un jeune maître du Trait, indigne d'être reçu par elle. Je l'ai vue passer, dans sa chaise à porteurs, recouverte d'or rouge, mais je n'ai aperçu que sa tiare.

Salomon hésitait à devenir l'obligé d'Hiram. Lui demander son aide revenait à descendre du trône et à considérer l'architecte comme souverain d'un univers que le roi d'Israël ne maîtrisait pas. Mais le temple de Dieu ne comptait-il pas davantage que la vanité d'un monarque ?

— Je n'aime pas les vantards, Maître Hiram. Si vous en êtes capable, faites venir l'or de Saba.

21.

Pendant plus de deux semaines, Hiram améliora la demeure qui lui avait été assignée par Salomon. Il consolida les murs, condamna la petite porte donnant accès à la cuisine de l'extérieur, renforça la serrure. Il travaillait avec lenteur, comme si le temps n'existait pas.

A l'issue de son entretien avec Salomon, le Maître d'Œuvre avait été reçu par le secrétaire du roi. Ensemble, ils avaient rédigé une missive à l'intention d'un architecte résidant à Saba. Elihap s'était occupé du texte protocolaire, Hiram d'un message codé composé de signes indéchiffrables pour un profane. De l'issue de cette démarche dépendait l'avenir des chantiers de Salomon.

Caleb soignait ses dents malades qui le contraignaient souvent au repos. Il préparait néanmoins des repas avec un soin d'autant plus grand que son appétit ne faiblissait pas. Le boiteux dormait dans la maison, recroquevillé devant la chambre d'Hiram. Jamais il n'avait bénéficié d'un gîte aussi agréable et d'un toit qui ne laissait passer ni pluie ni vent. Que Hiram demeurât le plus longtemps possible à Jérusalem était le vœu le plus cher de Caleb. Chaque jour, il remerciait Yahvé de lui avoir permis de trouver un maître généreux et peu exigeant.

Un soir d'orage, tandis que la pluie battante gonflait les ouadi ravinant les montagnes, Hiram entendit un bruit bizarre. Caleb, comme d'habitude, dormait à poings fermés. Le Maître d'Œuvre sortit de son bureau où il dessinait des grilles[1] géométriques et marcha jusqu'à la porte. Le soldat envoyé par Banaias pour monter la garde avait dû quitter sa faction et s'abriter sous un porche voisin.

Quelqu'un tentait de s'introduire par effraction dans la demeure du Maître d'Œuvre.

Hiram ouvrit brusquement.

Devant lui se tenait un chien mouillé, famélique, issu d'un croisement entre le loup et le chacal. Ses yeux marron imploraient sans veulerie ni servilité.

— Viens, dit Hiram.

Le chien errant posa les pattes avant sur le seuil et huma l'air de la maison. Le jugeant à son goût, il jeta un regard en biais au Maître d'Œuvre et s'engagea prudemment dans la cour intérieure.

Lorsqu'il poussa des jappements de satisfaction, léchant la main d'Hiram, Caleb s'éveilla. La vision de l'animal le rendit furieux.

— Chassez-le, mon prince ! C'est l'un de ces monstres qui dévorent les immondices !

Hiram empêcha le boiteux de frapper l'animal.

— Il reste avec nous, décida-t-il. Il s'appellera Anoup.

Anoup, le diminutif d'Anubis, chacal du désert rôdant dans les profondeurs de la nuit pour purifier la terre de ses dépouilles. Anubis qui momifiait le défunt, transformant le cadavre en corps de résurrection.

N'était-ce pas l'esprit d'Anubis qui venait, sous la forme d'un chien, offrir à Hiram la présence de l'Egypte et lui rappeler qu'au terme de sa route terrestre commençaient les beaux chemins de l'au-delà ?

Nagsara quitta seule ses appartements, portant une boîte à feu remplie de braises et une coupe d'encens frais. Elle emprunta un ancien chemin de ronde dont les

1. Type de plans utilisés par les géomètres égyptiens. Les épures se présentent sous la forme de grilles où sont inscrites les proportions.

pierres, couvertes de mousse, seraient bientôt descellées par les herbes folles. La moindre glissade condamnerait le promeneur imprudent à dévaler une pente très raide et à se rompre les os. La lune, déchirant les nuages, éclaira le chemin de la reine d'Israël.

Nagsara ne tremblait pas. Son pied était sûr. Elle s'engagea sur le sentier qui conduisait au sommet d'un piton rocheux, faisant face à celui sur lequel Salomon avait décidé de construire le temple. En cette fin de nuit, Jérusalem était plongée dans l'obscurité. A Tanis, la capitale égyptienne où avait vécu la princesse, des lampes restaient allumées sur le toit des sanctuaires où travaillaient les astrologues.

Cette torpeur favorisait les desseins de la reine. A chaque quartier de lune, elle pouvait célébrer un culte à Hathor, loin des regards haineux des prêtres qui avaient juré sa perte. Nagsara se savait aimée de la plus grande partie du peuple, fier du mariage retentissant de son roi, et détestée de la caste ecclésiastique. Cette dernière n'admettait pas que l'épouse de Salomon conservât sa foi envers des divinités étrangères dont l'existence était niée par Yahvé.

Nagsara n'avait cure de cette opinion. Son cœur souffrait de l'indifférence de Salomon. Le temps n'atténuait pas le sentiment violent qu'elle éprouvait pour ce roi dont la seule présence l'envoûtait. Salomon ne l'aimait pas. Il avait joui d'elle comme d'une concubine. S'il lui témoignait encore du respect, c'était en raison de son rôle diplomatique. La femme passionnée, offerte, il ne la voyait plus. Son esprit était la proie de ce temple maudit, de cet édifice encore enfoui dans le néant.

L'Egyptienne atteignit la plate-forme étroite. Au centre, un autel grossier. Le vent soufflait avec force. Au cœur de la froidure perçaient cependant les premières senteurs du printemps.

Nagsara ôta son manteau. En dessous, elle portait l'habit traditionnel des prêtresses de la déesse Hathor, une tunique blanche à bretelles laissant les seins découverts. Elle moulait le corps fin de la jeune femme qui ouvrit la boîte. Les braises rougeoyantes répandirent une lumière secrète que seules verraient le ciel et les yeux de la déesse. Sur le modeste brasier, la reine répandit quelques grains d'encens. Les parfums se dispersèrent trop vite dans l'air nocturne mais ils rappelèrent à Nagsara les fêtes sacrées de Tanis durant lesquelles Pharaon faisait monter vers le dieu caché, Amon, l'essence subtile de toutes choses.

La lune brillait d'un éclat inhabituel, prouvant la présence de la maîtresse du ciel au centre de sa cour d'étoiles.

— Ecoute-moi, Hathor, supplia Nagsara, élevant ses mains au-dessus de l'autel. Que ta magie s'empare de l'âme de Salomon. Que ses yeux me contemplent et s'attachent à moi. Chasse l'idée de ce temple qui me vole l'homme que j'aime. Entends, Hathor, la prière de ta servante. Que ta lumière déchire les ténèbres, qu'elle me donne à nouveau la joie de vivre ! Que Salomon devienne mon esclave docile, que ses pensées m'appartiennent !

Le sang de l'aube se répandit à l'orient. Pour Nagsara, l'espoir renaissait.

*
**

Les épis d'orge mûrissaient. En ce milieu du mois de mars, les pluies n'étaient plus qu'un mauvais souvenir. Les champs blanchissaient. Les glaïeuls déployaient leur robe pourpre sur les collines, rivalisant de splendeur avec des milliers d'anémones rouges qui ornaient les champs. L'hiver mourait, cédant la place aux dizaines d'espèces de narcisses, aux jacinthes et aux tulipes. Dans les sous-bois, Hiram avait marché sur des tapis de crocus au jaune si éclatant qu'il semblait jaillir du soleil. Revenait le temps des chants de paysans, du roucoulement des tourterelles, des premiers fruits des figuiers, des fleurs de la vigne où circulaient les renards.

Le Maître d'Œuvre, depuis la fin des averses, se promenait chaque jour dans la campagne ; il considérait avec attention les arbres, de hauts genévriers, des pistachiers, des amandiers trapus, des yeuses, des sycomores aux baies succulentes, des grenadiers aux fruits symbolisant la multiplicité des richesses divines et les dons inépuisables de l'amour. Il s'arrêta devant les oliviers au feuillage argenté dont les propriétaires terriens prenaient le plus grand soin. Les olives n'offraient-elles pas l'huile si précieuse utilisée dans la préparation des plats, celle des médicaments, des produits de toilette, cette huile qui brûlait dans les lampes et devenait sainte dans les mains des prêtres? Mais c'était le bois de l'olivier auquel s'intéressait l'architecte, un matériau robuste que lui fourniraient des troncs de dix mètres de haut et de cinq cents ans d'âge. L'arbre exprimait une paix joyeuse qui conviendrait à des statues dont la beauté atteindrait peut-être celle des œuvres égyptiennes. Hiram marqua à la craie les oliviers qu'il avait retenus. La seconde espèce indigène qu'il sélectionna fut le cyprès massif, aux fibres serrées, qui conviendrait à merveille comme revêtement de sol.

— Pourquoi vous acharner ainsi, se plaignit Caleb, alors que vous n'êtes même pas sûr d'ouvrir un chantier? Le temple est un mirage, un rêve de roi fou. Ces promenades sont épuisantes. Notre belle maison de Jérusalem ne vous convient-elle pas?

Hiram ne répondait pas, continuant à choisir ses fûts. Anoup ne le quittait pas. Le chien gambadait à ses côtés, n'acceptant pas que le boiteux s'approchât trop près de son maître. Le chien se méfiait de Caleb qui n'osait le frapper, de peur de mécontenter le Maître d'Œuvre.

Enfin vint le matin tant désiré par Caleb.

Quand Hiram voulut franchir le seuil pour entreprendre une nouvelle randonnée, il se heurta à un flot d'hommes et de femmes qui envahissait Jérusalem. Il se composait d'Hébreux venus des provinces, mais aussi de marchands babyloniens et de commerçants asiatiques. Riches et pauvres étaient mélangés dans une semblable exaltation.

— Que se passe-t-il?

— C'est la pâque, mon prince! Israël entier est en fête. Les croyants vont manger et boire à la gloire de Dieu. Aujourd'hui, nous sommes tous croyants!

Hiram se résigna. Il n'atteindrait pas les quartiers bas, tant la foule montant vers le palais était dense. Beaucoup criaient « Pesah, pesah ! », évoquant le miracle du « passage » qui avait marqué la sortie des Hébreux hors d'Egypte. Savent-ils, pensa Hiram, qu'ils prononcent un mot égyptien et rendent ainsi hommage à la terre qu'ils détestent ?

Cultivateurs et boulangers marchaient ensemble, les uns présentant les premiers épis, les autres du pain sans levain. Des bouchers traînaient des centaines d'agneaux qui seraient immolés et nourriraient les milliers de convives participant à l'immense banquet de la pâque où, pendant quelques heures, nantis et mendiants siégeraient côte à côte.

Passant devant la demeure du Maître d'Œuvre, un prêtre en aspergea la porte avec le sang de la bête qu'il venait d'égorger. Le liquide chaud et gluant atteignit le visage et la poitrine d'Hiram.

L'architecte rentra chez lui et se lava. Caleb avait disparu. Le boiteux ne voulait pas manquer la distribution de vin, de pain et de viande. Il ne restait que le chien, qui détestait la foule autant que son maître. Ce dernier travaillait sur le plan qu'il avait commencé à concevoir. Il s'inspirait du tracé de l'ancien temple d'Edfou, en Haute-Egypte, créé par Imhotep et déposé dans les archives de la Maison de Vie.

Coups frappés à la porte et hurlements interrompirent la réflexion d'Hiram. Dès qu'il ouvrit la porte, Caleb, les bras chargés de victuailles, s'engouffra dans la maison.

— Participez à la pâque, mon prince ! Voici de l'agneau rôti avec du laurier et du basilic, du pain azyme trempé dans une sauce au piment et du vin de Samarie... du très bon vin, du...

Le boiteux s'effondra, ivre mort.

Hiram l'abandonna.

Les ruelles s'étant vidées, il sortit avec le chien, s'insinuant parmi des corps affalés. Le repas de fête avait fait de nombreuses victimes qui ne reprendraient conscience qu'après plusieurs heures d'un sommeil comateux.

Anoup aboya, prévenant son maître d'un danger imminent.

A une centaine de pas apparut Banaias, à la tête d'un détachement de soldats. Le visage grossier du général arborait une satisfaction de mauvais augure.

Hiram s'immobilisa. Le chien se serra contre sa jambe. L'épée au côté, Banaias apostropha l'étranger de sa voix rauque.

— Le roi Salomon exige que vous comparaissiez sur l'heure devant lui, Maître Hiram.

22.

Salomon reçut Hiram dans la salle d'audience où il accueillait les dignitaires étrangers. Assis sur son trône, le monarque avait un visage sévère, presque hostile.

L'architecte, sans accorder un signe de soumission, se tint à bonne distance.

— Qui êtes-vous réellement, Maître Hiram?

— Un artisan devenu expert en son métier.

— Comment vous croire, après ce qui vient de se produire? Comment un simple ouvrier aurait-il réussi à obtenir une missive de la reine de Saba m'annonçant l'envoi prochain d'une cargaison d'or rouge?

— Grâce à l'amitié, Majesté. Notre confrérie est plus puissante que vous ne l'imaginez. La reine veut un palais splendide et un temple aux formes parfaites. Aussi comble-t-elle d'honneurs son Maître d'Œuvre qui, pour moi, est comme un Frère. Il a prêté attention à ma demande et est intervenu auprès de la souveraine dont il est aussi le Premier ministre.

Les explications d'Hiram s'avéraient convaincantes bien qu'elles fussent énoncées avec une ironie qui blessa Salomon. La diplomatie israélienne s'était montrée incapable de faire fléchir la reine de Saba. L'expédition maritime organisée par le roi s'était soldée par un piteux échec. Et voici qu'un étranger, à peine installé à Jérusalem, donnait une leçon d'efficacité au pays entier.

— Je dois vous être reconnaissant, Maître Hiram. Souhaitez-vous être nommé à la tête de ma diplomatie?

— Un Maître d'Œuvre ne quitte pas sa confrérie, Majesté.

Salomon se leva et vint au-devant d'Hiram. Il s'arrêta à un mètre de lui, plantant son regard dans celui de son interlocuteur.

— Même pour devenir roi?

Les yeux d'Hiram ne chavirèrent pas.

— Même pour devenir roi.

— Que désirez-vous, Maître Hiram?

— Commencer l'œuvre. Dès demain, je partirai pour le port d'Eziongaber.

— Avec quelles intentions?

— Organiser le chantier selon mes vues. Notre pacte ne le prévoyait-il pas ainsi?

— Allez, Maître Hiram et agissez.

L'architecte parti, Salomon relut la lettre surprenante de la femme la plus riche de la terre. Elle ne remettrait pas moins de vingt-trois tonnes d'or aux marins phéniciens qui les convoieraient jusqu'en Israël. Avec un sens aigu des relations internationales, la reine de Saba avait évité de solliciter la flotte marchande égyptienne.

A la réflexion, cette collusion avec les Phéniciens prouvait l'intervention du roi de Tyr. Hiram s'était vanté. Ce n'étaient pas lui et son collègue qui avaient modifié la position de la reine, mais le rusé monarque de la cité commerçante. Sans doute avait-il obtenu un bon prix pour le transport. Enrichir Salomon lui permettrait d'engranger une bonne partie de cet or, en échange des matériaux de construction destinés au temple. De plus, le roi d'Israël n'était-il pas contraint d'utiliser les bateaux phéniciens afin de livrer du blé à Saba?

Un habile négociateur, avide de biens matériels, croyait s'être joué de Salomon. Un Maître d'Œuvre prétentieux s'attribuait des pouvoirs qu'il ne possédait pas. Ni l'un ni l'autre ne percevaient les véritables desseins de Salomon. Ils ne comprenaient pas que la construction du temple changerait le cours du temps et la pensée des hommes.

Hiram séjourna plusieurs mois à Eziongaber. Caleb le

boiteux était resté à Jérusalem pour s'occuper de la maison où il passait le plus clair de son temps à dormir. L'architecte avait emmené son chien et emporté ses plans. Avant de les développer, il avait besoin de cuivre qui servirait notamment à la fabrication d'outils tels que les ciseaux des tailleurs de pierre.

Cinq cents hectares de terrain disponibles fournissaient au Maître d'Œuvre un champ d'expérience inespéré. Avec l'accord de Salomon, il réquisitionna plusieurs centaines de fantassins inoccupés qui ne s'habituaient pas à l'idée de devenir marins. L'architecte les répartit en petites équipes. Ils construisirent des hauts fourneaux, des fonderies, des forges, une raffinerie pour métaux. Le bois provenant d'Edom était utilisé comme combustible.

Ainsi le port marchand fut-il converti en cité industrielle.

Hiram ne portait aucun bijou caractérisant sa fonction. Les ordres étaient publiquement donnés par Elihap, le secrétaire du roi, qui apparaissait comme le véritable initiateur de l'entreprise. Le haut dignitaire ne cessait d'aller et venir entre Jérusalem et Eziongaber, veillant sur les sommes investies et l'avancement régulier des travaux.

Hiram se préoccupait de l'organisation de chaque atelier. Il rectifiait les gestes des ouvriers, orientait le travail, venait en aide au malhabile et abandonnait l'incompétent. Les ouvriers aimaient et craignaient cet étrange contremaître qui parlait peu et semblait infatigable.

Le traitement du minerai de cuivre donna d'excellents résultats. Quantité d'outils furent entreposés dans des baraquements et une bonne partie de la production fut exportée.

Jusqu'à ce premier jour de l'automne, Elihap et Hiram n'avaient eu aucun entretien privé. En cette soirée où le soleil incendiait les eaux calmes de la mer Rouge, les deux hommes sortirent du dernier haut fourneau récemment terminé. Dès le lendemain, il serait en activité.

Ils marchèrent sur une plage immense et déserte, jusqu'à un promontoire sableux d'où ils contemplèrent le drame apaisé du couchant. Hiram avait la peau brûlée en plusieurs endroits. En s'asseyant, il eut la sensation de pouvoir goûter à sa première heure de repos depuis plusieurs lunes. C'était une illusion dangereuse à laquelle il ne céda pas. Malgré la beauté envoûtante d'un paysage qui lui rappelait les franges maritimes du Delta d'Egypte, en dépit de cette lumière sereine qui préparait le chemin des clartés de l'au-delà, Hiram s'obligea à demeurer aussi vigilant que le fauve poursuivi par les chasseurs.

L'homme, qui se tenait à ses côtés, croisait nerveusement les doigts comme pour conjurer le mauvais sort.

— Cette mascarade s'achève enfin, dit Elihap. Vous m'autorisez donc à regagner Jérusalem. Je n'aurai plus à distribuer les ordres que vous m'avez dictés.

— N'avons-nous pas atteint le résultat escompté ? Eziongaber produit beaucoup de cuivre, et d'excellente qualité. Israël possède un centre industriel qui lui faisait défaut. Cette réussite vous est attribuée, Elihap.

— Salomon n'est pas dupe. De plus, il est mécontent.

— Pourquoi ?

— Parce qu'il se moque de cette industrie et des richesses qu'elle procure. Le roi n'a qu'une idée en tête : bâtir le temple. Il estime que vous perdez du temps.

— Il m'a donné son accord pour mener à bien la construction de ces hauts fourneaux. Ici, j'ai commencé à connaître le peuple d'Israël. Je l'ai vu au travail, dans une tâche difficile, inédite pour la plupart des ouvriers. J'ai tenté de leur donner le sens d'une œuvre finie, fût-elle grossière. Soyez assuré que je n'ai pas gaspillé une seule seconde. Demain, il faudra ouvrir un chantier plus vaste. Si je n'avais pas préparé une première équipe de tâcherons, je courrais à l'échec.

Jaillissant de l'eau aux reflets d'or, un dauphin préluda aux jeux d'une troupe bondissante qui célébrait la fin du jour. Celui qui suivait le dauphin, venant en aide aux naufragés, ne risquait pas de se perdre dans l'océan de l'autre monde. Hiram avait souvent assisté à l'arrivée de cet ami de l'homme dans les branches du Delta. Il remontait parfois le Nil jusqu'à Memphis, pour la plus grande joie des enfants dont il acceptait nourriture et caresses.

Un ami... Le Maître d'Œuvre devait renoncer à le trouver parmi les hommes qui l'entouraient.

— Quittez Israël, exigea sèchement Elihap.

Hiram ne répondit pas. Elihap, l'Egyptien introduit par Pharaon à la cour d'Israël pour l'espionner, avait accompli sa mission au-delà de toute espérance. Il devait assistance à Hiram sous peine de perdre la vie, mais ignorait le véritable nom du Maître d'Œuvre et son origine égyptienne. Il aurait dû être un allié sûr auquel Hiram aurait pu s'ouvrir.

— Quittez Israël, répéta le secrétaire de Salomon. Personne ne vous aime à la cour. C'est le malheur qui vous guette, sur cette terre. Retournez à Tyr, reprenez votre existence d'errant, allez construire ailleurs des édifices.

— Seriez-vous hostile à la naissance d'un grand temple à Jérusalem?

— C'est une folie, affirma Elihap. Elle ruinera Israël et conduira Salomon à sa perte. Quand le désastre sera évident, vous serez le premier accusé. Je ne veux ni votre mort, ni la déchéance de ce pays. Même si je suis né en Egypte, même si je crois encore au dieu Apis qui me protège, je suis devenu hébreu. Ce peuple est aujourd'hui le mien. Je suis le serviteur de Salomon. S'il ne succombe pas à sa vanité et s'il oublie ce temple maudit, il sera un bon monarque.

— Si je pars, dit Hiram, Salomon choisira un autre Maître d'Œuvre.

— Non, jugea Elihap. Le roi est persuadé que vous avez été désigné par Dieu. Si vous renoncez, il admettra son erreur et abandonnera son funeste projet.

Le disque disparaissait sous l'horizon. La troupe de dauphins gagnait la haute mer. Eclairant la nuit, le feu des forges faisait d'Eziongaber une immense table rougeoyante.

— Et si vous vous trompiez? avança Hiram. Si le temple de Salomon était la clé du bonheur d'Israël?

— Je ne me trompe pas. Ce peuple est une mosaïque de tribus qui ont besoin de s'affronter sans cesse sous la protection d'un dieu qu'ils croient unique. Salomon est trop grand pour ce pays. Il pense et agit comme un pharaon. Mais Israël n'est pas l'Egypte. Que le roi s'attache à une paix relative est bon. Qu'il tente de créer un temple et un empire, c'est l'échec assuré et la fin des Hébreux. Un malheur dont vous seriez le principal responsable, Maître Hiram. Salomon vous attend à Jérusalem dès que votre travail ici sera terminé. Si vous aviez pu ne jamais venir !

Elihap s'éloigna, silhouette obscure dans la nuit croissante.

Elu de Dieu, prédestiné... Qui pouvait succomber à une telle vanité ? Ce n'étaient que balivernes à l'usage d'enfants crédules. Mais Hiram aimait les défis. L'Egypte s'était construite sur un gigantesque défi à l'invisible. Salomon n'était ni son Frère ni son ami. Pourtant, la partie d'échecs qu'il avait engagée avec le destin commençait à intéresser le Maître d'Œuvre. Servir un être de la stature d'un pharaon, fût-il en terre étrangère, n'imposait-il pas un devoir semblable à la lumière déchirant les nuées ?

Hiram quitta Eziongaber au milieu de l'automne, peu après le début de l'année religieuse célébrée à l'équinoxe, durant la fête des moissons. Le soleil devenait tendre. Les journées, dépouillées de la canicule, laissaient couler un temps mordoré aux parfums nostalgiques. La nature se préparait au repos. La mer, parfois houleuse, se parait de bleus et de verts chantant de lointaines litanies, remontant aux premiers âges du monde. L'architecte la contempla une matinée durant, comme s'il ne devait jamais la revoir.

Baluchon sur l'épaule, canne à la main, vêtu avec le pagne d'un ouvrier, il sortit de la ville sans saluer personne. Anoup trottinait à ses côtés. Eziongaber était devenue une ville prospère où marchands et exportateurs avaient su prendre le pouvoir. De nombreux jeunes gens s'étaient habitués au travail du cuivre. Hiram les connaissait par leur nom. Demain, quand il aurait besoin d'eux, ils ne le décevraient pas.

A peine le marcheur avait-il abordé la pente de la première colline qu'un nuage de poussière annonça l'approche d'un cavalier.

Anoup aboya.

Hiram s'arrêta, mains croisées et appuyées sur le sommet de son bâton.

L'homme fit se cabrer son cheval, menaçant le Maître d'Œuvre.

— Es-tu celui qu'on appelle Maître Hiram?

— C'est bien moi.

Le cavalier aux cheveux roux, de forte corpulence, tirait rageusement sur les rênes pour assujettir une monture rebelle.

— Mon nom est Jéroboam. Salomon m'a chargé de construire ses écuries. Tous les chantiers du royaume seront placés sous mon contrôle.

— A l'exception du mien, rectifia Hiram.

— Il n'y aura aucune exception, promit Jéroboam. Ou tu te soumets à mon autorité ou tu retournes à Tyr.

— Je ne reconnais d'autre autorité que celle du roi d'Israël. Toi qui veux commander, connais-tu au moins l'art du Trait?

Le colosse roux s'emporta.

— Tes secrets ne sont que mirages, Maître Hiram. Ne te dresse pas contre moi et ôte-toi de mon chemin. Sinon...

— Sinon?

Le cheval se cabra à nouveau.

Faisant volte-face, Jéroboam partit au grand galop.

23.

La nuit était blanche et rouge. Une lune rousse avait capté les regards inquiets des habitants de Jérusalem. N'était-ce point un mauvais présage ? Cette lueur sinistre ne traduisait-elle pas la colère de Yahvé ? Pourtant, la paix régnait sur Israël. Le pays s'enrichissait. Ses voisins le respectaient. La gloire de Salomon ne cessait de croître. Mais il y avait sa femme, cette Egyptienne qui continuait à sacrifier à ses faux dieux. Si elle n'avait pas été l'épouse du roi, une main vengeresse aurait depuis longtemps coupé le fil de ses jours.

Nagsara priait Hathor de plus en plus souvent. Dans sa chambre, elle agitait les sistres, instruments de musique répandant un son métallique agréable au cœur de la déesse. Ses efforts ne demeuraient pas vains. Salomon avait passé une nuit avec elle, retrouvant une ardeur qu'elle croyait à jamais perdue. Nagsara n'avait rien demandé. Muette, elle s'était contentée de donner du plaisir à son époux, comme n'importe quelle concubine. Le roi, qui redoutait un flot de protestations, voire d'insultes, avait apprécié l'attitude mesurée de sa femme. Les jeux de l'amour, pour être réussis, ne toléraient pas de caractère acariâtre.

Salomon savait que Nagsara pratiquait la magie dans l'intention de régner sur ses sentiments. A plusieurs reprises, il avait ordonné à Elihap de la suivre et d'observer les rites auxquels elle s'adonnait. Le roi d'Israël ne mésestimait pas les talents de son épouse. Lorsqu'elle entrait en communion avec Hathor, il prenait la précaution de tourner le sceau de Yahvé vers la terre. Ainsi détournait-il les ensorcellements de l'Egyptienne qui se perdaient dans le sol.

Pourquoi Hiram s'attardait-il tant à Eziongaber ? Produire du cuivre n'était certes pas négligeable mais le port se trouvait bien loin de Jérusalem. Quand l'architecte lui remettrait-il un premier plan ? Quand s'occuperait-il enfin de préparer l'ouverture du chantier dont dépendait l'avenir d'Israël ? Salomon avait songé à engager un autre architecte. Hiram était trop farouche, trop mystérieux. Mais il connaissait l'art du Trait, que si peu de bâtisseurs possédaient. Qui serait capable de le remplacer ?

Cependant, la patience de Salomon s'épuisait. Cette nuit en marquerait l'ultime borne. Dès le lendemain, il demanderait à Jéroboam de procéder au recrutement des ouvriers. Le roi avait reçu l'or rouge de Saba. Il pouvait payer des centaines de tâcherons et acheminer les plus parfaits des matériaux. Céder plus longtemps à l'inactivité serait une faute impardonnable. Hiram n'avait-il pas quitté Israël, déçu ou amer ?

Salomon se rendit au pied du rocher sur lequel il désirait édifier son temple. Il leva les yeux vers son point culminant, un éperon dominant la colline de l'Ophel. A près de huit cents mètres de haut, cette saillie couronnait Jérusalem, donnant à la ville la direction du ciel. David avait fortifié sa capitale. Salomon la sacraliserait. Il entaillerait ce roc sur trois côtés, à l'ouest, au nord et au sud. Il araserait la plate-forme supérieure, ouvrirait les édifices vers l'est.

— Ne croyez-vous pas, Majesté, qu'il faudrait d'abord relier au rocher la cité de David par un terre-plein ? Il faciliterait la tâche des constructeurs.

Salomon avait reconnu la voix de Maître Hiram.

— M'auriez-vous suivi ?

— Je savais que vous viendriez ici.

— Liriez-vous aussi dans mes pensées ?

— Je ne suis qu'un architecte, pas un devin.

— Pourquoi cette étrange attitude, Maître Hiram ?

— Interrogez donc la pierre magique que vous portez

à la main gauche. Ne vous confère-t-elle pas un pouvoir sur les éléments ?

— Assez d'impertinence, répondit Salomon, irrité. Votre réussite, à Eziongaber, n'est que celle d'un ingénieur, pas d'un Maître d'Œuvre. J'exige des explications.

Hiram regarda la lune. En elle, chantaient les vieux textes d'Egypte, se cachait le lièvre d'Osiris qui détenait les secrets de la résurrection. Par sa croissance et sa décroissance, le soleil de la nuit enseignait à l'observateur l'art des métamorphoses. La lumière bleutée baignait le grand rocher de Jérusalem, atténuant la rudesse de sa nudité. Portait-il dans son rayonnement la promesse d'un sanctuaire ?

— Connaissez-vous les traditions de Saba, Majesté ?

Salomon redoutait une forme de chantage. Hiram allait enfin jeter le masque.

— Les Sabéens adorent le soleil, continua le Maître d'Œuvre. C'est dans sa lumière qu'ils puisent sagesse et bonheur. En gage de reconnaissance, l'astre divin fait sans cesse croître l'or au cœur des montagnes.

— Ce sont des impies. Ils rejettent le dieu unique.

— Ne se nomme-t-il pas Elohim, dans vos livres sacrés ? Elohim n'est-il pas un pluriel qui signifie « les dieux » ?

— Seriez-vous expert en théologie, Maître Hiram ? Vous ignorez que notre Dieu s'appelle aussi Yahvé, « celui qui est », et que son nom ineffable n'est révélé qu'au roi d'Israël.

— Ce que je sais, Majesté, c'est que le culte de cette divinité requiert peu de sacrifices et n'exige pas la présence d'un temple. Vous avez décidé de modifier cette situation. Vous désirez mettre fin à la médiocrité de vos rites, leur donner l'éclat digne d'un grand royaume.

Salomon ne nia pas. Ce que les Egyptiens avaient réalisé, il le réaliserait aussi. Yahvé ne pouvait plus résider dans des lieux misérables. Lui qui était le plus grand, l'Unique, devait bénéficier d'une gloire plus vaste qu'Amon de Karnak.

— Exprimerez-vous enfin vos exigences, Maître Hiram ?

L'architecte s'accroupit et toucha la base du rocher.

— Cette pierre est bonne, dit-il. Elle est chaude, fraternelle. Elle serait un bon support pour de splendides bâtiments. Mais il faudrait lui ajouter la protection magique des Sabéens afin de la rendre inaltérable. Ils détenaient une coupe et un sceptre d'or qui me furent offerts par le maître qui m'enseigna le Trait. Leur présence, au cœur de la roche, garantira la solidité de l'œuvre.

Salomon réfléchit. De tels objets mécontenteraient-ils Yahvé ? Trahiraient-ils la foi d'Israël ?

— N'est-ce point un chantage, Maître Hiram ?

— Une telle entreprise ne dépend pas seulement des hommes. Si le ciel n'est pas rendu favorable, l'échec est assuré.

— Cette coupe et ce sceptre sont-ils vierges de toute inscription ?

— Ils sont or pur, répondit Hiram. De l'or né dans le feu secret des montagnes de Saba. L'architecte qui l'utilise dans ses fondations y place une lumière qui ne s'éteindra jamais.

— Si j'accepte votre proposition, quand ouvrirez-vous le chemin ?

Le Maître d'Œuvre parut contrarié.

— J'ai été menacé. On m'a sommé de quitter Israël.

— Qui a osé ?

— Je ne suis pas un délateur, Majesté.

Salomon ne perdit pas contenance. Il ne croyait pas Hiram. Le Tyrien inventait une fable afin de lui lancer un nouveau défi.

— A vous de juger, estima le roi. N'espérez plus d'autres concessions de ma part. Aujourd'hui, vous êtes libre de sortir d'Israël. Dans trois jours, vous me donnerez votre réponse définitive. Ensuite, il vous sera impossible de reprendre votre parole. Que la nuit vous soit favorable.

***

Hiram demeura au pied du rocher jusqu'à l'aube. S'il invoquait un refus de Salomon pour justifier auprès de ses pairs son retour en Egypte, aucun d'eux ne mettrait sa parole en doute. Mais un Maître d'Œuvre pouvait-il mentir sans se détruire à ses propres yeux ?

En éprouvant le roc du bout de ses doigts, Hiram avait senti qu'il révélait l'un de ces lieux d'exception où le divin s'incarne dans la matière. Salomon avait bien choisi. C'était là, et nulle part ailleurs, que devait s'élever un grand temple. Le roi avait en lui cette volonté capable de triompher du malheur, ancrant la vision de l'homme dans l'éternel. Que le futur sanctuaire fût le destin de Salomon, Hiram n'en doutait plus. Mais autorisait-il sa propre détresse, un exil qui le frappait aussi durement qu'une condamnation à mort ?

L'âme lourde, il se dirigea vers sa demeure, empruntant des ruelles désertes où les dernières ténèbres luttaient contre le jour naissant. Anoup se tenait à ses côtés.

Hiram entra. Régnait dans la demeure une forte odeur d'encens et d'huile d'olive. Plusieurs lampes illuminaient les pièces. Une dizaine de prêtres, agenouillés, priaient. Apercevant Hiram, l'un d'eux se leva.

— Je suis Sadoq, le grand prêtre de Yahvé, déclara-t-il avec emphase. Etes-vous Maître Hiram ?

L'architecte s'avança. L'intérieur avait été dévasté, le sol creusé, le bureau saccagé. Les murs avaient été blanchis, les coffres vidés, les lits brisés.

— Cet endroit devait être purifié, indiqua Sadoq. Il était la proie d'esprits malins. Seul un vrai croyant, désormais, l'habitera.

Le buste très droit, le grand prêtre jubilait. Sa barbe noire, aux coins non coupés, rendait son visage sévère, semblable à celui d'un juge de l'au-delà. Mais les yeux trop brillants contenaient la fièvre d'un homme jaloux, avide de vengeance.

— Ne revenez jamais ici, Maître Hiram. Ne comptez pas trouver une autre demeure à Jérusalem. Vous avez pratiqué la magie noire. Nous en avons la preuve.

D'un geste de la main, Sadoq convoqua l'un de ses

acolytes. Ce dernier apporta une figurine en terre cuite représentant une femme nue aux seins et aux hanches monstrueuses.

— Cette image diabolique était cachée dans votre étui à calames. Si vous n'étiez le protégé de Salomon, j'aurais exigé votre lapidation.

— Qu'est devenu mon serviteur, Caleb ?

— Il n'y avait personne dans cet antre du démon.

Hiram, d'un simple regard, s'aperçut que ses maigres biens avaient été mis en pièces. Il marcha vers la porte, sous l'œil ironique de Sadoq. A l'instant de quitter à jamais la maison assassinée, il se retourna.

— Sois tranquille, grand prêtre, je ne résiderai pas dans cette ville haineuse. Mais ne t'avise pas de m'accuser à nouveau de sorcellerie : ce mensonge se retournerait contre toi.

Sadoq n'avait cure de cette mise en garde. Sa victoire était totale. Hiram partait, le temple ne serait jamais construit. Chacun saurait que Yahvé expulsait les Maîtres d'Œuvre étrangers et qu'il ne souhaitait pas modifier la cité de David.

Salomon, troublé, consulta les livres secrets dont il était, en tant que roi d'Israël, l'unique dépositaire. Ils enseignaient comment l'Homme pouvait prendre place sur le trône céleste s'il suivait le chemin de la vie et non celui de la mort. Ils parlaient de l'âme, de Dieu et des éléments. Mais ils ne répondaient pas à la question qui le hantait depuis tant de jours : devait-il vraiment accorder sa confiance à Maître Hiram pour construire le temple ? La fascination qu'il éprouvait envers cet homme ne lui masquait-elle pas la réalité ? L'étranger n'était-il pas un errant, un révolté qui se targuait de posséder une science en fait ignorée ?

Jamais le roi n'avait été la proie d'angoisses si déchirantes.

Quand Nagsara osa pénétrer dans la bibliothèque où il consultait des rouleaux de papyrus écrits en caractères indéchiffrables par un profane, sa réaction première fut de la repousser avec véhémence. Mais la reine, à peine vêtue d'un voile transparent, avait su se rendre désirable.

— Ignorez-vous, mon épouse, que ce lieu vous est interdit ?

Nagsara laissa flotter sur ses lèvres rouges un sourire enfiévré. Elle contemplait Salomon avec une passion mal contenue. Il en fut ému. L'Egyptienne, coiffée de la perruque parfumée si chère à la haute société de Tanis, ôta les agrafes qui retenaient son vêtement aux épaules.

— Cet endroit est la demeure des livres, non celle de l'amour...

L'objection de Salomon se perdit dans un baiser à la fois doux et fougueux. Le roi ne résista pas davantage au corps nu qui se pressait contre lui. Pendant quelques minutes d'intense plaisir, elle lui fit oublier Hiram.

— Vous possédez de bien grands pouvoirs, mon épouse.

— Ils sont vôtres, mon roi. Demandez et vous recevrez.

Une fille de Pharaon... N'avait-elle pas été éduquée par des prêtres possédant des grimoires que tous les peuples leur enviaient ?

— Sauriez-vous consulter les oracles ?

— J'ai observé mon père, dans les salles couvertes du temple de Tanis. Il m'a appris à me rincer la bouche et à la purifier avec du natron avant de prier les dieux. Je possède l'art de chasser les migraines en plaçant une flamme sur la tête d'un serpent de bronze.

— Accepteriez-vous de consulter l'invisible ?

Nagsara était rayonnante de bonheur. Enfin, elle prouverait à Salomon qu'il ne devait pas la réduire à un objet de jouissance.

— Quelle est votre question ?

— Je veux un nom. Celui du meilleur architecte pour le temple.

Toujours nue, Nagsara prit l'une des lampes et la posa dans l'angle nord de la pièce. Elle éteignit les autres et se pencha sur la faible lueur au point de se brûler le visage. Les paroles qu'elle prononça la protégèrent.

— Flamme qui connaît hier, aujourd'hui et demain, tu dois me répondre ! Si tu te taisais, le ciel et la terre disparaîtraient ! Si tu te taisais, les offrandes ne monteraient plus vers les cieux ! Si tu te taisais, le soleil ne se lèverait plus, les fleuves seraient asséchés, les femmes stériles ! Moi qui suis fille du feu, j'ai le droit de t'interroger.

Nagsara posa l'index droit sur son front et saisit la flamme dans la main gauche. La chair ne grésilla pas. De l'ongle, elle traça des hiéroglyphes sur l'anse de la lampe. La reine ferma les yeux.

— Approche-toi, Salomon.

Le roi obéit.

— Etends-toi sur le dos.

Il vit se dessiner des ondulations dans le plafond de la bibliothèque. Les murs entamèrent une danse effrénée.

— Questionne la lampe, Salomon.

Le roi ne reconnut pas sa propre voix, tant elle était grave.

— Qui doit être l'architecte du temple ?

La flamme grandit, envahissant la pièce, attaquant les rouleaux de papyrus, embrasant Salomon et Nagsara. Mais le roi n'éprouva aucune douleur. Il accepta ce déferlement igné comme un bienfait. Il voyagea sur un fleuve de sang qui transperçait de hautes montagnes.

Le calme revint brutalement.

Nagsara, couchée sur le côté, dormait.

Avec la flamme de la lampe, Salomon ralluma les autres. Sa déception était cruelle. L'invisible avait refusé de parler.

Impossible de réveiller l'Egyptienne dont la respiration était régulière. Le roi prit la reine dans ses bras. Sur la gorge blanche de la jeune femme : une inscription en caractères hébreux.

La lecture en fut aisée.

Dans la chair de la reine d'Israël était gravé un nom : Hiram.

24.

Le troupeau de moutons s'égailla à l'approche d'Hiram. Il reconnut la pauvre demeure du boiteux qui, sur le seuil, cuisait à petit feu une soupe aux herbes.

— Mon prince ! Vous leur avez échappé ?

Derrière la maison, un imposant tas de laine. De meilleure qualité que celle du printemps, elle servirait à la confection de manteaux pour l'hiver.

— Je me suis enfui quand j'ai vu déferler cette bande de prêtres fanatiques. Ils n'hésitent pas à lapider ceux qui les gênent.

— Sans passer par le jugement de Salomon ?

— Le roi ne peut pas veiller à tout...

— Pourquoi n'avoir pas tenté de me prévenir ?

— Pas le temps, mon prince.

Caleb se demanda si l'architecte ne devenait pas un adversaire plus dangereux que les adorateurs de Yahvé.

— Je vous ai un peu trahi, reconnut-il, mais je n'avais pas le choix. Retourner chez moi et m'y terrer était la seule solution. Jérusalem n'est plus une ville sûre quand les prêtres se montrent trop.

Anoup, qui avait suivi Hiram à bonne distance pour protéger ses arrières, vint près de son maître. Apercevant Caleb, il grogna.

— Encore ce maudit chien... Où comptez-vous aller, mon prince ?

Hiram dépassa la bergerie et descendit une pente herbeuse s'achevant dans un champ abandonné où poussaient des figuiers aux épaisses frondaisons. Ils offraient en abondance des figues d'automne à la chair sucrée. Ceux-là n'étaient pas taillés en forme de parasol mais se développaient en liberté au gré des saisons.

Le Maître d'Œuvre s'assit à l'ombre d'un vieux figuier solitaire. Anoup se tassa à ses pieds. C'était là, sous la protection de l'arbre le plus répandu sur la terre d'Israël, qu'Hiram prendrait sa décision. Souvent, près du temple de Karnak, il avait goûté des heures méditatives sous le feuillage d'un sycomore ou d'un tamaris, à la lisière du désert. Les pensées se noyaient dans le silence, les rêves se perdaient dans la lumière. Enfant, Hiram grimpait jusqu'aux plus hautes branches et regardait passer les paysans, poussant leurs ânes chargés de ballots. Ils longeaient la terre rouge avant de regagner les cultures, entonnaient une très antique chanson datant de l'époque des bâtisseurs de pyramides. Quand il avait vu une confrérie de scribes portant calames et palettes, le jeune Hiram avait eu envie de tout comprendre et de tout connaître. Le savoir l'avait enivré plus sûrement que la bière de fête. Il n'avait cessé de questionner ses parents sur les caractéristiques des animaux, des plantes, sur la crue du Nil, la force des vents, la lecture des hiéroglyphes. Le jour où il avait obtenu la certitude qu'ils étaient incapables de lui donner des réponses, le garçon de quatorze ans avait quitté son village, un sac sur l'épaule. Réussissant à se faire accepter sur un bateau de marchandises, il avait gagné Thèbes. Son but : le lieu de la Connaissance, le temple où entraient les scribes.

Il avait vite déchanté. Si la grande cour était accessible aux nobles lors des fêtes, les salles d'enseignement du temple couvert restaient hermétiquement closes.

Hiram était sorti de la ville et avait longuement médité, assis à l'ombre légère d'un tamaris. Assistant à la course du soleil et au déploiement des couleurs du jour, depuis celles de l'aube jusqu'à l'or du couchant, il s'était fixé la règle de son existence : aller jusqu'au terme de son désir, ne renoncer sous aucun prétexte, toujours s'accuser soi-même de ses échecs et non autrui ou les événements extérieurs. Muni de ce viatique, il avait pratiqué vingt métiers, marchand de légumes, réparateur de sandales, trieur de poissons, vanneur, fabricant de jarres, avant d'être remarqué par un instructeur de la cavalerie. Après avoir soigné les chevaux, il avait appris à les monter et à conduire un char. Puis vint l'heure du choix : devenir soldat, ou bien scribe.

A son propre étonnement, l'hésitation s'était emparée de lui. La vie militaire n'était-elle pas plus brillante, plus exaltante, source de prestige et de richesses ? Au terme d'une nouvelle méditation sous un tamaris, face au désert où s'édifiaient les demeures d'éternité, Hiram avait suivi le chemin du temple. A ses yeux, cet être de pierre, immense et mystérieux, était la vie même.

Vint la période la plus heureuse de son existence, celle des études dirigées par des maîtres sévères, exigeants mais dotés de cette connaissance à laquelle le cœur d'Hiram aspirait depuis si longtemps. Apprendre fut le plus savoureux des plaisirs, travailler une passion, découvrir une joie sans limites. Le jeune scribe s'orienta vers l'architecture. Il mania tous les outils, de l'herminette du menuisier au ciseau du tailleur de pierre, connut la camaraderie des chantiers où le travail de l'esprit et de la main était un, s'initia à la réalité de la pierre, apprivoisant les granits, les grès, les albâtres, les calcaires afin de choisir, au seul contact de sa paume, les blocs dignes d'entrer dans un édifice.

Puis ce furent les voyages, en Egypte et à l'étranger, les rencontres avec d'autres architectes, d'autres techniques, d'autres croyances. Hiram se taisait, écoutait. Durant cette période, il avait séjourné à Saba où l'influence égyptienne, quoique très forte, ne s'accompagnait pas d'une colonisation. Loin de son pays, souffrant déjà d'un exil pourtant temporaire, Hiram s'était lié d'amitié avec un Maître d'Œuvre égyptien que la reine de Saba s'était attaché. Au sommet d'une des montagnes d'or, Hiram avait reçu la révélation de l'art du Trait.

Il fouilla le sol à l'aide d'une pierre pointue.

Gestes lents, précis, efficaces. La coupe et le sceptre d'or sortirent de la terre meuble où Hiram avait pris la précaution de les dissimuler avant d'habiter Jérusalem. Comment avouer à Salomon que ces symboles avaient été offerts au pharaon Khéops par la première reine de Saba, lors de la construction de la grande pyramide ? La souveraine, vénérant le soleil comme Pharaon, avait jugé bon de s'associer magiquement à la construction de cette merveille de l'univers. Aussi s'était-elle rendue en pèlerinage à Memphis et, lors d'une nuit d'hiver où brillait la Polaire, entourée de sa cour d'étoiles infatigables, avait-elle déposé dans la chambre basse de la grande pyramide le sceptre de Saba et, sous le sphinx, une coupe contenant la rosée du premier matin du monde.

C'étaient ces objets que le pharaon Siamon avait remis à Hiram avant son départ d'Egypte pour Israël. C'étaient eux que le Maître d'Œuvre devait placer dans les fondations du temple de Salomon afin qu'il s'érige sur l'antique sagesse.

Salomon avait accepté.

Si Hiram accomplissait ce rite, s'il appelait ainsi le temple à l'existence, il ne pourrait plus abandonner l'Œuvre. En donnant naissance à un sanctuaire, l'architecte lui consacrait sa vie.

Hiram avait tout tenté pour provoquer la colère de Salomon. Le roi d'Israël s'était obstiné dans son choix. Comme le Maître d'Œuvre, il suivait la voie de son cœur et ne s'arrêtait pas devant les obstacles apparemment infranchissables.

Si Hiram acceptait de devenir le Maître d'Œuvre de Salomon, s'il remplissait la fonction que lui avait confiée le pharaon Siamon, il connaîtrait la plus absolue des solitudes. A qui demander conseil, à qui confier ses doutes et ses interrogations ? Les Maîtres de Karnak étaient bien loin, dans la lumineuse sérénité du temple de Haute-Egypte. Obligé de garder le secret sur ses origines, de taire son véritable nom, de subir les rigueurs de l'exil, Hiram serait-il capable de supporter un tel poids durant plusieurs années ? Rien ne l'avait préparé à cette tragédie. Eduqué dans une communauté de prêtres, initié à son métier dans une confrérie d'artisans, l'architecte aimait la fraternité parfois rugueuse qui présidait aux tâches quotidiennes de la Maison de Vie. A cette joie-là, aussi, il faudrait renoncer. Hiram aurait à régner sur un peuple d'ouvriers hébreux sans accorder son amitié à quiconque.

A l'ombre du figuier, sous le tendre soleil automnal, dans le calme de la campagne de Judée, Hiram eut envie de renoncer.

L'écart était trop grand entre l'avenir d'un Maître d'Œuvre égyptien promis à une vieillesse paisible et celui de l'architecte de Salomon, confronté à un pari impossible. Comment se priver de la beauté de la terre noire et fertile des bords du Nil, de l'exaltation du désert, de la complicité du vent du nord?

N'avait-il pas atteint son but, devenir l'un des architectes de Pharaon, œuvrer aux côtés de ses Frères dans l'harmonie de la Maison de Vie, embellir jour après jour les pierres d'éternité indifférentes aux tribulations humaines? Aucune autre ambition n'habitait son âme. Pourquoi les dieux le contraignaient-ils à perdre le bonheur en servant le roi d'un pays étranger et en construisant un sanctuaire en l'honneur d'une divinité muette à son cœur?

Renoncer, c'était reconnaître sa faiblesse. Revoir l'Egypte, goûter à nouveau la brise gonflant les voiles des bateaux, exigeait un sacrifice. Hiram se sentait prêt à accepter cette humiliation devant ses confrères.

Devant Salomon, il la refusait.

Après s'être méfié du roi, l'avoir presque détesté, Hiram participait à sa passion. Comme lui, Salomon était seul. Seul, il défiait un peuple entier, la caste des prêtres, les courtisans, la coutume. Seul, il voulait créer un chef-d'œuvre au risque de perdre son trône.

Salomon était le dernier être auquel Hiram pouvait se confier, mais il incarnait cette volonté flamboyante qui avait animé un jeune Egyptien avide de connaître. Une impossible fraternité était née entre les deux hommes.

Rageur, Hiram eut envie de jeter au loin le sceptre et la coupe.

Eclairés par le soleil de fin d'après-midi, ils brillèrent d'un éclat fauve qui attira l'attention de Caleb. Le boiteux s'en approcha, hésitant à s'en emparer. Le regard d'Hiram l'en dissuada.

Le Maître d'Œuvre fixait l'or de Saba avec intensité, comme s'il y déchiffrait son avenir. Une flamme inquiétante hantait ses yeux bleu sombre.

Quand les ultimes rayons teintèrent d'orange les feuilles du figuier, Hiram se leva. Nul ne dirait qu'un Maître égyptien avait fui devant l'œuvre à accomplir.

Il bâtirait le temple, fût-ce celui de Salomon.

*
**

Saturne trônait au sommet du ciel ; il rendrait l'édifice solide et durable. Salomon venant du palais, Hiram de la campagne arrivèrent au même instant au pied du rocher.

Le Maître d'Œuvre présenta au roi le sceptre et la coupe. L'or rouge se teintait de l'argent dispensé par la lumière lunaire.

Avec un foret dont il tordit rapidement la mèche, Hiram perça le roc et creusa une cavité où il déposa les précieux objets. Puis il la reboucha hermétiquement, utilisant un mortier dont il effaça la présence. A l'exception de Salomon et du Maître d'Œuvre, nul ne saurait que l'embryon du temple de Yahvé était le soleil de Saba. A part Hiram, nul ne saurait que l'Egypte était mère du plus grand sanctuaire d'Israël, que le dieu caché des pyramides ressuscitait en Yahvé.

Salomon contenait avec peine son émotion. D'après les grimoires qu'il avait consultés, l'endroit choisi par la main d'Hiram correspondait à la porte d'un monde secret. Derrière elle partait un chemin menant à un gouffre rempli d'eau qui occupait le centre de la terre. Là se réunissaient les esprits des morts, afin que l'au-delà fût présent au cœur de l'ici-bas.

Le roi obtenait ainsi l'absolue certitude que l'oracle consulté par Nagsara n'avait pas menti. Qui d'autre que l'architecte élu par l'invisible eût vaincu le hasard ? Qui d'autre eût accompli le geste juste au moment juste ?

Salomon fit tourner sur son doigt le rubis remis par Nathan. Il adressa une prière muette aux esprits du feu, de l'air, de l'eau et de la terre afin qu'ils participent à la création de l'édifice comme à celle de tout être vivant. Il leur demanda d'être les gardiens du seuil du sanctuaire, de l'entourer d'une présence permanente.

Hiram observait le sommet du rocher où se jouerait son destin.

Salomon savourait le bonheur d'une naissance. En cette quatrième année de son règne débutait la construction du temple.

25.

La colère de Salomon était si terrible qu'Elihap, qui croyait jouir de la confiance de son seigneur, craignit pour son existence. Jamais le roi d'Israël n'avait cédé à ce déchirement de l'âme que les sages condamnaient. Le monarque ne cessait d'évoquer Yahvé comme dieu vengeur et promettait de châtier les coupables de la disparition d'Hiram.

— Il n'y a aucun coupable, protesta timidement le secrétaire lorsque le roi parut se calmer.

— Hiram est introuvable et personne ne serait responsable ? Te moques-tu de moi, Elihap ?

— Sur votre ordre, j'ai fait rechercher le Maître d'Œuvre par Banaias et vos soldats d'élite. Ils ont fouillé les maisons, les caves, les ateliers, les entrepôts. Aucune trace d'Hiram.

— La demeure qu'il habitait ?

— Vide.

— Le témoignage des voisins ?

Elihap hésita.

— Parle, exigea Salomon.

— Ils ont vu des prêtres entrer, puis emporter des objets.

Le ton glacé de Salomon n'en fut que plus alarmant.

— Que le grand prêtre comparaisse sur l'heure devant moi.

Elihap courut prévenir Sadoq.

Salomon marcha de long en large dans son bureau aux fenêtres étroites. Que se passait-il dans sa capitale ?

Voilà trois jours qu'il attendait la venue d'Hiram. L'architecte n'avait plus donné signe de vie depuis la cérémonie secrète de fondation du temple. L'hypothèse d'un départ précipité était absurde. Par cet acte rituel, Hiram avait donné sa parole d'aller jusqu'au terme de l'entreprise voulue par Salomon. Ce dernier connaissait assez les hommes pour être persuadé que le Maître d'Œuvre ne trahirait pas son serment.

S'il ne venait pas au palais, c'est qu'il en était empêché. De quelle manière et par qui ? A moins qu'il ne faille envisager le pire...

Salomon accueillit le grand prêtre Sadoq dès qu'il demanda audience. Elihap dans l'un des angles de la pièce, muni d'une tablette et d'un calame afin de prendre note de l'entretien.

Le roi dédaigna les règles de la courtoisie.

— Pourquoi tes prêtres ont-ils investi la demeure de mon Maître d'Œuvre ?

Sadoq, vêtu d'une robe violette du plus bel effet, sourit avec dédain.

— Cet Hiram est un impie, Majesté. Il pratique la magie noire.

— Tes preuves.

— Le roi se contentera de ma parole. N'est-il pas préférable d'oublier ces sinistres actions ? L'essentiel était d'éloigner cet homme dangereux qui aurait terni la gloire d'Israël.

Salomon blêmit.

— Qu'as-tu entrepris contre Hiram ?

— Rien, Majesté. Ce nécromancien est un couard. Ma mise en garde a suffi à le faire fuir.

— Si tu as menti, grand prêtre, tu t'en repentiras.

Sadoq, sûr de son bon droit, s'inclina. Le roi oublierait vite. L'obsession qui lui troublait l'esprit disparaîtrait. Hiram et le temple ne seraient plus que de mauvais rêves.

Salomon descendit dans le petit jardin aménagé par son épouse à l'extrémité d'une aile du palais. Il avait besoin de respirer, d'échapper à l'étau qui le broyait. S'opposer aux prêtres déclencherait une révolte souterraine qui mettrait son pouvoir en péril. L'enquête sur la disparition d'Hiram ne procurait aucune information. Dieu s'acharnait-il à contrecarrer les plans de son roi?

Nagsara, assise sur des coussins chamarrés entre deux cyprès nains, jouait d'une harpe portative posée sur son épaule gauche. Depuis l'oracle, le roi partageait sa couche chaque soir. Les enchantements de la déesse Hathor lui avaient ramené son mari.

L'amour de Nagsara ne cessait de croître. Aucune qualité ne manquait à Salomon. Beauté et intelligence avaient conclu un mariage parfait en ce monarque promis, par son génie, aux plus hautes destinées. Nagsara était fière d'être son épouse. Elle saurait être une servante dévouée, heureuse de vivre dans l'ombre d'un monarque favorisé par les dieux.

La contrariété qui marquait son visage suscita celle de Nagsara. Elle cessa de jouer et s'agenouilla devant lui.

— Puis-je soulager votre peine, Seigneur?

— Ta magie est-elle capable de retrouver un homme que l'on croit perdu?

— Peut-être en consultant la flamme... Mais l'exercice est difficile. Il échoue souvent.

Nagsara entraîna Salomon dans sa chambre qu'elle rendit obscure.

— Possédez-vous un objet lui appartenant?

— Non.

— En ce cas, emplissez votre esprit de ses traits. Voyez-le comme s'il était devant vous et, surtout, ne le perdez pas un instant.

Nagsara alluma une lampe. Elle fixa la flamme jusqu'à être éblouie, presque aveugle.

— Parle, déesse d'or, soulève le voile qui pèse sur mon regard. Ne fais pas languir mon roi, ne le torture pas par ton silence. Révèle-lui le lieu où se terre l'homme qu'il cherche, trace ses contours dans la flamme.

Nagsara éleva les mains en signe de supplication, avant de perdre conscience. Elle ne confierait pas à Salomon que ces voyages dans un monde peuplé de forces immatérielles lui arrachaient plusieurs années de son existence. Etait-il bonheur plus grand que de les sacrifier à celui qu'elle aimait ?

Une forme curieuse s'inscrivit dans la flamme devenue d'une blancheur irréelle. Elle se composait de spirales entrecroisées. Puis le tableau se simplifia, laissant affleurer une sorte d'antre rocheux.

— Une grotte, reconnut Salomon.

⁂

Anoup, par ses aboiements, prévint Hiram et Caleb de l'arrivée d'intrus. Le boiteux se précipita vers un pieu de métal qu'il empoigna avec détermination.

— Je vous avais prévenu, mon prince ! On ne nous laissera pas en paix.

L'architecte continua à polir la roche.

— Etes-vous ici, Maître Hiram ? interrogea la voix rauque du général Banaias.

L'architecte sortit de la grotte qu'il aménageait en compagnie de Caleb. Creusée dans le flanc d'une colline située hors les murs, elle s'avérait saine. Le boiteux y avait apporté couvertures, outils et nourritures. Hiram l'avait initié au maniement du ciseau et du polissoir. La main de Caleb s'était vite fatiguée. Il préférait exercer ses talents de cuisinier et de dormeur.

Hiram sortit de la grotte. La lumière l'aveugla quelques instants.

Banaias, qui avait suivi les instructions de Salomon en explorant les grottes des environs, était satisfait d'aboutir. Quoiqu'il détestât cet étranger, il devait obéissance absolue au roi.

Le Maître d'Œuvre fut conduit au palais sous bonne garde. Salomon le reçut avec enthousiasme.

— Pourquoi vous cachiez-vous ?

— Je rendais habitable mon nouveau domaine. Personne ne pourra me reprocher d'accaparer une maison de Jérusalem. Aucun prêtre ne vous accusera de m'avoir abrité. N'est-ce pas la sagesse ?

Salomon supportait mal de voir sa puissance diminuée par une caste, fût-elle intouchable. Mais Hiram avait raison. En résidant à l'extérieur de la capitale, il demeurait un étranger et ne contrariait pas Sadoq.

— Cette grotte est indigne de vous.

— Etre au cœur de la pierre ne m'incommode pas.

— Pourquoi ne pas m'avoir prévenu ?

— Je ferai mon métier. N'espérez pas des rapports administratifs sur mes activités. Ma parole vous est acquise. Je poserai une dernière condition : que la construction du temple s'accompagne de celle d'un palais. Si la grotte me convient, la pauvre résidence du roi David est réellement indigne de Salomon.

Nulle flagornerie dans les déclarations d'Hiram qui élargissaient encore le projet initial. Les grands monarques n'associaient-ils pas leur siège temporel à la demeure divine ? Le palais ne devait-il pas être une partie du temple, rappelant au roi qu'il remplissait la fonction de premier prêtre de Dieu ?

— Me communiquerez-vous vos plans ?

— Non, répondit Hiram. Ils doivent rester secrets. L'art du Trait est science réservée aux architectes.

— David n'aurait pas admis tant d'insolence.

— Vous êtes Salomon, je suis un étranger. Nous ne sommes ni de la même race ni de la même religion. Mais nous sommes associés dans la même création. Je m'engage à bâtir et à vous donner ma science. Vous vous engagez à me procurer les moyens de réussir.

— Soit. A combien de temps estimez-vous la durée des travaux ?

— Au moins sept années.

— Voici mon propre plan, Maître Hiram. Vous seul le connaîtrez.

Les deux hommes s'enfermèrent la journée durant dans le bureau du roi où Elihap, le secrétaire, ne fut pas convié.

Salomon avait décidé d'orienter l'ensemble de la société israélienne vers l'édification du temple. Par décrets que feraient appliquer les préfets de régions, laboureurs et éleveurs se mettraient au service des ouvriers envoyés sur le chantier du temple. Les produits alimentaires leur seraient délivrés en priorité. Les travailleurs d'Eziongaber quitteraient le port dans les plus brefs délais afin de former un premier corps de tâcherons. Dix mille Hébreux partiraient pour le Liban où ils réceptionneraient les cargaisons de bois coupé par des bûcherons du roi de Tyr. Au terme d'un mois de travail, pendant lequel ils effectueraient un transport dangereux et pénible, Salomon leur accorderait deux mois de repos.

Le monarque avait fixé le nombre des effectifs indispensables : quatre-vingt mille carriers, soixante-dix mille porteurs, trente mille artisans affectés en permanence au chantier. Il exigeait que, dans le cours d'une année, chaque Israélien participât d'une manière ou d'une autre au grand Œuvre. Le temple serait la création de tout un peuple.

Cette modification radicale de l'économie impliquait la levée de nouveaux impôts et l'organisation d'une corvée imposée comme devoir national. Qu'un soulèvement populaire en résultât était un risque à courir. Le roi se faisait fort de le maîtriser.

Hiram manifesta ses exigences. Les vendeurs d'étoffe et les tailleurs devraient fabriquer des milliers de tabliers de laine grossière que les tâcherons se noueraient autour des reins. Pour les contremaîtres, les tanneurs prépareraient des tabliers de cuir teintés de rouge ; pour les compagnons et les apprentis, de blanc. Aux bâtisseurs seraient fournis des nattes, des tamis, des pieux, des maillets, des houes, des leviers, des moules à brique, des haches, des herminettes, des scies, des burins. Les ciseaux de cuivre proviendraient des entrepôts d'Eziongaber. Hiram choisirait lui-même les carriers qui extrairaient au pic les blocs de basalte et de calcaire. Il instruirait les tailleurs de pierre qui, jusqu'alors, se contentaient de façonner des meules ou des pressoirs. Les meilleurs d'entre eux, maniant avec habileté le polissoir, avaient édifié les maisons des riches. Mais aucun n'avait sondé les mystères de l'art du Trait. Des tailleurs de bois qui travaillaient à leur compte dans chaque village, Hiram ferait des charpentiers capables de lancer de longues poutres et d'établir des charpentes compliquées. Restait à former des maçons qui ne se contenteraient pas d'élever des murs de ferme mais manieraient cordeau, niveau, fil à plomb pour passer du plan au volume. Ils seraient aidés par les quelques spécialistes phéniciens établis sur la côte et réquisitionnés par Salomon.

Le roi et le Maître d'Œuvre étaient conscients de l'énormité de leur tâche. Le temple bouleverserait un pays entier, et sans doute les contrées voisines. Il effacerait le passé et ancrerait un avenir dans la gloire de Dieu.

— Les chantiers sont placés sous votre seule autorité, Maître Hiram. Quant à la corvée, elle sera organisée par le meilleur architecte hébreu.

Hiram approuva la décision. Ce n'était pas à lui de s'occuper de l'engagement et du contrôle des tâcherons.

— Qui est-il ?

— Celui qui a bâti mes écuries, Jéroboam.

26.

L'aspect des terrains précédant les fortifications de Jérusalem s'était profondément modifié. Les paysans qui entretenaient de petits jardins avaient été expulsés. Ils louaient Salomon de leur avoir attribué des fermes et des champs dans une proche campagne. Avec les tailleurs de bois, Hiram avait édifié une haute palissade qui cachait aux profanes le chantier du temple. Une seule porte, gardée jour et nuit, y donnait accès. Chaque travailleur recevait d'Hiram lui-même un mot de passe.

A l'intérieur, le Maître d'Œuvre avait fait construire plusieurs bâtiments en briques : réserves à outils, dortoirs, réfectoires, magasins contenant nourritures et vêtements. Le plus important d'entre eux était l'atelier du Trait où Hiram passait le plus clair de son temps. Deux caisses en bois de pin contenaient l'une des ostraca, éclats de calcaire sur lesquels il exécutait les dessins préparatoires, l'autre des rouleaux de papyrus où seraient tracés les plans définitifs. L'architecte cousait lui-même les feuilles qu'il enroulait autour d'un cylindre afin d'obtenir un papyrus de plus de cinquante mètres de long. Déroulé sur le sol, il porterait les structures de l'Œuvre.

Depuis le début effectif du travail, Hiram était rarement retourné à la grotte où il se sentait si bien. Son chien, Anoup, lui faisait fête, gémissant lorsqu'il le quittait. Caleb le boiteux, en revanche, perdait sa jovialité. Certes, bénéficier du gîte et du couvert, être enfin à l'abri du besoin, étaient avantages appréciables. Mais il regrettait la belle maison de Jérusalem et son confort. Etre obligé de nourrir le chien et de veiller sur sa santé ne lui plaisait guère. Mais il redoutait la colère d'Hiram en cas de négligence.

Le Maître d'Œuvre travaillait des nuits entières, dessinant cent figures, n'en retenant qu'une ou deux. Il retrouvait l'énergie inépuisable qui devait présider à une création. Hiram s'identifiait au temple futur, préparait sa genèse comme celle d'un être vivant. Une fièvre étrange s'était emparée de lui, brûlant la fatigue.

L'élève des Maîtres de Karnak mesurait la difficulté de sa tâche : mettre au jour un sanctuaire qui serait celui de Yahvé mais dont l'architecture et la symbolique prolongeraient celles des temples égyptiens. Transcrire sans trahir, transmettre sans divulguer, incarner le ciel sur la terre... L'ambition était immense, le devoir écrasant.

Une nouvelle nuit de labeur s'achevait. Cette fois, l'épuisement accablait la main d'Hiram. Il posa son calame, nettoya les godets contenant de l'encre noire et rouge, roula un papyrus et empila les ostraca après les avoir numérotés.

Sortant de l'atelier du Trait, il contempla le chantier. Les divers bâtiments étaient presque terminés. Les ouvriers dormaient. Hiram avait su leur insuffler de l'enthousiasme, leur donner la certitude de participer à une aventure hors du commun. Dans ce lieu clos, protégé, régnait une harmonie secrète que ces hommes rudes, apprenant à travailler ensemble, découvraient heure après heure.

Le Maître d'Œuvre franchit le poste de garde où la relève venait d'être effectuée. Il marcha en direction de la base du roc, levant une fois de plus les yeux vers le sommet. L'œuvre devrait commencer par le haut même si l'entreprise paraissait irréalisable.

Un galop de cheval brisa l'air léger de l'aube.

Jéroboam s'arrêta à un mètre de l'architecte et sauta à terre. Le colosse roux était furieux.

— Le roi m'a confié la responsabilité de la corvée, annonça-t-il. Je suis un serviteur fidèle. J'obéirai, mais je refuse vos ordres.

— Impossible, estima Hiram. La corvée n'est pas une décision arbitraire. Elle fait partie du plan d'œuvre. Salomon ne peut vous avoir tenu un autre langage. Vous me rendrez compte chaque jour. Je veux connaître le nombre d'hommes précis employés et la nature de leur tâche. Un seul manquement à cette règle et vous serez destitué.

Jéroboam, impressionné par la sévérité des paroles d'Hiram, comprit que le Maître d'Œuvre prenait une stature officielle qu'il serait malaisé d'ébranler. De simples menaces seraient inopérantes.

— Vous êtes un homme autoritaire, Maître Hiram.

— Ma fonction l'exige. Etes-vous vraiment décidé à me servir, moi aussi, avec la fidélité qu'exige le roi?

— Soyez-en sûr, affirma Jéroboam dont le regard haineux démentait les paroles.

*
**

Un instant, Salomon se demanda si son Maître d'Œuvre ne sombrait pas dans la démence. Le projet qu'il lui exposait, au sommet du roc, défiait la raison.

— Etes-vous certain de ne pas courir à la catastrophe?

— Mes calculs ne peuvent me tromper. Nous parviendrons à combler le ravin du Mello et à fermer la brèche qui sépare la cité de David du site où sera édifié le temple. Ainsi sera créée une pente douce qui facilitera le transport des matériaux et permettra à la ville basse de communiquer avec le nouveau cœur de la capitale.

Le roi examinait le plan que l'architecte traçait dans le sable. La vision était aussi simple que grandiose. Elle s'imposait; elle devenait évidence. Comme Salomon l'avait pressenti, le temple, par sa seule présence, modèlerait une nouvelle Jérusalem, une ville céleste promise aux justes par l'Ecriture.

Hiram songeait aux immenses travaux qui avaient préludé à la naissance des pyramides de Guizeh : choix de plusieurs hectares d'un terrain surélevé, ouverture de carrières gigantesques, arasement et nivellement d'un plateau, mise au point de rampes d'accès et de techniques de levage dont le secret n'avait pas été divulgué, organisation rigoureuse d'un chantier où œuvraient un grand nombre de tâcherons et un petit nombre de géomètres et de tailleurs de pierre. Réunir par comblement un éperon rocheux à une colline habitée lui semblait tâche presque aisée en regard de ces anciens prodiges.

— Ne risquerez-vous pas la vie de vos ouvriers?

Le Maître d'Œuvre roula des yeux exaspérés.

— Ne me soupçonnez jamais d'une telle bassesse. S'il devait en être ainsi, je quitterais immédiatement ma charge. La sécurité des hommes qui travaillent sous ma direction est le premier de mes soucis. Si des accidents m'étaient imputables, renvoyez-moi sans délai.

Salomon regretta d'avoir blessé Hiram.

Dans l'heure qui suivit, le Maître d'Œuvre rassembla les centaines d'ouvriers déjà arrivés sur le chantier dont les annexes ne cessaient de s'étendre autour du noyau primitif dont le cœur était l'atelier du Trait. Certains avaient de l'expérience, d'autres accomplissaient leur premier travail. Hiram les encadra par les techniciens qu'il avait formés à Eziongaber. Il était encore trop tôt pour les répartir selon les grades rituels appliqués en Egypte. Tout en donnant quotidiennement ses directives, Hiram exerçait une constante vigilance. Il distingua les courageux des paresseux, les attentifs des négligents, les habiles des inaptes. Combler le ravin ne nécessitait pas de compétences remarquables mais une parfaite organisation. Aussi Hiram nomma-t-il des contremaîtres capables de faire appliquer ses ordres.

Quelques semaines plus tard, Jérusalem avait changé de visage. Le rocher ne trônait plus dans un superbe isolement. Il était devenu accessible par une large pente aboutissant aux maisons de la ville basse. Chacun fut fier du résultat obtenu, sentant que le rêve de Salomon pouvait devenir réalité. En apprivoisant le roc sauvage, Hiram avait modifié sa nature. Le piton orgueilleux devenait l'humble plate-forme du futur sanctuaire.

Salomon n'avait rencontré aucune résistance. Aucune

défaillance n'avait eu lieu. Nulle protestation ne s'élevait du peuple. Israël était transporté par une vague magique qui le portait vers un nouvel horizon, resplendissant et grandiose. Des contrées voisines provenaient des messages de félicitation. La paix voulue par Salomon se consolidait chaque jour. Le pacte de non-agression conclu avec l'Egypte, la présence d'une fille de Pharaon à la cour d'Israël dissuadaient les agitateurs de se manifester.

Une ère de bonheur commençait-elle ? La ville sainte prenait-elle corps sur le point culminant de Jérusalem ? Une foi nouvelle épanouissait les cœurs. S'il n'avait pas été impie de vénérer un homme à l'égal de Dieu, on aurait rendu grâce à Salomon.

Hiram demeurait dans l'ombre, ne s'accordant ni repos ni distraction. Le travail l'absorbait. Il lui fallait progresser en formant de bons ouvriers, avec l'espoir d'en faire les artisans d'élite dont il aurait bientôt besoin. Impossible, ici, de compter sur les apprentis patiemment éduqués par les géomètres des temples d'Egypte. Hiram recherchait des caractères forts, équilibrés, réceptifs. En quelques mois, ils devraient appliquer une science que les adeptes apprenaient d'ordinaire en plusieurs années. C'était l'aspect le plus inquiétant de la folle entreprise : faire confiance au génie naissant de quelques-uns, constituer une confrérie de compagnons sur les lieux mêmes de leur apprentissage. Comme Hiram aurait aimé bénéficier de l'aide d'autres Maîtres d'Œuvre ! Mais c'était là utopie. La fraternité de la pierre lui avait enseigné le réel. Rêver d'illusoires secours n'était que perte de temps.

Le Maître d'Œuvre acheva de dresser une liste comprenant une cinquantaine de noms. Ceux des apprentis qu'il initierait à la connaissance des lois de création du temple, au maniement des outils et à la pose de la pierre. Il la relisait, lorsque lui parvinrent les échos d'une altercation se produisant à l'unique porte de l'enceinte.

Quelqu'un tentait de forcer l'accès du chantier.

Hiram sortit précipitamment de l'atelier du Trait, héla

des ouvriers qui se reposaient et marcha vers le gardien du seuil qui repoussait un intrus.

Des aboiements saluèrent l'approche du Maître d'Œuvre. Hiram reconnut le jappement de son chien qui se faufila jusqu'à lui, abandonnant Caleb à la vindicte de plusieurs ouvriers. Les appels au secours du boiteux ne furent pas vains. Hiram le sauva de mains agressives avant qu'il ne fût malmené.

— Ignores-tu que cet endroit est interdit aux profanes ?

— Laissez-moi vous parler, mon prince ! Votre chien est bien entré, lui...

Caleb se lança dans une longue supplique où il se plaignait d'être abandonné, de souffrir du froid, d'être incapable de subvenir à ses besoins, de sombrer dans la misère, d'être maudit par Yahvé en personne.

Interrompant le flot de paroles, Hiram l'emmena jusqu'à un bâtiment dont la porte était fermée à clé. Il ouvrit. Caleb distingua une pièce deux fois plus longue que large, éclairée par trois fenêtres grillagées.

— Si tu désires entrer sur le chantier, tu devras subir une épreuve. Ici et maintenant.

Caleb recula d'un pas.

— Ma vie... sera-t-elle menacée ?

— Il y a danger, avoua Hiram.

— Mais moi, votre serviteur, vous m'aiderez ?

— La règle du chantier me l'interdit.

— Cette épreuve... est-elle indispensable ?

— Indispensable.

Caleb regagna le pas perdu.

— Je préfère ne rien voir.

— Comme tu voudras.

Hiram banda les yeux du boiteux.

— Ne bouge pas, ordonna-t-il.

Le Maître d'Œuvre pénétra dans la salle des épreuves. Au centre, il plaça l'un sur l'autre deux blocs cubiques. Puis il cala sur eux une planche longue et étroite et retourna avec Caleb.

— Prends ma main, lui recommanda-t-il. Ne crains rien. Si tu es courageux, tu survivras.

Caleb tremblait de tous ses membres.

Sa boiterie s'accentuant, il avança. Soudain, il eut l'impression d'escalader une pente raide et lisse. Hiram le lâcha.

— J'ai peur ! hurla-t-il.

— Continue, recommanda Hiram, ne reviens pas en arrière !

Sous le poids du marcheur, la planche bascula. Déséquilibré, Caleb poussa un cri de désespoir et tomba en avant, certain de se rompre les os.

Hiram recueillit le boiteux avant qu'il ne heurtât le sol. Il l'assit, rangea pierres et planche le long d'un mur et ôta le bandeau.

— Tu as réussi. A présent, tu appartiens à la confrérie.

Caleb reprenait son souffle avec peine.

— S'il existe d'autres épreuves comme celle-ci, déclara le boiteux, je préfère renoncer.

— Sois tranquille. Je te destine à une mission précise.

— Laquelle ?

— Tu seras mes yeux et mes oreilles sur le chantier. Tu circuleras partout, tu observeras, tu écouteras. Ta mémoire est excellente. Ne sois pas un délateur. Oublie les éloges. Ne retiens que les critiques et les insatisfactions.

A la porte de la salle des épreuves, Anoup, battant de la queue en signe de joie, attendait Hiram. Il lui sauta dans les bras. Lui aussi saurait guetter. Hiram n'était plus tout à fait seul. Il pouvait compter sur deux surveillants.

27.

Sur l'ordre d'Hiram, Caleb contacta un par un les ouvriers dont le Maître d'Œuvre avait établi la liste. Il leur communiqua un mot de passe, « ma force est celle du Maître » et les convoqua à la salle des épreuves. Ils s'y présentèrent à la nuit tombée. Hiram les interrogea et leur donna l'accolade. Quand ils furent rassemblés dans l'angle nord-est, il leur expliqua ce qu'il exigeait d'eux : non seulement un travail égal à celui de leurs camarades, mais encore une initiation à l'art de construire qui leur serait transmise aux heures où le chantier s'endormirait. Sur ce qu'ils verraient et entendraient, les futurs adeptes devaient jurer de garder le silence, sous peine de perdre la vie.

Trois d'entre eux préférèrent renoncer et quittèrent l'assemblée. Les autres prêtèrent serment. L'instruction commença aussitôt. Caleb, emmitouflé dans une couverture de laine, montait la garde à l'extérieur du bâtiment. Il en irait ainsi plusieurs nuits de suite où, par faveur d'Hiram, il bénéficierait d'une jarre de lait et de pains aux figues. Anoup l'assisterait dans sa tâche.

Les ouvriers s'assirent sur le sol. Hiram leur remit des ostraca et de la craie. Avec patience, il leur apprit à tracer les signes de la confrérie des bâtisseurs, point, ligne droite, carré, rectangle... Il imposa une main sûre qui, d'un trait, obtenait la perfection. Puis il leur fit prendre conscience que le corps humain était construit selon des proportions géométriques témoignant de l'action d'un architecte divin. Ainsi leur permit-il d'éprouver l'éternité de formes issues de l'esprit et transcrites par la main. Enfin, il leur communiqua les premiers préceptes de la règle des bâtisseurs : travailler à la gloire du Principe créateur, ne pas rechercher de bénéfice personnel, privilégier l'intérêt de la confrérie, savoir se taire et respecter les outils comme des êtres vivants.

Durant la consolidation de la voie d'accès au rocher et son arasement, Hiram dispensa un enseignement intensif. Les néophytes, inégalement doués, témoignèrent d'une même volonté d'avancer sur le chemin que leur traçait le Maître d'Œuvre. A la crainte qu'ils éprouvaient envers lui avait succédé une admiration sans cesse grandissante. L'architecte savait s'adresser à chacun de ses élèves dans les termes qui leur convenaient. Sévère, intransigeant, n'acceptant aucun relâchement, il se montrait pourtant chaleureux dès qu'un nouveau pas était franchi.

Deux mois plus tard, ils eurent l'impression d'avoir changé de monde. Ils parlaient un autre langage, s'estimaient comme des Frères partageant le même idéal, les mêmes secrets, les mêmes devoirs. Hiram avait atteint son premier but : établir une cohérence à l'intérieur d'un petit groupe destiné à encadrer les autres ouvriers.

Une étape décisive s'annonçait : la célébration du rite d'apprentissage. La cérémonie eut lieu une nuit de pleine lune et dura jusqu'à l'aube. Chaque néophyte, après une période d'isolement, fut mis en présence d'une pierre d'angle taillée par le ciseau du Maître et s'engagea à prolonger l'Œuvre en participant avec humilité à la construction du temple. Dans un état de complète nudité, les apprentis furent aspergés d'une eau purificatrice. Puis Hiram leur fit contempler la flamme d'une torche qui servit à cautériser les plaies après qu'ils eurent mélangé leur sang.

Lorsque le Maître d'Œuvre ceignit le pagne de cuir blanc autour des reins de ses apprentis, il leur donna un nouveau nom. Ainsi symbolisait-il leur nouvelle naissance au temple futur dont ils seraient les pierres vivantes.

*
**

Les adeptes, ivres de fatigue et de bonheur, s'étaient endormis. Caleb avait regagné sa couche de paille fraîche, heureux de voir enfin terminée cette pénible période d'instruction. Anoup lui-même sommeillait. Le chantier était désert. Il ne s'animerait qu'avec les premiers rayons du soleil, lorsque les étoiles retourneraient dans le corps immense de la Veuve d'Osiris enveloppant le monde d'une invisible lumière, l'Isis à la couronne de constellations.

Hiram salua le gardien du seuil et franchit l'enceinte. Il longea les tentes où séjourneraient les contingents de travailleurs temporaires, requis pour la corvée. Au vide silencieux succéderait bientôt une bruyante agitation. Le campement s'achevait par une zone broussailleuse où s'aventuraient des renards.

Devant un arbre mort se tenait une femme, vêtue d'une longue robe blanche, les cheveux noirs flottant sur les épaules.

— Je suis la reine d'Israël, dit Nagsara. Je venais visiter votre chantier, Maître Hiram.

— Seule cette partie est accessible, Majesté.

— Pourquoi cette palissade, pourquoi ces secrets?

— Ainsi l'exige notre règle.

— Ne souffre-t-elle aucune dérogation?

— Aucune.

— J'ai un secret, moi aussi. Mais je suis moins avare que vous.

Dans le bleu rosé des premiers instants du jour, Hiram crut distinguer une silhouette qui se faufilait derrière une tente. N'ayant perçu aucun bruit, il conclut que c'était l'un des derniers spectres nocturnes retournant au néant.

Nagsara vint tout près du Maître d'Œuvre. Elle découvrit sa gorge.

— Regardez, dit-elle. Les dieux ont inscrit votre nom dans ma chair. Pourquoi? Quel mystère entretenez-vous au point de m'infliger cette souffrance?

Les lettres brillaient, comme si la peau blanche de la reine était éclairée d'un feu courant dans ses veines.

Hiram n'avait aperçu la petite Nagsara que lors des fêtes où Pharaon apparaissait au peuple entouré de sa famille. Il découvrait une jeune femme au charme fragile, condamnée comme lui à l'exil mais vivant dans l'intimité de Salomon, l'homme qui devenait l'égal d'un roi d'Egypte. Qui n'aurait pas été troublé par cette beauté dénudée dans la clarté incertaine du matin, par cette vision irréelle d'une reine clamant un miracle au mépris de sa pudeur ?

Nagsara perçut le trouble d'Hiram. Elle cacha sa gorge et posa les mains sur la poitrine du Maître d'Œuvre.

— Mon sort est indissociable du vôtre, dit-elle. Il me faudra élucider cette énigme. Refuserez-vous de m'aider ?

— Que les dieux me préservent de la lâcheté.

Les paumes de Nagsara étaient douces. Hiram eût aimé que ce moment se prolongeât, mais la reine s'éloigna, soudain consciente de son audace.

— Nous nous reverrons au palais. Israël est riche en prophètes. L'un d'eux soulèvera le voile.

La silhouette blanche sembla se dissoudre dans le nuage de sable soulevé par le vent du désert. Hiram ferma les yeux. Que signifiait cette apparition ? Jusqu'alors, il n'avait eu à lutter que contre Salomon et contre lui-même. Le temple avait envahi son âme, supprimant le monde extérieur. Nagsara lui rappelait ses amours des bords du Nil, les promenades en barque sur les canaux, dans les forêts de papyrus, ses empressements enflammés dans les palmeraies où les singes apprivoisés sautaient d'arbre en arbre. Si ardente, mais si brève, avait été sa jeunesse...

Un cri déchirant l'arracha à ses souvenirs.

Dissimulé derrière une tente, un homme avait jailli, se précipitant sur la reine et la frappant d'un poignard. « Meurs, chienne impie ! », hurlait-il dans son délire.

En quelques pas, Hiram gagna le lieu de l'agression. Il maîtrisa sans peine le criminel, un individu fluet qu'il assomma d'un coup de poing sur la nuque.

Du sang couvrait la gorge de la reine. Les yeux dans le

vague, elle tenta vainement de parler et s'évanouit. D'une voix puissante, Hiram héla les apprentis.

Un triste cortège passa dans les rues de Jérusalem, en direction du palais de Salomon. Hiram portait dans ses bras une jeune femme inanimée, incapable de retenir la vie qui s'enfuyait. Le suivaient des ouvriers poussant devant eux un assassin qui les injuriait.

⁂

Salomon finissait d'exposer au grand prêtre Sadoq les nouvelles dispositions adoptées pour asseoir le financement du temple. Il décrétait un impôt qui imposait aux prêtres, comme à tout Hébreu, d'offrir la dixième partie des richesses naturelles, qu'il s'agisse de la dixième brebis d'un troupeau ou du dixième œuf pondu par une poule. Dans le royaume partagé en douze provinces, chacune d'elles pourvoirait à tour de rôle aux besoins du chantier.

Sadoq protestait avec énergie. Lui seul, en raison de son rang et de sa position, pouvait encore résister à Salomon.

— Pourquoi gaspiller tant de richesses pour construire une chapelle de plus ? Yahvé s'est satisfait de l'abri que nous lui avons donné. La démesure lui déplairait.

— Le temple n'est ni une chapelle ni un caprice royal, objecta Salomon. Il sera le centre sacré de notre pays. C'est lui qui maintiendra la présence de Dieu sur cette terre et la paix parmi les Etats. L'unité d'Israël s'affirmera autour de ce sanctuaire.

— Serait-il vrai, ironisa Sadoq, que Dieu habite ici-bas ?

— Qui oserait prétendre que le roi des Hébreux propage pareille hérésie ? Celui que le ciel ne peut contenir nous demeure invisible, mais Son rayonnement, lui, est perceptible. C'est Sa présence, et non Lui-même, qui habitera dans une nouvelle demeure.

— N'est-ce point la doctrine des Egyptiens ?

— Est-elle contraire à notre foi, Sadoq ? Le dieu

unique ne se manifesterait-Il pas par l'œuvre des bâtisseurs qu'Il couronnera de Sa lumière?

Le grand prêtre fit la moue. Il ne croyait pas que Salomon fût aussi avisé dans le domaine de la théologie. Il poursuivit le combat sur un autre terrain.

— Le peuple n'acceptera pas d'être imposé de manière aussi lourde. Il se révoltera.

— Le temple traduit de manière matérielle l'ordre spirituel qui règne sur notre pays, indiqua le souverain. Le cœur du peuple et celui du sanctuaire battront à l'unisson. Il verra de quelle manière s'est transformé son labeur. Il saura que chaque parcelle de l'impôt est devenue pierre du temple, que la cité sainte a été rebâtie par le Seigneur. Les champs, jusqu'au Cédron, lui seront consacrés. Plus jamais ils ne seront ravagés ni détruits. Car la mission du temple est de propager la paix.

— L'armée ne manquera-t-elle pas de subsides?

— Un grand prêtre se mêlerait-il de stratégie? Notre armée est forte, notre sécurité garantie. Nous ne nous lançons plus dans des guerres ruineuses. Le temple nous protégera.

A court d'arguments, Sadoq s'apprêtait à opposer un refus catégorique au projet de Salomon lorsque le secrétaire, Elihap, fit irruption dans la salle du trône.

— Seigneur... un drame abominable...

Hiram, tenant par le cou l'assassin de Nagsara, le projeta sur le dallage.

— Voici le misérable qui a tenté de tuer la reine d'Israël.

L'homme jeta un œil implorant en direction de Sadoq avant de se masquer le visage de ses mains. Mais Salomon avait eu le temps de le reconnaître.

— Ce criminel n'est-il pas un prêtre? Ne fait-il pas partie des ritualistes?

Sadoq ne nia pas. Son acolyte pleurait.

— Je me retire, dit Hiram. La justice appartient au roi.

Salomon se leva.

— La reine...

— Vos médecins tentent de la sauver. Le chantier m'appelle.

Le roi se tourna vers Sadoq.

— Tu n'es plus en état d'émettre la moindre protestation, grand prêtre. Acquitte-toi de tes devoirs religieux et veille mieux sur l'intégrité de tes subordonnés.

Nagsara embrassa la main de Salomon et la serra entre les siennes. Comme il était doux de le voir assis à côté du lit où elle reposait ! Chaque jour, il passait au moins deux heures auprès d'elle, la contemplant avec ces yeux bleu sombre qui recelaient toute la beauté du monde. La reine bénissait son agresseur. Grâce à lui, grâce à la blessure qu'il lui avait infligée, elle jouissait de la présence de son Seigneur, de son attention, de son inquiétude plus chère encore que l'amour.

Elle imaginait ainsi la tendresse complice des vieux couples qui perçoivent les intentions sans prononcer un mot. S'écouter respirer, goûter l'instant de communion que nul destin ne leur volerait. Si elle luttait pour ne pas périr, c'était afin de prolonger ces séjours vécus dans des espaces paradisiaques, loin d'une chambre de moribonde.

Nagsara n'avait pas d'autre ambition que de ressusciter mille et mille fois dans le cœur de Salomon. Ici s'étendait son jardin aux ombres rassurantes, ici s'épanouissait le sycomore aux branches couvertes d'oiseaux joyeux, ici resplendissait un soleil que n'atteignaient pas les démons de la nuit.

Elle aimait le roi davantage que sa propre existence, elle le vénérait avec la folie de sa jeunesse, s'enivrait d'un bonheur fulgurant comme le bond d'une gazelle.

Nagsara avait oublié que la lame du poignard l'avait frappée à l'endroit précis où, dans sa chair, était gravé le nom d'Hiram.

Œil pour œil, dent pour dent, main pour main, pied pour pied, brûlure pour brûlure, blessure pour blessure, plaie pour plaie, vie pour vie : telle était la loi d'Israël. Le prêtre qui avait tenté de tuer la reine devait être sacrifié comme victime expiatoire. Aussi, conformément à la sentence prononcée par Salomon, fut-il lapidé en présence de la cour.

Le grand prêtre Sadoq ne prêta aucune attention au supplice. Son regard restait rivé sur Salomon.

28.

Sadoq triomphait. Il jeta sur le pavage de la salle d'audience une dizaine d'amulettes représentant des étoiles, des ibis symbolisant le dieu Thot, des colliers de fécondité, des yeux magiques, des serpents en argent, des hippopotames en lapis-lazuli.

— Voici, roi d'Israël, ce que nous avons découvert sur le chantier de Maître Hiram. Ces figurines monstrueuses prouvent qu'il y a des idolâtres parmi les ouvriers. Le responsable doit être châtié.

Salomon comprenait trop bien. A travers la personne de son Maître d'Œuvre, c'était lui que le grand prêtre désirait atteindre.

— Oseras-tu le nommer, Sadoq?

— Caleb le boiteux, le serviteur d'Hiram. Les amulettes étaient cachées dans la paille de sa couche.

— L'auteur de la trouvaille?

— J'ai été prévenu par un ouvrier fidèle à Yahvé.

— Une dénonciation...

— Un acte de bravoure, Majesté.

— Caleb reconnaît-il être le propriétaire de ces objets?

— Il ne cesse d'insulter les prêtres qui le tiennent sous bonne garde.

— Les prêtres deviendraient-ils des policiers?

— Ils veillent à la sauvegarde d'Israël. Ils exigent que justice soit rendue et que la loi de Yahvé règne sans partage.

*
**

Un trône en bois décoré à la feuille d'or fut transporté devant la porte du chantier. Salomon y prit place, entouré d'une cohorte de prêtres. Sadoq avait propagé la nouvelle : des païens étaient employés à la construction du sanctuaire de Yahvé, souillant le temple du dieu unique. Soit il fallait interrompre cette entreprise devenue satanique, soit prononcer des peines sévères. Les religieux exigeaient que l'on fouettât les coupables avec des lanières de cuir, qu'on leur brûlât les pieds et les mains. Les plus extrémistes voulaient les jeter du haut du rocher.

Salomon était sombre. Sadoq menait un jeu destructeur dont l'issue serait l'abandon du projet auquel le roi avait voué son existence. En frappant Caleb, qu'il fût ou non coupable, une condamnation disqualifierait Hiram aux yeux de ses ouvriers. Chacun saurait qu'Hiram avait favorisé un idolâtre. Hiram éclaboussé par le scandale, Salomon ridiculisé... tels étaient les objectifs poursuivis par le grand prêtre. Et le souverain n'avait pas le droit de s'esquiver ; il devait rendre la justice en fonction des faits.

Une rumeur inquiétante ajoutait aux craintes du roi : Hiram aurait refusé de laisser libre accès à la garde. Banaias s'en réjouissait. Donner l'assaut, mettre à bas la palissade, exterminer des gueux et rabattre la superbe du Maître d'Œuvre seraient des exploits dont on parlerait longtemps à Jérusalem.

Salomon se trouvait pris au piège. Même si la confrérie défendait son bon droit, même s'il avait la certitude que Sadoq avait monté une machination, il ne pouvait tolérer que son autorité fût contestée. Dans le cas où la porte du chantier ne s'ouvrirait pas, il serait contraint d'agir avec violence.

Un goût amer emplit la bouche de Salomon. Pourquoi les humains s'enfermaient-ils sans cesse dans le passé, pourquoi s'agrippaient-ils ainsi à des privilèges dérisoires, oubliant que la célébration présente de la grandeur divine était la condition même de leur salut ? Fallait-il se résigner à la petitesse, aux intrigues de palais, à la division des provinces, aux querelles intestines et aux guerres stupides dont seule la souffrance sortait vainqueur? Salomon prenait conscience de la fragilité d'un trône que beaucoup croyaient inébranlable. Les prêtres d'Israël complotaient, installant un Etat dans l'Etat que le roi voulait démanteler en créant un nouveau temple, une nouvelle hiérarchie religieuse, un nouvel élan du peuple entier vers le sacré. Sadoq, rompu aux subtilités du pouvoir, fort de la pratique d'une charge enviée, avait perçu les intentions du monarque et inventé une parade.

— Au nom du roi, ouvrez! ordonna Banaias.

La garde s'était déployée de part et d'autre de l'unique accès au chantier. Les lances se levèrent. La hargne des prêtres s'échauffa. Sadoq sourit. L'interruption de cette construction maudite valait bien quelques cadavres. Israël connaîtrait la volonté de Dieu et saurait qu'un roi, s'appelât-il Salomon, ne gouvernait pas sans l'assentiment du grand prêtre.

Le monarque hésita à donner l'ordre de l'assaut. Il détruirait l'espérance de son règne, le réduirait à une trace dérisoire dans l'histoire des hommes. Le sommet resterait désert, forteresse hostile défiant un jeune roi qui avait cru en la protection du Seigneur. Salomon avait la certitude qu'Hiram ne céderait pas devant le danger. Il galvaniserait ses ouvriers et préférerait les précipiter dans une résistance insensée plutôt que de perdre la face.

Banaias regarda Salomon. Celui-ci était condamné à intervenir. Atermoyer plus longtemps ruinerait son prestige.

La porte de l'enceinte s'ouvrit avec lenteur.

Apparut Hiram, torse nu, les reins ceints d'un long tablier de cuir rouge, un lourd maillet dans la main droite.

— Qui ose troubler mes travaux?

— Ne me reconnais-tu pas? demanda Banaias. Je suis le chef de la garde royale. Je viens arrêter ton serviteur impie.

— Au-delà de ce seuil, tu n'es rien. Sur le chantier du temple ne règne que la loi des bâtisseurs.

Banaias ôta l'épée du fourreau. L'architecte ne manifesta pas la moindre crainte. Ses doigts serrèrent le manche du maillet.

— Caleb le boiteux est accusé de cacher des amulettes sacrilèges. Ce crime est une injure à Yahvé. Il mérite un châtiment exemplaire.

— Qui accuse?

Sadoq fit signe à un prêtre de sortir du rang.

— Moi, dit-il, hargneux.

— Tu n'es pas un ouvrier. Comment es-tu entré sur mon chantier?

Le prêtre parut embarrassé.

— Peu importe, estima Sadoq.

— Au contraire, jugea Hiram. Comment juger sans connaître toute la vérité?

— Parle, grand prêtre, exigea Salomon.

— Nul ne peut mettre en doute la parole d'un serviteur de Yahvé. Ce prêtre a réussi à s'introduire sur le chantier et à obtenir la preuve du sacrilège. L'architecte cherche à retarder la sentence de Salomon.

— Mensonge, affirma Hiram. Personne ne franchit la porte du chantier sans le consentement du gardien du seuil. Qu'il comparaisse devant cette assemblée.

— Inutile, protesta le grand prêtre.

— Qu'il en soit ainsi, dit Salomon.

Le gardien du seuil, un homme âgé à la forte mâchoire, s'avança d'une démarche hésitante.

— As-tu laissé passer ce prêtre? interrogea Hiram.

Le gardien du seuil se prosterna aux pieds du Maître d'Œuvre.

— J'ai... j'ai accepté le sicle d'argent qu'il me proposait. Il n'est pas resté longtemps... c'était la nuit dernière...

— Qu'importe! l'interrompit Sadoq. Les amulettes existent!

Hiram marcha jusqu'aux pieds du trône.

— Quel juge pourrait accepter une preuve obtenue par corruption?

Sadoq s'interposa.

— Majesté, vous n'écouterez pas...

— Il suffit, conclut Salomon. Le roi d'Israël ne souillera pas la justice dont il est le garant. Ce procès ne peut être tenu. Ceux qui ont tenté de me compromettre auront à s'en repentir.

Le grand prêtre n'osa se prononcer contre le jugement du souverain.

— Ces événements sont déplorables, poursuivit le roi. Ils ne se reproduiront pas. Qui franchira l'enceinte du chantier sans l'accord de Maître Hiram aura le pied tranché.

La parole du roi prenait force de loi.

*
**

Du jardin où elle se reposait, Nagsara entendait les bruits montant de la ville basse et de l'immense camp de tentes occupé par des centaines d'hommes enrôlés pour la corvée. Hors de danger, la reine se remettait lentement de ses blessures. Au fur et à mesure de sa convalescence, Salomon espaçait ses visites. La vie s'avérait plus amère que la souffrance. La force qui revenait dans ses membres l'éloignait de son Seigneur. Comme Israël tout entier, Salomon ne se souciait que du temple futur, oubliant l'amour d'une jeune Egyptienne aux yeux trop fiévreux.

Pourtant, Nagsara était certaine que la passion n'avait pas disparu du cœur de Salomon. Elle continuerait à lutter contre ce rival à la puissance grandissante, ce sanctuaire d'un dieu jaloux de sa solitude. Elle, une étrangère face au symbole de la gloire d'Israël. Elle, un être de chair opposé à un corps de pierre.

A plusieurs reprises, Nagsara avait interrogé la flamme pour connaître sa propre destinée. Mais elle n'avait déchiffré qu'ombres incertaines, comme si la déesse Hathor refusait de lui donner la clé de l'avenir. La reine ne se résignerait pas.

Elle ne laisserait pas Salomon gagner les rivages de l'indifférence. Quel qu'en fût le prix, elle s'attacherait son roi sur cette terre et dans l'au-delà.

29.

La pleine lune de l'équinoxe de printemps avait ouvert, comme chaque année, les fêtes de la pâque. Plus de cent mille hommes arrivant des provinces avaient quitté villes et villages pour se rendre à Jérusalem et apercevoir le chantier du fameux Maître Hiram. Envahissant rues et ruelles, les pèlerins ne jetaient qu'un œil distrait vers les épaisses murailles et le vieux palais de David. Le rocher, la nouvelle voie d'accès, le camp de tentes et la palissade isolant les artisans qualifiés du monde extérieur excitaient leur curiosité.

Mille et une rumeurs circulaient. Chacun en savait plus que son voisin, connaissait une partie du plan secret de l'architecte, décrivait l'édifice futur et les rites mystérieux pratiqués à l'intérieur de l'enceinte. Pas un badaud qui ne fût informé des desseins de Salomon, pas un promeneur qui ne connût un disciple de Maître Hiram lui ayant révélé les clés de nombreuses énigmes. On oubliait que la pâque célébrait l'exploit de Moïse arrachant son peuple à la persécution, l'entraînant hors d'Egypte. On ne songeait plus à la présence de l'Ange exterminateur qui menaçait les impies. Le pays entier ne s'identifiait-il pas à un temple encore invisible, le plus beau et le plus grandiose jamais conçu par un roi ?

Les prières montèrent vers Yahvé. Les agneaux furent égorgés, leur sang aspergea les portes des maisons, des odeurs de chair brûlée empuantirent la capitale. « Béni soit le nom du Seigneur à cause de sa bonté », chantèrent les croyants lors du banquet, « que la gloire soit la Sienne et non la nôtre ! ».

La reine Nagsara, encore faible, n'avait assisté qu'au début des cérémonies. Plus elles avancèrent, moins la gaieté y régnait.

Une affreuse nouvelle s'était répandue à la vitesse du lévrier d'Egypte : Maître Hiram avait renoncé à bâtir le temple de Dieu. De fait, Salomon présidait seul la fête, alors que chacun espérait la présence de l'architecte à ses côtés. Partout, on chercha Hiram. Nulle part on ne l'aperçut, alors que le chantier, pendant la pâque, était fermé. Des ouvriers confirmèrent qu'il ne se cachait pas dans l'atelier du Trait.

La mine radieuse du grand prêtre, que le roi honora selon la coutume, confirma les pires craintes. Petites gens et nobles connaissaient la haine que Sadoq nourrissait à l'encontre de Maître Hiram. Sans doute avait-il obtenu son départ. Ne voulant pas reconnaître sa défaite, Salomon la dissimulait dans le silence. Les employés de la corvée seraient renvoyés les uns après les autres, les artisans retourneraient dans leur province, la palissade serait démontée dans quelques mois ou pourrirait sur place. Le rocher, dans sa nudité, continuerait à narguer Jérusalem.

Quand circulèrent les coupes de libation, passant de main en main, le doute n'était plus permis : Maître Hiram avait abandonné le chantier, cédant aux menaces des prêtres. Sans doute était-il retourné à Tyr.

Les prophètes, prédisant que nul monarque ne modifierait la cité de David, avaient vu juste.

L'ordre ancien triomphait.

Hiram, progressant dans un champ qui avait blanchi pour la moisson, dégusta un épi d'orge déjà mûr. Non loin de là, des paysans maniaient les faucilles dont les lames dentelées coupaient les hautes tiges. Les botteleurs liaient des gerbes, abandonnant derrière eux celles que ramasseraient les pauvres dont le domaine se limitait aux emblavures.

Anoup gambadait devant Hiram, goûtant l'air lumineux du printemps. A l'extrémité du champ, une aire patiemment damée par des bœufs accueillait les premiers épis. Aménagée sur une éminence exposée aux vents, elle était visible de loin. Des paysans préparaient le traîneau pourvu de pointes qui leur servirait à dépiquer, laissant derrière son passage une masse dorée de grains, de balles et de paille. Les vanneurs affinaient les pointes de leurs fourches avant de projeter le mélange en l'air, confiant à la brise le soin d'opérer le tri. Au loin voguerait la paille, sur l'aire s'entasserait le grain purifié par l'esprit du vent. Les fermiers l'engrangeraient sous leurs toits, à l'abri des pluies et des chapardeurs, bêtes ou rôdeurs.

Précédé de son chien, le Maître d'Œuvre dépassa l'aire où s'écoulaient des jours éternellement semblables. Il traversa le jardin, planté de fleurs sauvages, à l'orée de la petite maison qu'il habitait depuis plusieurs jours. Dans la cave creusée à côté de la demeure, il prit une outre d'eau fraîche et du vin. Puis, sur un fourneau en plein air, il fit griller des grains de blé, prépara des gâteaux à la fleur de farine parfumés au cumin et des beignets au miel. Anoup but et mangea avec voracité. Hiram s'assit sous un figuier pour déguster son repas.

A Jérusalem, les pires accusations devaient circuler sur son compte. N'était-il pas un lâche et un fuyard ? N'avait-il pas trahi Salomon ? Ne subissait-il pas le mépris d'ouvriers délaissés, cruellement déçus par celui qu'ils avaient considéré comme un père ? La vénération dont avait bénéficié le Maître d'Œuvre se transformait en dégoût. Son renom se ternissait à jamais.

Anoup aboya, prévenant Hiram de l'arrivée d'un colporteur tirant un âne chargé de tapis, de tuniques et de vaisselle. Presque chauve, les membres grêles, le parler rocailleux, le marchand ambulant allait de village en village.

— Qu'est-ce qui vous manque, Seigneur ?

— Passe ton chemin, dit Hiram.

Le colporteur avait l'œil exercé. Si cet homme-là n'était pas un client, il avait néanmoins besoin de ses talents.

— Je suis aussi barbier, le meilleur d'Israël! Je coupe les cheveux, je les parfume et je taille la barbe. En ce qui vous concerne, Seigneur, je suis arrivé à temps. Demain, vous ne ressemblerez plus à un être humain.

Hiram sourit et se livra aux mains du barbier.

— Vous vivez seul, ici?

— Le silence est mon seul ami, répondit Hiram.

Le barbier, dont la conversation était pourtant la friandise préférée, retint sa langue. Il sentait chez cet homme tranquille une force dangereuse qu'il valait mieux ne pas éveiller. Aussi se concentra-t-il sur sa coupe.

— Voilà bien longtemps que je n'ai pas revu Jérusalem, dit Hiram. Que se passe-t-il dans la capitale?

— Un terrible scandale! L'architecte du temple a laissé le chantier à l'abandon. Il est retourné à Tyr, sa patrie d'origine, car il était incapable de dresser des plans correspondant aux vœux de Salomon. Le roi a renoncé à ses projets. Les prêtres sont satisfaits et plus puissants qu'hier. Salomon n'est qu'un prisonnier entre leurs mains.

— Que penses-tu de cet Hiram?

— C'est un étranger... le destin d'Israël lui importe peu. Et puis un nouveau temple... à quoi servirait-il?

Alors que le soleil se couchait, un nouveau jour débutant avec le lever des étoiles, Hiram adressa une prière d'Egypte à la lumière nimbant la sainteté du soir. Il alluma une lampe à huile dont la lueur orange répondit à d'autres clartés, qui naissaient de maison en maison et formaient une immense chaîne, victorieuse des ténèbres. Assis sur la terrasse de sa demeure provisoire, l'architecte contempla la Polaire par laquelle passait l'axe du monde autour duquel tournaient les planètes infatigables. De la terre chaude montait une odeur de thym et de fleurs sauvages, habitant la paix qui s'habillait du lapis-lazuli d'un ciel immense. Comme Jérusalem devait être amère, se croyant trompée par un Maître d'Œuvre infidèle!

Hiram goûtait la sublime quiétude d'un crépuscule auquel il manquait pourtant le scintillement des eaux du Nil, la majesté des temples élevés par les ancêtres, le mystère du désert où naissaient les lignes purifiées des monuments à venir. La tentation d'une véritable fuite enserra l'âme d'Hiram. C'était la richesse sereine de ces moments-là qu'il désirait, non la lutte acharnée entamée dans la cité de Salomon. Poser ses outils, oublier le plan d'œuvre, prendre la route qui menait vers l'Egypte, la terre aimée des dieux...

*
**

Hiram franchit un bras d'eau sur lequel avait été construit un petit barrage. S'inspirant des méthodes inventées par les pharaons, les paysans hébreux avaient implanté un réseau de canaux d'irrigation efficaces contre la sécheresse. C'était là, à la frontière de la Samarie, au nord de Jérusalem, au confluent du Yabboq et du Jourdain, que l'architecte avait trouvé ce qu'il était venu chercher. La mission confiée par Salomon devait s'accomplir dans le plus absolu secret. Aussi le Maître d'Œuvre, parti à pied pendant la nuit, n'avait-il emmené que son chien.

Les prêtres se réjouissaient de la fuite d'Hiram. Cette victoire illusoire calmait leur hargne et affaiblissait leur vigilance. Salomon préférait ne plus se heurter de front à Sadoq. Le plan d'œuvre d'Hiram atteignant un point des plus délicats, le roi lui avait demandé d'agir avec la plus grande discrétion afin que son action ne fût pas contrecarrée par quelque manigance de la caste ecclésiastique.

Le terrain cahotique qu'examinait Hiram cachait une mine de cuivre qu'évoquaient de vieux textes écrits par des géographes. Il offrait surtout un endroit parfait pour y couler le bronze. La glaise fournirait d'excellents moules. Les ouvriers disposeraient d'eau à volonté. Le vent suffirait au tirage de fours de petite taille dont l'usage serait réservé à des artisans spécialisés. Le bronze coulerait le long de canaux de sable, dans les heurts cadencés des marteaux. Qui d'autre que Hathor, dame de la turquoise, enseignait l'art des fondeurs?

Mais le Maître d'Œuvre se heurtait à une difficulté : le terrain appartenait à un paysan dont l'épouse était fille d'un prêtre de la tribu de Sadoq. Une intervention autoritaire de la part du roi aurait déclenché l'ire du grand prêtre et son recours au tribunal, retardant la bonne marche des travaux. Aussi Hiram s'était-il engagé à mener l'affaire à terme par un achat en bonne et due forme.

Le paysan labourait un lopin. L'odeur des mottes au parfum lourd, rassurant, enchantait les narines. Lorsqu'il vit Hiram, il cessa son travail.

Sur une pierre plate, le Maître d'Œuvre déposa une bourse contenant plusieurs sicles d'argent et un contrat. La somme était très supérieure à la valeur du terrain.

Le paysan, sans hâte, alla jusqu'à sa ferme d'où il rapporta une balance à fléau avec des poids en basalte. Un objet des plus précieux qui lui permettait d'effectuer les transactions les plus ardues en toute sécurité. Il lut le contrat rédigé en termes simples et pesa les pièces d'argent, vérifiant leur validité. Satisfait, il ôta ses sandales et les tendit à l'acheteur. Désormais, il ne foulerait plus en propriétaire une terre qui lui offrait une fortune inattendue.

Le paysan disparut. Pas un mot n'avait été prononcé. Hiram venait d'acquérir le site des fonderies du temple.

30.

A l'endroit où Jacob avait lutté avec l'ange, des centaines de travailleurs maniaient les moules à métaux et appuyaient sur d'énormes soufflets attisant le feu dans les fourneaux. De considérables quantités de bois étaient livrées chaque semaine.

Les premières coulées de bronze, livrées aux mains des sculpteurs guidés par Hiram, devinrent un couple de lions. Hiram assista à toutes les étapes de la création de ces animaux qui orneraient les abords du temple, comme ils veillaient sur les chaussées montant de la vallée du Nil vers les sanctuaires secrets.

Le Maître d'Œuvre accomplissait de nombreuses allées et venues entre les fonderies du bord du Jourdain et les carrières proches de Jérusalem. Les lits à dégager étaient marqués d'un signe de carrier égyptien, proche de la croix ansée. Hiram avait montré aux apprentis comment extraire des blocs en creusant autour d'eux des sillons assez larges et profonds pour y enfoncer des coins de bois disposés à intervalles réguliers. L'essentiel était le choix du lit dont dépendrait la solidité de la construction. Carriers et tailleurs de pierre, après avoir gâché le métier et abîmé des outils, travaillaient d'une main de plus en plus sûre. Ils extrayaient les pierres couche par couche, découpant les blocs sans provoquer d'éclatements.

Quand se dressèrent les premières colonnes de cuivre et de calcaire, Hiram sut que ses apprentis avaient assimilé les préceptes élémentaires de l'art de bâtir.

Aussi convoqua-t-il les meilleurs d'entre eux dans l'atelier du Trait où il les initia à la science des compagnons qui leur permettrait de lever des murs et d'y répartir harmonieusement les blocs correctement taillés. Portant un tablier de cuir blanc, nettoyé avec soin au terme de chaque journée de travail, les adeptes prêtèrent serment de ne rien révéler ni aux apprentis ni aux profanes. En devenant dépositaires d'une antique sagesse, celle qui transformait les plans en volumes, ils commençaient à régner sur la matière au cœur de laquelle se cachait l'esprit. Dans la salle des épreuves, toujours plongée dans la pénombre, Hiram traça un double carré. Il joignit deux de ses angles par une diagonale. Ainsi manifestait-il l'espace où s'inscrivait la proportion divine, ce Nombre issu de l'or que les architectes égyptiens considéraient comme le plus immense des trésors. Devant les yeux émerveillés des nouveaux compagnons, Hiram déploya les mondes du cube, des polyèdres, de la spirale, de l'étoile des sages dont les pointes flamboyaient et qui indiquait le bon chemin au voyageur perdu dans les ténèbres. Il leur montra comment résoudre la quadrature du cercle, percevoir la loi des proportions sans calcul, manier le cordeau à treize nœuds, lui donnant la forme tantôt d'une équerre, tantôt d'un compas. Il leur transmit la connaissance des formes éternelles de la vie, inscrites dans l'univers, qu'ils intégreraient dans le corps du temple afin de lui assurer une croissance harmonieuse.

A l'issue de cinq jours et de cinq nuits d'enseignement, les compagnons étaient emplis d'un savoir qui dépassait leur entendement mais éprouvaient envers Maître Hiram une gratitude qu'aucune parole ne pouvait exprimer. La fraternité qui les liait à lui avait l'éclat du soleil d'été.

L'architecte avançait pas à pas sur le chemin. Développer les chantiers, construire les hommes, préparer la naissance de l'édifice constituaient des étapes du plan d'œuvre dont il devait garder la maîtrise en toutes circonstances. Il souhaitait ne pas s'être trompé en accordant sa confiance aux compagnons. Mais qui pouvait se vanter de sonder le cœur des hommes aussi profondément que celui des pierres?

***

Les tâcherons convoqués à la corvée recevaient leur dû à la fin d'une semaine de travail. Il n'en allait pas de même pour les compagnons et les apprentis, gratifiés d'un salaire lors de la fête de la nouvelle lune, à l'intérieur de l'enceinte, devant la porte close de l'atelier du Trait. Les apprentis formaient une première colonne silencieuse, les compagnons une seconde. Un par un, ils se présentaient devant Hiram et lui murmuraient à l'oreille le mot de passe correspondant à leur grade. Le Maître d'Œuvre le modifiait plusieurs fois par mois, décourageant ainsi toute tentative de fraude. Il les payait en pièces d'or et d'argent puisées dans les coffres déposés sur le chantier par la garde personnelle de Salomon.

Hiram tenait à remplir lui-même cette tâche de sorte que ne fussent commises ni exaction ni injustice. Chaque membre de la confrérie, en effet, recevait une somme différente correspondant à la qualité et à l'intensité du travail effectué pendant une lunaison. Qui s'estimait lésé avait le droit de protester auprès de l'architecte.

Lorsque s'achevait cette cérémonie, Hiram, une torche à la main, descendait au plus sombre de la carrière. Là, il taillait lui-même une salle souterraine au cœur du roc. Œuvrant jusqu'à l'épuisement, il n'acceptait personne en cet endroit secret dont la destination était connue de lui seul.

Quand pourrait-il l'utiliser?

Nagsara passa une robe jaune pâle, ornée d'une ceinture dorée qui soulignait la finesse de sa taille. Elle avait teint d'un orange léger les ongles de ses mains. A ses pieds, des sandales de cuir blanc aux élégantes lanières et à la semelle en écorce de palmier. De la robe pendaient des rubans de soie. Aux poignets de la souveraine, des bracelets d'or ; à ses doigts, des bagues en argent massif.

Ainsi parée, la reine d'Israël sortit du palais à l'heure de midi. Des serviteurs accoururent vers elle, lui présentant une chaise à porteurs que Nagsara refusa. Elle écarta les gardes préposés à sa sécurité, exigeant de demeurer seule.

Le soleil l'éblouit. Elle avançait sans hâte sur le chemin grimpant qui aboutissait à la barrière interdisant l'accès de la large voie qui menait au rocher, réservée au transport des matériaux. En ce jour de sabbat, personne ne travaillait. Un apprenti sculpteur et un soldat désigné par Banaias, assis contre un bloc de calcaire, empêchaient quiconque de passer.

— Ecartez-vous, ordonna Nagsara.

Le soldat et l'ouvrier se levèrent. Le premier avait reconnu la reine.

— Que Votre Majesté nous pardonne... C'est impossible.

— Souhaitez-vous la mort pour avoir injurié votre souveraine ?

L'apprenti partit en courant. Le militaire céda devant la détermination de Nagsara. Comment les consignes données par Salomon se seraient-elles appliquées à son épouse ?

Nagsara découvrit la vastitude de la plate-forme arasée. Le roc avait accepté cette première domestication. Mais nulle trace de fondation. Rien que la pierre nue, écrasée de lumière. L'architecte avait-il vraiment l'intention de construire un temple ? Ne trompait-il pas Salomon en lui annonçant des merveilles qu'il était incapable de réaliser ? Il y avait eu le comblement du ravin, certes, mais n'était-il pas à la portée d'un habile contremaître ? Le doute glaça le cœur de la jeune femme. Son mari ne s'engageait-il pas dans une voie sans issue, aveuglé par une vanité qu'il croyait être la volonté divine ?

Peu importait. Salomon agirait selon son désir. Celui de Nagsara n'était pas orienté vers le sanctuaire de Yahvé. Elle ne souhaitait que le bonheur du roi, son visage radieux illuminant le cours tranquille des années qu'elle passerait à ses côtés.

Une femme d'Egypte, instruite par les mages, ne demeurait pas passive devant une destinée contraire. Elle en changeait la nature. Accepter la fatalité eût été stupide et lâche. Nagsara devait étouffer ce temple dans l'œuf, détourner Salomon de cette obsession et le ramener vers elle. Par le jeu de son corps et la ferveur de sa passion, elle saurait le retenir.

Allant jusqu'à l'extrémité du roc, à l'opposé de la cité de David, Nagsara contempla, sur sa droite, la vallée du Cédron et, dans le lointain, les plaines de Samarie. La beauté du printemps d'Israël lui fit regretter celle de l'Egypte. A cette époque, la jeune princesse avait coutume de se promener en barque sur les canaux de Tanis, bordés de tamaris. Elle maniait elle-même la rame, s'amusant à poursuivre des familles de canards. Le soir, dans les pavillons dressés sur des îlots, elle écoutait les concerts de flûte et de harpe donnés par les musiciennes de la cour.

Ici, dans cette solitude sauvage, la musique de la nature sonnait avec rudesse. Israël était un pays trop jeune, manquant de cette maturité que conférait une sagesse ridée par les siècles. Les Hébreux possédaient la fougue d'un peuple inexpérimenté, ignorant encore l'attitude sereine des vieux scribes au ventre arrondi, déployant sur leurs genoux les papyrus où vivaient d'immortelles paroles. L'échec du chantier d'Hiram lui apprendrait l'humilité.

Un bloc, nettement en saillie au-dessus du vide, attira l'attention de la reine. Il portait une marque de carrier ressemblant au signe de la croix ansée. Sans doute un ouvrier qui avait séjourné en Egypte. A cet endroit, on aurait plutôt attendu le sceau de Salomon, les deux triangles entrecroisés, assurant la pérennité d'une œuvre. Le langage des confréries n'était connu que d'elles seules. Mais il serait sans force opposé aux envoûtements d'une reine.

Nagsara ôta bagues et bracelets. Elle les déposa devant elle, en cercle. Puis elle délaça ses sandales et dénoua sa ceinture, formant une seconde circonférence englobant la première. S'agenouillant, elle écarta les bras et adressa une invocation aux vents des quatre orients de l'espace afin qu'ils désagrègent la roche et la condamnent à demeurer stérile. En offrande, elle jeta les bijoux dans le vide. Afin de sceller le charme prononcé, elle noua lacets et ceintures, créant une corde qui liait sa pensée à la déesse Sekhmet.

Vain exploit, si Salomon restait éloigné d'elle. Nagsara connaissait le prix de son acte. A la lionne terrifiante, à Sekhmet avide de sang, elle abandonnait plusieurs années d'existence. Mais une vieille femme aurait-elle attiré l'amour de Salomon ? Ne valait-il pas mieux une vie brève et ardente, consumée par le feu d'un amour fou ?

Nagsara se dépouilla de sa robe jaune. Elle l'étendit sur la corde des sortilèges. Nue, abandonnée au soleil, il ne lui restait plus qu'à verser son sang.

Ses doigts caressèrent le poignard à manche d'argent qui provenait du trésor de Tanis. Elle avait imaginé s'en servir pour se défendre des assauts d'un horrible roi qu'elle aurait détesté... et voici qu'il devenait instrument d'amour, trait de lumière sanglante.

Nagsara ne supportait plus de sentir inscrit dans sa chair le nom d'Hiram. En le perçant d'une lame, en transformant les lettres en larmes rouges, elle se délivrerait du maléfice qui empêchait Salomon de l'aimer.

Elle frappa.

Le poignard se déroba. La lame glissa sur la peau, traçant un sillon brûlant. Un brouillard ocre troubla la vision de la reine.

Elle entendit son nom. Quelqu'un, à l'autre extrémité du rocher, la hélait. Quelqu'un qui la suppliait de ne pas se tuer.

Elle avait encore le temps d'être la victime que chérirait Salomon, mais elle tremblait. Le brouillard se faisait plus dense. Une main saisit son poignet et la contraignit à lâcher l'arme.

Hiram ramassa la robe jaune et en couvrit Nagsara. Du pied, il projeta la corde dans l'abîme.

— Non, protesta faiblement la reine. Vous n'avez pas le droit...

— Personne n'empêchera la naissance du temple. Seule la volonté céleste pourrait être plus forte que la mienne. Les maléfices, je les ruinerai.

La reine inclina son cou en arrière, absorbant à nouveau une vie qui, naguère, la fuyait.

— Qui êtes-vous, Maître Hiram ? Pourquoi gravez-vous un signe égyptien sur les pierres de fondation du temple ?

— Vous n'auriez pas dû voir cette marque, Majesté.

— Un architecte ne doit-il pas affronter la réalité ? Et si vous étiez un traître, si vous trompiez Salomon...

— Venez, Majesté. Ces épreuves vous ont épuisée.

— Refusez-vous de me répondre ?

— Ce qu'on pense de moi m'indiffère.

Le sang transperçait la fine étoffe jaune. Le brouillard qui obscurcissait la vue de la jeune femme s'épaississait. Elle ne distinguait plus Hiram.

Le gouffre était si proche, si attirant... En extrayant de son corps d'ultimes forces, Nagsara n'avait que quelques pas à faire pour oublier toute angoisse.

— Vous êtes Egyptienne, rappela le Maître d'Œuvre. Vous donner la mort vous est interdit. En agissant ainsi, vous détruiriez votre âme et perdriez à jamais l'amour de Salomon.

— Comment... comment osez-vous...

Hiram soutint la reine, l'aida à marcher.

— Il faut soigner votre blessure, Majesté.

Le contact de cet homme à la force majestueuse la troubla. Son malaise se dissipa. Le soleil réapparut.

— Je veux savoir, Maître d'Œuvre, je veux savoir pourquoi...

— Nous sommes les jouets de l'invisible. Le reste n'est que silence.

Hiram raccompagna Nagsara au palais. Une paix étrange l'avait envahie. Le feu de la plaie s'était estompé. Mais le mystère demeurait, insupportable. L'architecte lui paraissait à la fois proche et lointain, tendre et insensible. De quelle magie était-il le fils ?

31.

Mécontent, Salomon avait été contraint de céder à la requête du grand prêtre demandant la convocation du conseil de la Couronne réunissant Sadoq lui-même, le général Banaias et le secrétaire du roi, Elihap. Le souverain d'Israël avait senti son irritation s'accroître en écoutant les propos du religieux.

— Je vous le répète, Majesté, insista Sadoq : Maître Hiram devient un personnage dangereux. A votre insu, il s'est arrogé le contrôle de milliers d'ouvriers.

— La corvée n'est-elle pas placée sous la responsabilité de Jéroboam ?

Le grand prêtre devint mordant.

— Une illusion de plus ! Même auprès des tâcherons, le prestige de votre architecte est immense. Ils obéissent à Jéroboam mais ils admirent Hiram. Ignorez-vous qu'il a créé sa propre communauté, composée d'apprentis et de compagnons qui lui sont soumis comme des esclaves ? C'est vous-même, Majesté, qui avez accepté que le chantier du temple soit soumis à sa propre loi.

— Est-ce un reproche, Sadoq ?

Elihap cessa de prendre note de l'entretien. Il approuvait les remarques de Sadoq mais craignait que ses paroles n'eussent été trop promptes.

Le grand prêtre baissa le ton.

— Maître Hiram étend son empire jour après jour. Demain, il gouvernera une armée plus nombreuse que celle de Banaias.

Le général hocha la tête. Son air bourru trahissait une humeur contrariée.

— Une armée pacifique, précisa Salomon.

— Nous pouvons en douter, Majesté. Ils sont armés d'outils que beaucoup d'entre eux ont appris à manier avec dextérité. Si leur maître décidait de fomenter une révolte... Nous avons mal apprécié l'influence de cet Hiram. Ne serait-il pas, aujourd'hui, l'homme le plus puissant d'Israël?

— Tu injuries le roi, grand prêtre!

Sadoq tint tête.

— Pourquoi ne pas avoir mieux surveillé cet architecte étranger? Pourquoi lui accorder autant de privilèges? Je parle dans l'intérêt d'Israël et de son souverain. Le prestige d'Hiram n'est-il pas une véritable injure?

— Le grand prêtre a raison, grommela Banaias. Ce Tyrien ne me plaît pas.

Elihap continua à se taire. Mais Salomon le connaissait assez pour savoir que son silence s'ajoutait aux réticences des deux autres membres du conseil.

— Vous devez agir, insista Sadoq. Jéroboam serait un excellent architecte.

— Il n'a construit que des écuries et des fortifications.

— Il est un serviteur fidèle dont la nomination serait approuvée par le conseil.

Sadoq brûlait d'une sombre passion. Mais ses arguments n'étaient pas dépourvus de valeur. Salomon admettait que l'enthousiasme lui avait masqué certains dangers. Peut-être avait-il mal mesuré l'ambition de Maître Hiram, son désir de tenir, par sa seule fonction, les rênes de l'économie israélienne. Peut-être avait-il nourri en son sein un dragon s'apprêtant à le dévorer.

Voyant le roi réfléchir, Sadoq éprouva une profonde satisfaction. Il avait joué un jeu dangereux mais espérait une issue heureuse. Puisqu'il parvenait encore à influencer Salomon, ne réussirait-il pas à empêcher l'édification du temple?

— Le conseil de la Couronne ne gouverne pas Israël, dit enfin Salomon. Son rôle est de formuler des propositions. Au roi de les accepter ou de les refuser. En ce qui concerne Maître Hiram, il reste l'architecte du temple et ne dépend que de moi.

*
**

Salomon passa la nuit à réfléchir, omettant de rendre visite à Nagsara. La reine, bien remise de sa blessure, souffrait d'une langueur que seule la présence du roi guérissait. Sensible à sa beauté fragile, il acceptait l'abri tiède de ses bras et la fougue de ses baisers. A la suite de la réunion orageuse où il avait désavoué ses conseillers, les plaisirs de l'amour lui semblaient fades et vains. Aussi s'était-il retiré dans la chambre mortuaire de David où personne n'était entré depuis sa disparition.

Salomon avait oublié le modeste lit, les murs grossiers, le parfum de désespoir. Les traits mêmes de son père s'estompaient dans l'ombre épaisse de la mort. N'était-ce point le lieu, cependant, où il rencontrait l'âme du monarque à qui Dieu avait interdit d'accomplir l'Œuvre ? Ne devait-il pas lui demander l'aide de l'au-delà ?

Maître Hiram n'était ni un frère ni un ami. Il ne se comportait plus comme un serviteur, mais comme l'organisateur d'une confrérie absorbant les forces vives d'Israël et menaçant de les détourner à son profit. Qui, sinon un roitelet, aurait accepté de voir son trône se lézarder ainsi ? Sadoq, malgré la haine, raisonnait juste. Si David avait renoncé à construire le temple, n'était-ce pas en raison d'une inévitable prise de pouvoir par une horde d'ouvriers qui, guidés par d'habiles meneurs, prendraient conscience de leur puissance ? La naissance de l'édifice se liait pourtant à une mutation d'Israël, à l'existence d'un immense chantier où chaque Hébreu s'impliquerait.

La voie suivie par David n'était-elle pas celle de la sagesse ? Salomon ne devait-il pas se contenter de régner sur le présent en négligeant l'avenir, préserver la tradition au lieu de bouleverser l'acquis ? Comme aurait été précieuse la présence d'un père et d'un conseiller... Il n'y avait que l'ombre morte d'une chambre muette, portant les traces de l'agonie.

Salomon s'en remit à Dieu. Il le pria avec l'inquiétude d'un fils égaré à la recherche de sa demeure, avec le désespoir d'un mendiant devant lequel les portes se ferment.

Peu avant la naissance du jour, alors que les collines se paraient de violet et d'orangé, Dieu parla à Salomon. Il lui promit un signe décisif. Le premier être qu'il rencontrerait lui donnerait la réponse espérée. A cet instant, il saurait s'il devait abandonner ou non l'édification du temple.

Le roi d'Israël sortit de la chambre funèbre et s'engagea dans les couloirs déserts et froids de l'antique palais. Il ne souffrit pas du manque de soleil, avide de connaître le message du Seigneur des nuées. Ce premier être, serait-il homme, animal, pluie ou vent ? Faudrait-il interroger une pierre ou la poussière du chemin, s'adresser à un muet ou à un oiseau ?

Une impulsion irrésistible entraîna Salomon à quitter ces lieux. Passant entre les deux gardes postés de part et d'autre du sommet de l'escalier menant au parvis, il aperçut une silhouette émergeant des ultimes ténèbres et marchant vers la demeure royale.

Bras tendus devant lui, le marcheur portait un coffre cachant son visage.

C'était lui, l'envoyé de Yahvé.

Salomon courut à sa rencontre.

L'homme s'arrêta au centre du parvis et posa le coffre.

Salomon le reconnut, malgré la pénombre qui dissimulait ses traits.

— Maître Hiram…

— Je requiers une audience, Majesté.

— A cette heure ?

— Je viens de terminer le plan des édifices qui couvriront le rocher. Vous le montrer ne souffre pas de retard.

L'architecte ouvrit le coffre et en sortit un papyrus d'une cinquantaine de mètres de long qu'il déroula sur le parvis. Il agit avec précaution, de sorte que les feuilles cousues les unes aux autres se déployassent sans fausse pliure.

La lumière du levant s'amplifiait avec les gestes du Maître d'Œuvre.

Elle éclaira un plan détaillé. A l'intérieur d'une vaste

enceinte rectangulaire, dont les longs côtés n'étaient pas parallèles, étaient prévus les emplacements d'un palais, d'une salle du trône, d'une salle à colonnes, d'un trésor et d'un grand temple. Chaque ligne était cotée avec l'indication d'une proportion. Chaque partie du plan était reliée aux autres dispositifs architecturaux par des traits qui formaient une gigantesque étoile.

Salomon ressentit une harmonie à la fois claire et stable, celle d'un être vivant dont il aurait contemplé l'âme avant qu'elle ne prît la forme d'un corps. Le dessin était sans commune mesure avec une simple épure. Ici battait un cœur géométrique, indifférent aux vicissitudes humaines.

Dieu avait répondu.

Pendant plus d'une heure, jusqu'à ce que le premier soleil dispensât généreusement ses rayons, Salomon contempla le plan d'œuvre. Il le lut avec les yeux d'un monarque, transposa les traits en pierre, imagina le volume. La main qui avait créé cette splendeur n'était-elle vraiment que celle d'un homme ? Maître Hiram n'avait-il pas été inspiré par l'Unique, bien qu'il ne crût pas en Lui ?

L'architecte ne donna aucune explication. Salomon ne s'abaissa pas à lui en demander. Il le convoqua au palais pour le début de la première veille.

Hiram arriva en retard. Le nettoyage des outils et l'inspection du chantier avaient requis sa présence. Salomon ne releva pas l'affront. Son hôte refusa nourriture et boissons.

— Votre plan me satisfait. Vous l'exécuterez donc. Où comptez-vous conserver ce précieux document ?

— Dans l'atelier du Trait.

— Cette cabane ne sied plus à votre dignité. Désormais, vous logerez dans l'une des ailes de ce palais. Le plan d'œuvre sera en sécurité dans le trésor royal.

— Je refuse.

— Pourquoi ?

— Ce qui concerne le chantier reste sur le chantier. Le confort dont je dispose me suffit.

Salomon était défié dans sa propre demeure. Le plan d'œuvre s'avérait prodigieux, mais son auteur prenait une stature sans rapport avec sa fonction première. L'attitude de Maître Hiram corroborait trop bien les suppositions du grand prêtre.

— Comme vous voudrez, céda Salomon.

*
**

Dans un village perdu des montagnes d'Ephraïm, les chefs des tribus de Manassé et d'Ephraïm, plusieurs religieux traditionalistes amis du grand prêtre déchu, Abiathar, et quelques chefs de milices paysannes écoutaient le discours de Jéroboam.

Le géant roux auquel Salomon avait confié le soin d'organiser la corvée parlait avec passion à une assemblée attentive, cachée au sommet d'une colline rocailleuse que surveillaient des guetteurs. Le cadeau de Jéroboam avait impressionné ses hôtes : deux veaux d'or, rappelant des fêtes fameuses au cours desquelles les Hébreux, loin de Yahvé, s'étaient adonnés aux plaisirs interdits.

— Souhaites-tu abandonner le culte du dieu unique? demanda un prêtre.

— Puisque cette puissance injuste favorise les desseins d'un roi fou, répondit Jéroboam, pourquoi continuer à l'adorer? Yahvé, autrefois, nous guidait à la guerre. Aujourd'hui, notre peuple est lâche et faible. Le vrai Yahvé n'a pas besoin d'un temple somptueux. L'Arche d'alliance lui suffit. Il est nomade, comme vous et moi, et avide de victoires! Salomon veut réaliser l'unité religieuse du royaume pour devenir le prêtre d'un dieu pacifique dont il sera le seul confident. Salomon est un pharaon, pas un roi d'Israël. Il ôtera tout pouvoir aux chefs de tribu. Il éliminera Sadoq comme il a chassé Abiathar. Il augmentera le poids des impôts, ruinera le pays afin de nourrir ce temple maudit. Nous n'avons pas le droit de lui laisser plus longtemps les mains libres.

Les paroles de Jéroboam semaient le trouble dans les consciences. Le chef de la corvée, à qui Salomon avait refusé le titre de Maître d'Œuvre, prenait sa revanche.

Un serviteur puisa, dans un tonneau, un mélange de jus de figue et de caroube qu'il versa dans des coupes offertes aux membres du complot.

— Désires-tu occuper le trône de Salomon ? demanda le chef de la tribu d'Ephraïm.

Le menton anguleux de Jéroboam se releva. Enfin était abordé le véritable but de cette réunion secrète.

— Israël a besoin d'un monarque fort et valeureux, pas d'un poète et d'un pleutre. La paix de Salomon conduit notre pays à sa perte. L'Egypte nous envahira à la première occasion. Avec moi, nos soldats reprendront confiance et s'attaqueront à l'empire du mal.

Lorsque s'ouvrirent les débats, Jéroboam était certain d'avoir gagné la partie. Qui ne verrait en lui un guerrier capable de galvaniser des troupes avides de combats ? Le géant roux aspira à pleins poumons l'air des montagnes. Cette province, comme les autres, serait sienne. Il posséderait cette terre, la rendrait fière de sa vaillance proverbiale.

La délibération fut brève.

Le chef de la tribu d'Ephraïm s'avança vers Jéroboam.

— Nous restons fidèles à Salomon, annonça-t-il. Nous oublierons ton discours.

Les comploteurs descendirent les sentiers qui les ramèneraient vers la plaine. Jéroboam hurla sa fureur. D'un coup de pied, il renversa le tonneau. En répandant le jus qui rougit le sol, le géant roux jeta sa malédiction sur les couards qui l'avaient trahi.

32.

Anoup aboyait. Caleb ameutait quantité d'apprentis et de compagnons. Tous étaient consternés par l'horrible découverte.

C'était le balayeur qui les avait alertés. La veille du sabbat, il était monté sur le toit de l'atelier du Trait, simple clayonnage de terre battue. Quelqu'un l'avait percé, s'introduisant dans le bâtiment dont la porte, fermée à clé, donnait une illusion de sécurité.

Hiram, qui résidait depuis deux jours à Eziongaber où il inspectait les hauts fourneaux, fut rappelé à Jérusalem. Personne n'osait constater avant lui l'ampleur de la catastrophe.

Le Maître d'Œuvre tourna la clé dans la serrure et pénétra dans le domaine qu'il croyait protégé. Les outils, les papyrus et les calames avaient disparu. Livide, Hiram souleva le couvercle du coffre où se trouvait le plan d'œuvre. Ce dernier n'avait pas été volé.

Etrange larcin, en vérité. Pourquoi l'essentiel était-il préservé ? L'architecte déroula le précieux papyrus, craignant qu'il n'eût été endommagé. Ses craintes se révélèrent vaines. Il demanda aux compagnons de construire un nouveau toit avec une terrasse en briques sur laquelle prendrait place un guetteur.

Anoup, tout à la joie de revoir son maître, tenta de l'entraîner dans une promenade. Mais Caleb s'interposa et sollicita un entretien immédiat, loin du chantier. Malgré sa boiterie, il avançait vite, comme poursuivi par un démon. Le chien appréciait l'allure, s'enfonçant dans un buisson, resurgissant d'un taillis, pressentant le chemin à suivre. Les deux hommes marchèrent longtemps dans la campagne, jusqu'à une gorge étroite percée de petites grottes où se réfugiaient les troupeaux lors des fortes pluies. Caleb, épuisé, s'assit sous un figuier sauvage chargé de fruits énormes.

— Je suis trop âgé pour de telles marches.

— Je t'avais chargé de veiller sur le chantier, rappela Hiram. Un vol a été commis. Qu'as-tu appris ?

— Rien, hélas ! Ce forfait fut perpétré pendant la nuit. Je dormais. Votre chien aussi. Mais j'ai bien été vos yeux et vos oreilles ! Dois-je vraiment rapporter ce que j'ai vu et entendu ?

Une chaleur lourde emplissait la cuvette rocheuse. L'air manquait. Le boiteux ne pouvait plus retenir ses confidences.

— Le roi David s'est caché ici pendant une révolution de palais. Vous feriez bien de l'imiter et d'oublier le temple de Salomon. Regardez ces belles figues... Il y en a beaucoup dans les environs. Si vous m'achetiez une ferme, je les ramasserais, les sécherais au soleil et les vendrais sur les marchés. Nous partagerions les bénéfices et mènerions une existence tranquille.

Le silence d'Hiram découragea Caleb de poursuivre sur le même ton.

— Vous vous obstinerez à construire le temple, c'est sûr... Autant que vous sachiez la vérité ! Parmi vos ouvriers, il y a bon nombre de mauvais bougres, de menteurs ou de paresseux. Je crains même que certains apprentis ne soient associés à cette clique-là. Les édifices avancent très lentement... Nul ne voit la fin du chantier. On se lasse. On murmure que vous piétinez, que vos projets sont trop ambitieux. La corvée est mal supportée. Quelques compagnons estiment même qu'ils sont mal payés et que vous ne reconnaissez pas leurs mérites. Demain, vous deviendrez un bouc émissaire. Soyez lucide. On vous calomnie et on vous trahit. Vous êtes de moins en moins populaire. Le rêve de Salomon se brisera dans la tourmente. Alors, il sera trop tard pour s'enfuir. Le pays sombrera à nouveau dans la guerre des tribus. Personne n'évitera le désastre. Il y aura des morts, beaucoup de morts. Partez, Maître Hiram. Partez au plus vite.

***

La nuit tombée, Hiram vérifia une à une les planches de la palissade. Il examina le terrain bordant l'enceinte, cherchant la trace du tunnel que les voleurs auraient creusé pour s'introduire sur le chantier. Il songea à l'utilisation d'échelles de corde.

Nulle trace, nul indice.

— Les hommes, Maître Hiram, murmura une voix derrière lui. La solution, ce sont les hommes.

L'architecte se retourna pour faire face au roi Salomon. D'épais nuages masquaient la lune nouvelle. L'obscurité de la nuit dissimulait le souverain et le Maître d'Œuvre.

— Vous avez oublié que je règne sur ce pays, Maître Hiram. Il m'a suffi de soudoyer le gardien du seuil, quelques surveillants et de payer un jeune garçon très mince. Il a percé sans peine le toit de votre atelier. Comment mieux vous prouver que le plan d'œuvre ne sera en sécurité que sous ma protection, dans mon palais ? Acceptez-vous enfin de venir résider auprès de moi ?

« Le moment est venu », songea Hiram. C'était Salomon lui-même qui l'obligeait à franchir cette nouvelle étape qu'il redoutait. L'atelier du Trait serait ouvert aux compagnons qui y rangeraient outils et tablier et en assureraient la garde jour et nuit.

— Non, Majesté. J'habiterai désormais dans la carrière, au contact direct de la pierre. La solution, c'est elle. Elle est moins mensongère que les hommes. Elle ne trompe pas celui qui la respecte.

Salomon ne chercha pas à retenir Hiram. Il s'était trompé en tendant de le briser par cette démonstration de force. D'un côté, il était marri de constater l'échec de sa ruse. De l'autre, il était rassuré d'avoir donné au temple un Maître d'Œuvre de cette trempe. Il se défia pourtant de cette admiration qui l'affaiblissait. Seul il gouvernait, seul il devait gouverner. Le bonheur d'Israël était à ce prix.

L'architecte travailla des nuits durant pour achever la salle souterraine à laquelle conduisait une étroite descenderie dont l'accès était interdit par Caleb et Anoup. Il lui avait donné les proportions d'un cube. Au fond, une niche reproduisait celle de la chambre médiane de la grande pyramide, sorte d'escalier vers le ciel que gravissait l'adepte, partant du cœur de la terre et du centre de la pierre, passant par un nombre infini de portes visibles et invisibles qui le rapprochaient de la lumière de l'origine.

Lors de la cérémonie de la paye, Hiram choisit neuf compagnons auxquels il ne donna pas de salaire et leur demanda de l'attendre. Cette procédure inhabituelle déclencha crainte et envie chez leurs confrères. Que se passait-il ? Ces hommes faisaient-ils l'objet d'une condamnation ou d'une promotion ? Pourquoi ceux-là et pas d'autres ?

L'architecte fut obligé d'imposer le silence.

Puis il conduisit les neuf compagnons jusqu'à la grotte, le chien et le boiteux formant l'arrière-garde et vérifiant que nul ne les suivait.

A la suite d'Hiram, chacun des élus baissa la tête et descendit, courbé, le boyau de pierre aboutissant au sanctuaire secret éclairé par une seule torche. Ils se disposèrent en cercle autour du Maître d'Œuvre qui, ôtant une pierre coulissante et parfaitement ajustée par ses soins, fit apparaître la coudée et la canne à sept palmes.

— Voici les instruments des maîtres, révéla-t-il. Avec eux, vous calculerez les proportions du temple. Je vous enseignerai les Nombres qui créent la nature à chaque instant et dont le secret est transmis par les pierres taillées. Mais auparavant, il vous faut mourir à ce monde.

Certains renâclèrent. Tous étaient de jeunes hommes qui n'avaient pas la moindre envie de disparaître.

— L'un de vous a-t-il peur ?

Chacun s'interrogea. La crainte tenaillait les ventres mais le désir d'accéder à de nouveaux mystères fut le plus fort.

Hiram offrit à chaque compagnon une coupe de vin.

— Si vous êtes digne de la maîtrise, ce breuvage vous donnera la force d'affronter les épreuves. Mais si vous avez menti, si vous avez trahi, si votre parole n'était pas pure, vous péririez sur-le-champ.

Les mains tremblèrent en recevant la coupe, mais aucune ne la refusa.

— Buvez, ordonna Hiram.

La gorge serrée, les compagnons obéirent. L'un d'eux ressentit une brûlure atroce dans la poitrine. Il crut que la mort hideuse s'emparait de lui. Mais le malaise se dissipa. Ses collègues étaient restés debout. Ils se regardèrent l'un l'autre, heureux d'avoir franchi l'obstacle.

— Etendez-vous sur le sol, les yeux vers la voûte de pierre.

Hiram ôta le tablier des compagnons et en recouvrit leur visage.

— Vous n'appartenez plus à l'univers des hommes ordinaires. En vous s'affrontent la vie et la mort, pour que meure la mort et que vive la vie. Votre passé n'existe plus. Vous appartenez au temple futur. Vous êtes les serviteurs de l'Œuvre. Nul autre maître ne pourra vous imposer sa loi. Par la règle de la confrérie dont je suis dépositaire, je vous fais naître à la maîtrise.

Hiram posa la canne sur le corps des gisants. De la tête aux pieds, elle devenait leur axe, autour duquel se construirait désormais leur existence. L'initiation que l'architecte avait reçue, il la transmettait. Il avait lui-même éprouvé la puissance de cette règle du Maître d'Œuvre où étaient inscrites les proportions qui créeraient le temple comme un être vivant.

Une agréable torpeur gagna les compagnons. Ce n'était pas le sommeil, mais une extase sereine, illuminée par un soleil orange qui brillait bien au-delà du plafond de la grotte. Celle-ci n'était plus une barrière de pierre mais un ciel étoilé où la lumière du jour brillait en pleine nuit. Les adeptes jouissaient d'un profond bien-être. Ils avaient l'impression de se mouvoir hors d'eux-mêmes, comme délivrés du poids de leur corps. Et ils entendaient la voix d'Hiram leur dévoilant les secrets et les devoirs des maîtres.

Quand ils sortirent de cette traversée d'espaces colorés, les compagnons avaient la vieillesse de la tradition géométrique des anciens bâtisseurs et la jeunesse des conquérants.

Hiram les releva l'un après l'autre.

— La norme du temple de Salomon, indiqua-t-il, sera la coudée qui va de mon coude à l'extrémité du majeur. Vous déclinerez les proportions à partir d'elle.

Hiram remit aux nouveaux maîtres un roseau de mesure de cinquante-deux centimètres qui serait la clé de construction de l'édifice.

— Avons-nous traversé la mort? demanda l'un des adeptes.

— L'ambition personnelle s'est éteinte en vous, dit le Maître d'Œuvre. A mes côtés et sous mes ordres, vous agirez désormais pour transformer la matière en pierre de lumière. Ce qui est mort en vous, c'est votre aspect périssable, votre égoïsme, votre petitesse. Désormais, vous remplirez la fonction de contremaître et vous enseignerez les compagnons et les apprentis. C'est vous qui surveillerez le chantier et qui appellerez au travail les hommes de la corvée, si leur aide s'avère nécessaire. Je passerai ici le plus clair de mon temps afin de préparer la mutation du plan en volume. A la première veillée, vous me rejoindrez et nous étudierons ensemble le développement de l'édifice.

Les maîtres, sur leur vie, s'engagèrent à préserver le secret qu'ils partageaient.

Le cœur d'Hiram s'emplissait de joie. Avec ces êtres animés d'une autre vision, il pourrait, en dépit de leur petit nombre et de leur inexpérience, diriger des centaines d'ouvriers avec efficacité. Salomon s'était lancé dans la plus folle des aventures. Il n'en avait pas perçu les difficultés réelles. Sans doute ne croyait-il plus lui-même à son rêve. Pourtant, Hiram et sa confrérie le rendraient réalité.

33.

La paysanne poussait sur le manche, ainsi la meule du haut tournait sur celle du bas. Pendant des heures, elle répéterait le même geste afin de moudre le grain. Frottant l'une sur l'autre, les pierres émettaient un chant plaintif. Elles souffraient, comme la femme, pour nourrir des dizaines de ventres. Si le bourdonnement des meules s'arrêtait, affirmaient les sages, ce serait la fin du monde. Lasse, la paysanne céda sa place à une jeune fille et rentra chez elle où, maniant la quenouille et le fuseau, elle tisserait des tuniques. Un dixième de sa production serait prélevé par les percepteurs de Salomon, conformément à la loi édictée par le roi. Mesure ô combien lourde pour les petites gens, mais indispensable. Donner en vue de construire le temple, n'était-ce pas s'assurer une résurrection parmi les justes?

Un bruit l'inquiéta. Un froissement métallique mille fois répété.

Affolée, elle abandonna son ouvrage et sortit. En ce milieu d'après-midi, un voile couvrait le soleil. Un voile dont la paysanne identifia la terrifiante nature. La paysanne poussa un cri d'effroi, bientôt suivi d'un concert de lamentations. Partout, on cessait le travail. Partout, on avait reconnu le fléau qui s'abattait sur Israël.

Des millions de criquets pèlerins obscurcissaient l'astre du jour. Volant en blocs compacts, ils formaient un ciel gris, une voûte mobile de plusieurs tonnes née de l'addition d'insectes pesant quelques grammes. Ces monstres aux antennes perpétuellement agitées fondaient sur les cultures. Un criquet mangeait chaque jour son poids en nourriture. Leurs essaims s'attaquaient même aux moutons dont ils dévoraient la laine.

Rien ne leur échapperait. Guidés par un instinct infaillible, ils repéraient champs et pâturages, n'oubliant ni un épi ni un brin d'herbe. Au premier assaut, un vieux laboureur brandit une fourche et en tua des dizaines. Mais leurs acolytes le mordirent au sang et s'acharnèrent sur lui alors qu'il s'enfuyait. Sous le règne de David, deux nourrissons avaient été dévorés par les criquets.

Hiram, qui examinait des bases de colonnes que polissaient les compagnons, perçut le danger. Les années où la déesse lionne n'avait pas été correctement conjurée, des nuées de sauterelles menaçaient d'affamer l'Egypte. Seule la magie d'un pharaon pouvait repousser l'invasion. Pendant combien de semaines Israël serait-il victime de ces agresseurs impitoyables ? Pendant combien de temps le chantier serait-il interrompu, la corvée désorganisée ? Les hommes n'avaient pas réussi à entraver l'action du Maître d'Œuvre. Les insectes menaçaient d'y parvenir.

La reine Nagsara, qui se reposait dans son jardin, se réfugia dans son appartement. Les conteurs, durant les banquets célébrés au palais de Tanis, avaient évoqué l'année des sauterelles. Il n'y avait pas d'autre échappatoire que de se réfugier au fond des maisons et d'en boucher hermétiquement les ouvertures.

Salomon, du haut du palais de David dominé par le rocher, roula le papyrus sur lequel il écrivait un hymne à la sagesse. L'horrible nuage d'insectes était-il un châtiment envoyé par Dieu ou une malédiction du diable ? Yahvé condamnait-il le désir du roi ? Les puissances des ténèbres essayaient-elles de l'anéantir ? Salomon disposait du moyen de le savoir : interroger Nagsara.

Le temps lui était compté. L'affolement gagnerait vite le peuple entier. Il rendrait Salomon responsable du cataclysme. Le roi aurait à en répondre devant Dieu et devant ses sujets. Le grand prêtre l'accuserait d'avoir déclenché la colère d'en haut en souillant d'un édifice impie l'éminence que les souverains précédents avaient respectée.

Nagsara s'inclina devant son Seigneur. Sa seule vue la rendait heureuse au-delà de tout bonheur. Les yeux noirs de l'Egyptienne brillèrent d'une jeunesse ardente. Salomon se montra tendre, mais ne cacha pas qu'il avait davantage besoin des talents de la magicienne.

Nagsara ne se déroba pas. Elle consulta la flamme une fois de plus, lui abandonnant quelques mois de son existence. Mais quoi de plus merveilleux que de satisfaire Salomon ?

La réponse de l'invisible fut tranchée. Salomon serra longuement Nagsara dans ses bras. Par sa chaleur, il redonna de l'énergie au corps épuisé de son épouse. Lorsqu'elle sombra dans le sommeil, le roi utilisa son rubis. La pierre magique lui permettrait d'entendre la voix des éléments. L'un d'eux était donc assez puissant pour lutter contre les insectes.

Les campagnes de Judée et de Samarie avaient été désertées. Pas âme qui vive sur les places des villages. Jérusalem elle-même était envahie par des grappes de criquets qui grignotaient les rares jardins. Salomon priait depuis la veille. Son imploration atteindrait-elle le ciel, percerait-elle le bouclier d'insectes qui cachait le soleil ?

Quand naquit le vent, soulevant des nuages de poussière sur le chantier, Hiram espéra et s'angoissa dans le même instant. Le roi d'Israël n'avait-il pas trouvé un remède pire que le mal ? Ce souffle violent, brûlant, n'était autre que celui du redoutable khamsin[1].

La température devint vite insupportable. Respirer incendiait les poumons. Mais le khamsin chassa vers le nord les nuages de criquets. La nuit qui suivit leur départ fut glaciale. Nombre d'ouvriers tombèrent malades. L'épuisement accabla ceux qui ne souffraient pas de fluxions de poitrine ou d'angines. Hiram leur fit absorber du miel et distribuer des couvertures. Avec l'aube

1. Vent du désert soulevant, aux pires périodes, des tempêtes de sable.

revint la canicule, soumettant les organismes à rude épreuve. Un apprenti, dont la poitrine était déchirée par la toux, semblait même aux portes de la mort. Le Maître d'Œuvre, malgré sa robuste constitution, commençait, lui aussi, à éprouver les premières atteintes de la lassitude. Il s'obligea à marcher de tente en tente, à encourager les ouvriers. La crainte s'insinuait dans ses pensées. Le spectre d'une épidémie ne surgissait-il pas de la géhenne ?

Alors qu'Hiram s'entretenait avec un contremaître, envisageant d'alléger le programme de travail des prochaines semaines, des cris d'allégresse parvinrent à leurs oreilles. Quel événement incongru, en ces tristes moments, les provoquait ? Hiram se dirigea vers l'entrée du campement.

Valides ou non, ouvriers et tâcherons acclamaient Salomon. Dans sa longue robe pourpre aux franges dorées, le souverain imposait le respect.

Le Maître d'Œuvre écarta les zélateurs du roi pour se trouver face à lui.

— Le vent nous a apporté la maladie, Majesté. Il est imprudent de s'aventurer sur le chantier.

— Le khamsin a chassé les criquets. Les champs sont sauvés. Il y aura de la nourriture pour tous.

— Qui aura encore la force de travailler ? Celui qui a répandu ce souffle destructeur était-il bien conscient des conséquences de son acte ?

— Seul Dieu a la maîtrise des éléments, rappela Salomon. En douteriez-vous ?

Hiram ne releva pas l'ironie de Salomon, bien qu'il fût persuadé de l'intervention magique du souverain.

— Ne vous exposez pas davantage, recommanda l'architecte.

— Je suis venu guérir. Qui connaît mieux que moi les démons qui labourent les tempes, déchirent les crânes, enflamment les yeux, taraudent les oreilles, rongent les entrailles, éteignent les cœurs, cassent les reins ou brisent les jambes ? Les rois apprennent à lutter contre les crampes, les abcès, les douleurs, les fièvres et les lèpres. Que soient amenés ici ceux qui souffrent.

On n'attendit pas l'autorisation du Maître d'Œuvre pour obéir aux injonctions de Salomon. Très vite s'organisa une file de patients. Les plus atteints étaient portés par leurs camarades. Sur la nuque de chacun d'eux, Salomon imposa son sceau.

Pendant qu'il soignait, des gémissements et des plaintes sortaient de la terre, les démons chassés par le roi semblaient disparaître dans les profondeurs, accablés des souffrances qu'ils avaient provoquées. Salomon opéra jusqu'au lever des étoiles.

Un sommeil apaisant régnait dans les tentes.

Demeuraient face à face le souverain d'Israël et l'architecte du temple. Comme le pharaon d'Egypte, Salomon s'était montré capable de soulager les maux et de pratiquer l'art du thaumaturge.

— Belle victoire, Majesté, mais périlleuse entreprise.

— Nullement, Maître Hiram. Pourquoi ne pas utiliser le don reçu de mes pères ? Ceux qui ont bénéficié de l'imposition de mon sceau ne connaîtront ni la souffrance ni la mort pendant la construction du sanctuaire de Yahvé. Les dangers ont été écartés. Travaillez en paix.

— Vous avez amoindri mon autorité. C'était à moi de m'occuper de ces hommes.

— Vous êtes bâtisseur, non guérisseur. Vanité serait de croire que vous mènerez seul l'œuvre à son terme. Votre empire sur les techniques et l'art du Trait est total. Une fois encore, vous oubliez les hommes. Tous ne sont pas capables de vous égaler ou même de vous seconder. Votre feu est trop ardent. On vous hait autant qu'on vous admire. Ainsi va votre destin, et vous ne cherchez pas à le modifier.

— Seuls les rois ont ce pouvoir.

— Il est vrai, reconnut Salomon. Ne vous ai-je pas prouvé que mon aide vous était acquise ? Elle sera plus efficace encore, si vous le désirez.

Hiram ne souhaitait qu'un prompt retour en Egypte, sur le sol de ses ancêtres. S'il y avait un être incapable de le secourir, c'était bien Salomon.

— Je ne vous demande rien d'autre, Majesté, que la

maîtrise du chantier dont je suis responsable. Le reste ne me concerne pas.

— Vous n'êtes pas un dieu. Maladie et souffrance vous guettent. Vous affaibli, le temple est en péril. Pourquoi ne pas accepter l'imposition de mon sceau et vous protéger ainsi de l'assaut des forces maléfiques ?

Les étoiles brillaient. Les insectes partis au loin semer la désolation, le ciel avait retrouvé sa pureté et sa vastitude. Dans le silence de la nuit chantait un vent devenu tiède.

— Suivez votre chemin, Majesté, je suivrai le mien.

— Ne se rejoignent-ils pas ?

— Ils se croisent pendant les années où ce chantier sera ouvert. Ensuite, ils divergeront.

— En Egypte, le pharaon dispense à ses proches la vie, la santé et la force. Il en va de même pour moi. Pourquoi refuser ces dons ?

— Je ne suis pas l'un de vos sujets, mais un nomade qui tiendra sa parole. Dès que l'édifice sera construit, elle sera épuisée et je partirai. Je ne veux rien vous devoir. Gouvernez votre pays. Je règne sur mon chantier.

Salomon n'insista pas. Il avait affaibli l'architecte sans réussir à le soumettre.

— N'oubliez pas que votre chantier fait partie de mon royaume.

— N'oubliez pas les hommes, Majesté. Les apprentis, les compagnons et les maîtres ne relèvent que d'une seule autorité : la mienne. Sans cette hiérarchie, le temple ne verra pas le jour.

34.

Afin de faciliter le passage des charrettes et des traîneaux chargés de pierres taillées, Hiram avait fait détruire des maisons vétustes, élargir des rues trop étroites. Brisant le dédale de la ville haute, il avait créé une vaste perspective qui s'ouvrait sur le palais de Salomon, dominant l'antique cité de David.

Quand les travaux furent suffisamment avancés, le Maître d'Œuvre guida le roi et la reine d'Israël sur le site. L'austère rocher avait beaucoup changé. Une volée de marches menait à une esplanade. Dans un angle nord se dressaient les murs du futur trésor, dans l'angle oriental ceux des salles du trône et du jugement. Il fallait longer les murs de cette dernière pour découvrir le palais dont les nombreuses pièces étaient disposées autour d'une cour intérieure à ciel ouvert. Les souverains contemplèrent les énormes fondations et les blocs de cinq mètres de haut polis comme du marbre. Nagsara passa la main sur les pierres, les jugea aussi parfaites que le granit travaillé par les sculpteurs égyptiens. Hiram et ses artisans avaient réalisé un véritable prodige, alliant solidité et finesse. Les appartements du monarque et de son épouse, presque terminés, étaient déjà ornés de boiseries. Les poutres de cèdre des plafonds s'élevaient à plus de six mètres, offrant un sentiment de vastité. Selon la tradition, Hiram avait séparé la chambre du roi de celle de la reine, ainsi que leurs annexes, salles d'eau, lieux d'aisance, bureaux, réceptions, vestibules. Le mur nord du palais parut à Salomon beaucoup plus épais que les autres. Le Maître d'Œuvre lui expliqua qu'il serait mitoyen avec le temple. En son centre, il ouvrirait une porte qui ferait communiquer la maison du roi et celle de Dieu.

Salomon demeura froid et réservé. Il ne voulait pas manifester l'immense fierté qui l'envahissait. Jamais roi d'Israël n'avait habité palais aussi splendide auquel s'ajouteraient des salles réservées aux banquets et aux concerts, les logements des concubines, des fonctionnaires, des serviteurs et de la garde. Hiram avait conçu un dispositif aussi harmonieux que confortable.

— Dès le mois prochain, décida Salomon, nous habiterons ici.

— Les bruits du chantier voisin... objecta Nagsara.

— Ils seront agréables à nos oreilles. Il n'y aura plus d'autre demeure pour le roi d'Israël. Que le Maître d'Œuvre hâte la finition des pièces principales.

Hiram, souriant, s'inclina.

Le vœu de Salomon fut exaucé. Les compagnons travaillèrent sans relâche à l'intérieur du palais, sous la surveillance vigilante d'Hiram. Les maîtres encadraient apprentis, compagnons et tâcherons, tant à Eziongaber qu'à Jérusalem, tant dans les forges que dans les carrières afin que se poursuive la production des outils, notamment des ciseaux de cuivre vite usés et des pierres taillées selon les instructions du Maître d'Œuvre avant d'être numérotées et déposées dans des magasins. Jéroboam organisait la corvée sans rechigner. Bien que ses rapports avec les maîtres fussent distants, il répondait à leurs demandes.

A l'intention du couple royal, les menuisiers d'Hiram avaient fabriqué un admirable mobilier. Lits, trônes, chaises, tables, coffres de rangement étaient en cèdre, en olivier ou en acacia, la plupart recouverts de feuille d'or. Des piédestaux en bronze supportaient des torches de tailles diverses, destinées à donner une lumière plus ou moins intense selon l'endroit qu'elles éclairaient. Une circulation d'air était assurée par une ingénieuse distribution des fenêtres, faciles à occulter pendant les périodes froides.

Malgré l'insistance du maître du palais, attaché au protocole, Salomon n'accepta aucune inauguration officielle avant la consécration du temple. En trois ans, Maître Hiram avait réussi le plus facile : édifier la résidence royale. Brillante étape, certes, mais fort éloignée du but.

Lorsque la reine occupa pour la première fois l'aile qui lui était réservée, le roi accepta son invitation à dîner. La jeune femme, qui entrait dans sa vingtième année, s'était habillée à l'égyptienne : robe de lin transparente à bretelles laissant les seins découverts, pectoral d'or, de cornaline et de lapis-lazuli, bracelets d'or aux poignets et aux chevilles. Les cheveux avaient été nattés et parfumés, les lèvres rougies, les sourcils noircis. Comme elle était séduisante, cette étrangère dont la passion transparaissait dans chaque regard ! Comme elle s'offrait, dans ses gestes gracieux, dans la fièvre de son souffle !

Salomon délaissa le dîner. Il la déshabilla avec lenteur et lui fit l'amour avec tant de ferveur et de tendresse qu'elle vibra de tout son être, comme une lyre sous les doigts d'un musicien inspiré.

Quand Nagsara s'endormit, rassasiée de jouissance, Salomon la contempla. Nue, abandonnée, elle était harmonie malgré l'étrange marque qui ornait sa gorge, ces lettres de l'au-delà formant le nom d'Hiram.

Salomon avait un goût de cendre dans la bouche.

Il ne pouvait se mentir à lui-même.

Il n'aimait plus Nagsara.

Hiram répondit avec réticence au message de la reine le priant de venir examiner sa salle de réception. Aux prises avec des difficultés de transport de matériaux en provenance des carrières, l'architecte se souciait peu d'entendre les caprices d'une souveraine. Dès son arrivée, cette dernière se plaignit de la mauvaise qualité de certaines boiseries et du manque de fini d'un fauteuil à croisillons. Excédé, Hiram procéda néanmoins à un examen attentif.

— Vous moqueriez-vous de moi, Majesté ? Je ne distingue nul défaut.

— Et vous, Maître Hiram, pourquoi mentez-vous ?

Une fureur glacée anima le regard de l'accusé.

— Je ne permettrai à personne de m'injurier de cette manière. Votre rang ne vous autorise pas à être injuste.

— Si vous êtes aussi innocent que vous le prétendez, expliquez-moi pourquoi le plan de ce palais ressemble tant à celui de Tanis, pourquoi les techniques employées sont si proches de celles des architectes égyptiens, pourquoi, dans ces murs, je me sens revenue dans mon pays ?

Hiram soutint le regard de Nagsara mais demeura muet.

— Vous m'avez sauvé deux fois la vie et j'ignore qui vous êtes. Natif de Tyr, affirmez-vous. J'en doute. Vous avez vécu en Egypte. Tout, en vous, me rappelle le comportement des architectes de mon père, ces hommes au front haut, à l'allure sévère, paraissant parfois si loin de ce monde. Avouez, je vous l'ordonne.

Hiram croisa les bras.

— Je comprends enfin pourquoi votre nom s'est gravé dans ma chair. Nous appartenons à la même race, nous sommes nés de la même terre. Vous êtes en exil, comme moi. Les dieux m'ordonnent de me rapprocher de vous, comme si vous étiez la clé de mon bonheur. Mais j'aime Salomon... Lui seul est ma vie. Je veux détruire cette inscription qui lie nos destinées, Maître Hiram ! Je la hais et je vous déteste. Il ne reste qu'une solution pour effacer ce maléfice qui empêche Salomon d'éprouver à mon égard une passion grandissante : votre départ. Quittez Israël. Le palais est achevé. Vous avez rempli votre contrat. Dès que vous serez loin d'ici, votre nom disparaîtra de ma gorge. Ma peau sera purifiée. Vous êtes le mauvais génie qui détruit ma joie. Partez, je vous en supplie. Partez, et je tairai ce que j'ai découvert.

— Je n'ai rien à craindre de vos divulgations, déclara l'architecte. Votre imagination est malade. J'ai prêté serment de bâtir un temple et je tiendrai parole. Ensuite, je m'en irai.

— Combien de temps encore...

— Plusieurs années.

— C'est impossible ! Le maléfice aura tué l'amour de Salomon !

Nagsara se jeta aux pieds d'Hiram.

— Je vous en supplie... ne me faites pas souffrir plus longtemps. Retournez dans votre pays.

Hiram releva la reine.

— Une parole donnée ne se reprend pas, Majesté.

— Vous ne comprenez donc pas... Cette marque, votre nom... je ne les supporte plus !

L'architecte tourna le dos à Nagsara. Il ne la vit pas brandir un poignard et se ruer sur lui, mais il sentit le danger, à la manière d'une bête sauvage.

De l'avant-bras, il para l'attaque et dévia la trajectoire de l'arme.

Nagsara lâcha le poignard et recula de plusieurs pas.

— Quittez Jérusalem ou je vous tuerai, promit-elle.

***

Un vent hivernal balayait le rocher depuis plusieurs jours et plusieurs nuits. Le couple royal demeura cependant dans son nouveau palais, à présent décoré de faïences. Des braseros procuraient une douce chaleur.

Des pluies violentes succédèrent au vent. Elles provoquèrent des glissements de terrain qui surprirent les éleveurs, habitués à laisser paître leurs troupeaux sur le sommet des collines. Torrents et ouadi s'emplirent d'un flot furieux qui dévala les pentes.

Une crue envahit le camp de toiles des ouvriers résidant à Jérusalem, une autre les fonderies du bord du Jourdain. Des hommes furent noyés. Parmi les employés de la corvée, on dénombra une centaine de victimes. Jéroboam se déclara incapable de lutter contre la catastrophe. Il en rendit Hiram responsable. Le Maître d'Œuvre ne s'esquiva pas. Il organisa les secours avec l'aide de Salomon.

Outils et pierres taillées avaient subi des dommages. La principale carrière, inondée, serait inutilisable pendant plusieurs semaines. Les chemins de terre, recouverts par les eaux, empêchaient les véhicules de circuler. Certaines régions devenaient inaccessibles.

Sadoq et les prêtres prophétisaient la fin des travaux. Dans le peuple, des murmures s'élevaient contre Maître Hiram. L'enthousiasme des premières années s'affaiblissait. Le temple devenait un objectif utopique. Le rocher était à présent occupé par le palais royal. Salomon avait affirmé son prestige. Que désirer de plus?

Assisté des maîtres, Hiram alluma des feux de camp autour desquels se réunirent les ouvriers. L'administration royale veilla à ce qu'ils ne manquassent ni de nourritures ni de vêtements. Le roi et le Maître d'Œuvre additionnèrent leurs efforts. Le verbe d'Hiram fut une arme efficace ; par sa chaleur et sa force de conviction, il persuada sa confrérie que le chantier ne serait pas abandonné et que le plan d'œuvre serait accompli jusqu'à son terme.

Salomon fit les mêmes déclarations devant le conseil de la Couronne. Le peuple sut que la volonté du roi s'avérait inflexible.

Quand le soleil réapparut, les eaux refluèrent. Le travail reprit. Aucun des ouvriers guéris par l'imposition du sceau de Salomon n'avait péri. Le retour d'un temps clément fut attribué à Salomon dont Dieu avait reconnu la sagesse.

35.

Le caractère d'Hiram s'assombrissait. Que la beauté du palais servît la gloire de Salomon et non la sienne l'indifférait. Mais l'édification du temple devenait de plus en plus difficile, allongeant d'autant la durée de l'exil. Les hommes de la corvée se plaignaient. Jéroboam s'exprimait en leur nom : il déplorait des conditions d'existence misérables dont l'unique responsable était Hiram. Afin de calmer une colère croissante, Salomon avait été contraint d'augmenter le montant de la paye, vidant son trésor plus rapidement qu'il ne l'eût souhaité.

Quelques apprentis avaient accédé au grade de compagnon. Mais aucun compagnon n'était devenu maître. Les neuf élus d'Hiram formaient le cœur de la confrérie et demeuraient muets sur les secrets qu'ils détenaient. Aux compagnons qui leur demandaient de l'avancement et un meilleur salaire, les maîtres répondaient d'une même voix qu'ils ne détenaient pas le pouvoir de décision. Seul Hiram, s'il le jugeait bon, élèverait un compagnon à la maîtrise. Un apprenti impatient, qui s'était permis d'invectiver le Maître d'Œuvre, fut renvoyé dans son village. On estima la sanction sévère mais on ne la contesta pas.

Hiram ne s'accordait qu'un unique plaisir : de longues promenades dans la campagne avec son chien, quelques heures par semaine. Il oubliait les soucis quotidiens, rêvait d'une liberté perdue, songeait aux paysages d'Egypte. Il communiait avec le soleil et l'air, croyait se détacher de ce labeur où s'écoulait sa vie. Il s'offrait l'illusion d'être un voyageur en partance vers sa terre natale.

Cette fois, la randonnée manquait de goût, comme un mets sans sel. L'exécution du plan d'œuvre ne correspondait pas aux exigences de l'architecte. Les temps de repos étaient trop longs. Les ouvriers se relâchaient. Malgré les bonds joyeux de son chien et la splendeur d'une nature s'éveillant au printemps, Hiram ne cessa de penser à une nouvelle organisation du travail. Demain, il doublerait les équipes en puisant dans les effectifs de la corvée.

*
**

Caleb, comme chaque veille de sabbat, nettoya la salle souterraine où avait élu domicile Maître Hiram. Il avait rempli d'huile les lampes et déposé sur une pierre un plat de fèves, de galettes et de figues. Le jour du repos sacré, la tradition contraignait à ne pas cuisiner et à manger froid.

— Encore ce sabbat, protesta Hiram qui venait de prendre un bain.

Le lendemain, se laver serait interdit.

— C'est notre tradition la plus sacrée, indiqua le boiteux. Nous l'observons de génération en génération. Dieu lui-même ne s'est-il pas reposé le septième jour, après avoir achevé sa création?

— Je n'ai pas terminé la mienne. Ces journées perdues contrarient mon plan d'œuvre.

Caleb jugea inadmissible l'attitude du Maître d'Œuvre.

— Il nous faut reprendre haleine! Oubliez-vous que le premier homme est né au début du premier sabbat, ignorez-vous que notre peuple a réussi à sortir d'Egypte le jour du sabbat? Ne pas le respecter serait une faute très grave. Mon prince, vous ne pensez pas à...

— Balaye, Caleb.

*
**

Des charpentiers, aidés de quelques tâcherons, posèrent à terre un gigantesque tronc d'arbre. L'ébranchage commença aussitôt. Hiram donna des ordres secs et précis. Il ne restait qu'un peu plus d'une heure avant le début du sabbat. Jéroboam observait le ciel. Il attendait avec impatience l'instant où il libérerait les hommes de la corvée.

Quand les trois premières étoiles apparurent dans le crépuscule, le sabbat commença à briller. La trompette sonna pour la première fois, sommant les travailleurs de cesser leur activité. Les tâcherons se plièrent aussitôt à la coutume. Quand retentit la seconde sonnerie, les commerçants fermèrent leurs échoppes. A la troisième, une lampe fut allumée devant chaque demeure, symbole de la présence divine se manifestant dans le repos des âmes. D'ici peu, on dînerait. Au menu figuraient du vin et des aromates trois fois bénis.

L'un des compagnons charpentiers, conformément à la règle promulguée par Maître Hiram, ramassa les branches coupées. Le chantier devait être propre au terme du labeur.

Furieux, Jéroboam ramassa une pierre et la jeta à la tête du compagnon. Ce dernier s'écroula. Son sang rougit la terre.

— Il a violé le sabbat ! hurla le géant roux. Il méritait la mort !

Les ouvriers s'interposèrent entre leur chef et Hiram. Dans les familles s'élevaient des prières de paix.

Salomon n'avait pas consenti à réunir son tribunal, malgré l'insistance d'Hiram. Selon de nombreux témoins, la malheureuse victime avait commis un péché si grave que la colère divine s'était aussitôt abattue sur elle. Jéroboam n'avait été que le bras de Yahvé. Qui aurait osé le châtier ?

Face au roi, l'architecte ne tut pas sa colère.

— Des fêtes religieuses, des repos sacrés, des rites inflexibles… justifient-ils à vos yeux l'assassinat d'un innocent ?

— Il était coupable, rétorqua Salomon. Le sabbat est le moment sacré où Dieu prépare, dans le repos, une nouvelle création du monde. Il est antérieur à la loi d'Israël et la justifie. Qui ne le respecte pas sait à quoi il s'expose.

— Ce compagnon obéissait à la règle du chantier.

— Elle ne saurait être contraire à celle d'Israël. Le responsable de cette tragédie, c'est vous, Maître Hiram.

*
**

L'architecte marchait dans les allées désertes des bords du Jourdain. Les fours étaient froids, éteints depuis une semaine. La corvée avait été suspendue. Les ouvriers, cantonnés sous les tentes, jouaient aux dés. Sur le rocher de Jérusalem, l'activité des bâtisseurs avait cessé. Le palais royal trônait, superbe et morne.

L'accusation portée par Jéroboam avait été enregistrée par le secrétaire Elihap et déboucherait sur un procès. Maître Hiram n'avait-il pas, aux yeux de fidèles croyants, méprisé le sabbat, piétiné les valeurs les plus saintes d'Israël ? N'était-il pas plus coupable que le compagnon lapidé ?

Le grand prêtre avait appuyé la plainte de Jéroboam de manière à ce que Salomon fût obligé de présider une cour de justice. Comment douter de l'issue ? Hiram avait fermé les chantiers. Aux maîtres, il avait annoncé que leur grande entreprise courait à l'échec. Le Maître d'Œuvre condamné, ni apprenti ni compagnon n'accepteraient une autre autorité. Mais l'architecte exigeait qu'aucune révolte ne troublât l'ordre imposé par Salomon.

L'entrée de la chambre souterraine gardée par Caleb et Anoup, celle de l'atelier du Trait par les maîtres, Hiram s'était retiré dans la solitude de ces lieux qu'il avait appris à aimer, ces lieux naguère animés par des cris, des chants, des encouragements. Le vide leur seyait mal.

Seule la voix des outils les rendait beaux. Sans elle, il ne restait que les traces de la souffrance des hommes, de leurs efforts vers la perfection.

Hiram n'acceptait pas le sort contraire. Un maître issu de la Maison de Vie devenait indigne de sa charge en renonçant à l'Œuvre. Quels que fussent les circonstances et les obstacles, il ne s'en prenait qu'à lui-même. Il avait été stupide, incapable de déjouer les ruses de Salomon qui, le palais achevé, avait trouvé le moyen de se débarrasser d'un architecte encombrant.

Changer son destin... oui, un adepte égyptien, initié aux mystères, en avait la capacité. Il utilisait cette force immortelle de l'esprit sur laquelle aucun événement n'avait prise. Il orientait de manière différente le miroir de son être que frapperaient sous un autre angle les rayons du soleil. Ainsi le cours d'une existence se modifiait-il. Mais Hiram ne déserterait pas la route qui s'était tracée devant lui et malgré lui. Au-delà de l'ordre du pharaon et de la volonté de Salomon, il y avait le défi qu'Hiram s'était lancé à lui-même. Ce temple, il aurait aimé le voir naître afin d'y incarner la sagesse qui lui avait été transmise et de faire preuve de son art au cœur de l'adversité.

Voici que le rite du sabbat et l'intervention de personnages haineux le réduisaient à l'impuissance, voire à un mutisme définitif. Au moins n'auraient-ils pas la satisfaction de le voir s'enfuir.

***

Hiram se préparait à comparaître devant le tribunal de Salomon lorsque Caleb, joyeux, lui apporta un agneau.

— Regardez, mon prince! Il est encore chaud... il vient de mourir. C'est Dieu qui nous l'offre! Il faudrait me le marquer à l'encre rouge, à un endroit peu visible.

— Pourquoi donc?

— Un don du ciel, vous dis-je! Marquez-le, je m'occupe du reste. Contentez-vous de rester en vie.

Caleb refusa de s'expliquer. Son vœu exaucé, il courut vers une destination connue de lui seul, serrant la dépouille dans ses bras comme s'il s'agissait d'un inestimable trésor.

***

Salomon tenait audience dans l'ancien palais de David. Recevoir Hiram dans le nouveau portique du jugement était impossible. Le lieu n'existerait en droit qu'après l'inauguration du temple.

Le temple... Qui le construirait, après la condamnation de l'architecte ? Comment se comporterait la confrérie qui lui avait accordé sa confiance ? Mais Hiram avait transgressé la loi. Salomon ne pouvait l'absoudre sans renier l'ordre sacré qui donnait vie à Israël. N'en était-il pas de même dans le pays de la sagesse, en cette Egypte où la loi divine, Maât, était la base intangible de la civilisation ?

Le roi était obligé de juger et de châtier un Maître d'Œuvre d'exception sans lequel le sanctuaire de Yahvé resterait à l'état d'épure. La règle de vie qu'il devait préserver le contraignait à détruire l'œuvre qui donnerait un sens à son règne. Prisonnier de son propre trône, adversaire implacable de celui qui aurait dû être son ami, Salomon se sentait délaissé par la sagesse. Dans quel désert, dans quel ravin inaccessible s'était-elle réfugiée ? Pourquoi le fuyait-elle ainsi ? Ne s'éloignait-elle pas chaque seconde de Jérusalem pour rejoindre la terre des pharaons ?

Le grand prêtre était sur le point de vaincre le roi. Hiram écarté, Salomon se réfugierait dans son palais du rocher, croyant dominer un peuple dont il serait de plus en plus séparé.

A côté du trône, Sadoq. Vêtu rituellement, le grand prêtre tenait ostensiblement le rouleau de la loi. Il rappellerait l'importance du sabbat. Au nom du respect de la religion, il exigerait la lapidation d'Hiram, coupable de sacrilège et de subversion. Toute clémence serait interdite à Salomon. L'architecte payerait de sa vie la mort d'un compagnon qui avait eu le tort d'obéir à ses ordres.

Sadoq avait convoqué dignitaires civils et religieux qui composaient une assistance nombreuse, animée d'un désir de vengeance contre un Maître d'Œuvre étranger qui n'avait cessé de la dédaigner. Nulle sagesse ne viendrait en aide à son royal protecteur.

Hiram se dirigea vers la salle du jugement. Il ne pensait pas à une issue connue d'avance, mais au compagnon exécuté sous ses yeux.

Le Maître d'Œuvre portait une robe blanche. Sur la poitrine, un pectoral d'or. Dans la main droite, la canne symbolisant son autorité sur la confrérie.

Le maître du palais, clé sur l'épaule, introduisit l'accusé dans le tribunal.

Dès qu'Hiram apparut, des soupirs d'étonnement jaillirent des poitrines. Sadoq changea de visage. Blême, les lèvres serrées, il comprit que l'architecte bénéficiait d'une grâce surnaturelle. Comme lui, tous ceux ici présents voyaient se matérialiser, dans la personne d'Hiram, le bâtisseur des origines annoncé par la Tradition[1].

Salomon, radieux, sut que la sagesse ne l'avait pas abandonné.

— Regardez bien cet architecte, ordonna-t-il. Nul ne peut le juger. C'est lui qui porte la canne avec laquelle le bâtisseur venu du ciel a mesuré le temple futur. Maître Hiram met en acte la parole de Yahvé. Il détient l'outil de sa création.

Emplissant le seuil de sa présence, l'architecte brandit la canne prophétique. Tous s'inclinèrent, à l'exception de Salomon.

1. Figure mythique connue de toute la tradition proche-orientale. D'origine égyptienne, elle sera évoquée par le prophète Ezéchiel.

36.

Salomon relut les rapports d'Elihap, parsemés de colonnes de chiffres. Les additions ne mentaient pas. Les coffres se vidaient plus rapidement que prévu. Dans moins de un an, le trésor royal serait tari et le temple serait loin d'être terminé. Si le peuple l'apprenait, ne se révolterait-il pas ?

Il fallait juguler celui qui ne manquerait pas de diviser le pays et de revenir aux anciennes factions. L'occasion offerte était un présent de Dieu. Aussi Salomon se rendit-il à la chapelle où le grand prêtre achevait de célébrer l'office matinal. Sadoq fut surpris. Jamais le roi ne lui avait rendu pareille visite. Comprenait-il enfin que la souveraineté ne s'exercerait pas sans partage et qu'il devait prêter allégeance au clergé ?

Le monarque s'assit sur une banquette de pierre. Sadoq prit place à sa droite.

— Connais-tu bien les devoirs d'un grand prêtre, Sadoq ?

— Bien sûr, Majesté.

— Tu n'as donc pas épousé une veuve.

— Certes pas !

— Ni une divorcée ?

— Majesté...

— Ni une ancienne prostituée ?

— Majesté, vous savez que je suis veuf et que je n'ai pas repris de femme.

— Fort bien, Sadoq. Tu n'as pas coupé les coins de ta barbe.

— Dieu m'en préserve ! Ce serait une faute impardonnable.

— De même que de boire du vin avant les offices.

L'inquiétude gagna Sadoq.

— Seriez-vous venu me parler des prescriptions rituelles concernant ma fonction ?

— De l'une d'elles en particulier. Ignores-tu qu'il t'est interdit de manger une bête morte qui n'a pas été abattue par le couteau du sacrificateur ?

— Cette ignorance-là serait des plus coupables.

— Hier soir, tu as consommé un agneau impur.

— C'est impossible, Majesté !

— Je possède une preuve et un témoin, affirma Salomon. Tu as été imprudent.

Le roi ne cita pas Caleb le boiteux qui avait tendu un piège au grand prêtre après avoir pris soin d'en informer Salomon.

Sadoq baissa la tête. Le monarque n'accusait pas à la légère. Le grand prêtre risquait d'être destitué de la manière la plus infamante, le renom de sa lignée souillé à jamais.

— Je consens à être indulgent, dit Salomon. A condition que tu te cantonnes dans cette chapelle et que tu ne prononces plus une seule parole contre Maître Hiram. Cesse de t'opposer à la construction du temple.

Sur le rocher, maîtres et compagnons avaient repris le travail, guidés par le plan d'œuvre déroulé sur le plancher d'un nouvel atelier construit pour l'abriter. Les maîtres déchiffraient les cotes inscrites par Maître Hiram qui, chaque matin, révélait des proportions permettant de passer du plan au volume, de l'abstraction à la réalité.

Lorsque l'architecte quitta définitivement la salle souterraine pour s'installer sur le chantier et dormir près du plan d'œuvre, Salomon le convoqua au palais.

De jeunes servantes au corps délié apportèrent des coupes de vin frais et des dattes fondantes.

L'architecte refusa de s'asseoir.

— L'heure n'est pas aux réceptions, Majesté. J'ai trop de retard.

— Il risque de s'accroître encore si vous refusez de m'écouter.

— De nouveaux obstacles ?

— Le temple est une œuvre immense. L'économie d'Israël est à son service. L'effort consenti par le peuple est à la mesure de l'entreprise et de son espérance. Néanmoins...

— Néanmoins, jugea Hiram, les mois passent vite et le trésor royal s'épuise.

Salomon avait misé sur la perspicacité de l'architecte. De sa décision dépendrait l'avenir du sanctuaire.

— Un roi, continua le Maître d'Œuvre, ne peut s'abaisser à demander l'aide d'un serviteur. Surtout un roi qui a la réputation d'être un sage. Vous avez vu trop grand, Majesté. Israël n'était pas assez riche pour transformer ce rocher en demeure de Dieu.

Salomon eut envie de tuer Hiram, de faire taire son orgueil et son arrogance. Le souverain n'irait pas plus loin sur le chemin de l'humiliation.

— Je n'aime que la grandeur, confia Hiram. Votre aventure est devenue la mienne. J'interviendrai une seconde fois auprès du Premier ministre de la reine de Saba. Que les champs d'Israël produisent du blé en quantité et vous obtiendrez à nouveau de l'or.

Quand l'or de Saba arriva au port d'Eziongaber, marins, soldats et dockers acclamèrent le nom de Salomon. N'avait-il pas obtenu les faveurs de la reine aux inépuisables trésors ? Ne l'avait-il pas convaincue de traiter Israël en allié privilégié ? Beaucoup de souverains avaient échoué. La réussite de Salomon relevait de la sagesse, présente à ses côtés. N'inspirait-elle pas sa pensée, ne lui dictait-elle pas sa conduite ?

Maître Hiram se taisait sur son intervention, abandonnant la gloire à Salomon.

La nouvelle dette contractée par le roi d'Israël le rendait maussade. Le Maître d'Œuvre ne cédait aucun pouce de terrain. Il aurait pu, cependant, tirer un avantage plus évident du prestige qu'on lui reconnaissait. Les prêtres avaient cessé leurs attaques contre lui. Le peuple le craignait. Certains hauts fonctionnaires souhaitaient lui voir attribuer le titre d'intendant général. Mais Hiram ne se montrait pas au palais. Il se terrait sur le chantier du temple.

Cette attitude intriguait Salomon. Il ne croyait pas que l'architecte se désintéressât des affaires humaines. A la tête d'une hiérarchie sévère, entouré d'un gouvernement de maîtres proclamant leur absolue fidélité, Hiram prenait une place de plus en plus remarquable au cœur de l'Etat hébreu.

Si la construction du temple était lente, si les travaux subissaient l'entrave du retard, n'était-ce point par la volonté du Maître d'Œuvre? Ce dernier n'avait-il pas choisi d'échanger son savoir de bâtisseur contre une puissance croissante qui le ferait bientôt apparaître comme l'indispensable conseiller de Salomon?

La venue de Nagsara ne dérida pas le roi. Depuis plus d'un mois, il ne s'était pas entretenu avec elle. Le plaisir dont il avait besoin, il l'obtenait auprès de ses concubines, silencieuses et dociles.

La jeune reine, au tempérament jaloux et exclusif, ne supporterait pas longtemps cette situation. Entendre ses récriminations serait insupportable à Salomon. Le contraindrait-elle à la répudier?

Nagsara souriait, épanouie. Elle se lova aux pieds du roi, enlaçant tendrement ses jambes.

— Mon amour est immense comme la mer, confia-t-elle, mon désir de vous rendre heureux est inépuisable comme les vagues. Le bonheur que vous attendez de moi, je suis en mesure de vous le donner.

— Voulez-vous dire...

— Mon ventre porte votre fils, ô mon bien-aimé!

Salomon releva la reine et la prit dans ses bras. Les enfants nés des concubines ne seraient que des princes sans rôle dynastique. Le fils de la reine d'Israël serait son successeur légitime, le fils conçu par le roi d'Israël et une fille de Pharaon ! Grâce à lui, la politique de paix serait durable. A cet enfant, Salomon transmettrait son expérience, sa vision et sa magie. Il lui apprendrait à régner, il l'installerait sur un trône solide, illustre et prospère, lui tracerait le chemin d'un empire lumineux.

Un empire où deux pays frères, Israël et l'Egypte, se partageraient le monde.

Plus que jamais, un grand temple s'avérait nécessaire. Ainsi resplendirait le renom de Salomon et de son fils dans les siècles des siècles.

Hiram travaillait tard avec les maîtres. L'édifice prenait corps dans les esprits. Ses proportions vivaient dans les mains des artisans. L'exaltation gagnait les cœurs. Le Maître d'Œuvre la calmait. Il excluait la précipitation qui conduirait au vice de construction, exigeait lenteur et prudence. Il insistait sur le plus infime détail, rectifiait des projets qui paraissaient parfaits.

Lorsque se fermaient les yeux des maîtres, épuisés, il les congédiait. Pendant que Caleb nettoyait l'atelier, l'architecte s'asseyait à l'extrémité du rocher. Son chien blotti contre lui, il méditait dans le silence de la nuit.

Pourquoi avait-il aidé Salomon ? Si le financement du temple avait été interrompu, Hiram aurait quitté Israël et regagné l'Egypte. Mais il était tombé amoureux de son œuvre. Le sanctuaire ne serait pas celui de Yahvé, mais le sien propre. Il y imprimerait sa marque et le génie de l'ancienne Egypte, il transcrirait dans une forme nouvelle l'éternelle sagesse.

Hiram s'était pris au jeu. Il ne servait ni un homme ni un roi, mais un être de pierre auquel il offrait sa science et sa vie.

La confrérie se montrait obéissante et efficace. Patiemment constituée au fil des années, elle aurait pu rivaliser avec l'un de ces puissants corps d'Etat que créait la Maison de Vie pour bâtir les demeures des dieux.

Presque à son insu, Hiram s'était comporté comme un architecte de Tanis ou de Karnak chargé par Pharaon de mener à bien un programme de grands travaux.

Pharaon… pourquoi Salomon lui ressemblait-il tant ?

37.

Le nord du quartier bas de la vieille ville était un repaire de gens de passage, de petits brigands et de trafiquants. Respectant leur propre loi, ils prenaient soin de ne pas violer celle de Salomon. Aussi la police royale évitait-elle les ruelles sordides aux odeurs nauséabondes où, au petit matin, gisait parfois quelque cadavre qu'un service d'ordre discret faisait vite disparaître.

Salomon avait refusé de raser cette enclave de misère. Il préférait un abcès de fixation à une diffusion des forces du mal dans l'ensemble de Jérusalem. Ainsi les contrôlait-il avec un minimum d'efforts.

Elihap, son secrétaire, n'était pas rassuré pour autant. La tête couverte d'un voile marron, vêtu d'une tunique poussiéreuse, il avait réussi à ressembler aux habitués de ces lieux mal famés. Grâce aux renseignements précis fournis par Jéroboam, il trouva sans peine la masure où l'attendait le chef de la corvée. Il poussa une porte vermoulue et descendit un escalier aux marches usées et moussues. Il aboutit à une cave faiblement éclairée où il fut accueilli par le géant roux.

— Bienvenue, Elihap. Tu n'as pas eu tort de m'accorder ta confiance.

— Pourquoi m'avoir convoqué ici ?

— J'ai agi sur les ordres de celui qui veut sauver Israël.

S'emparant d'une torche dont la fumée noircissait le plafond humide de la cave, Jéroboam éclaira l'angle où se tenait un personnage maigre à la barbe aux coins non coupés.

— Grand prêtre... est-ce vous...

— Tu n'es pas un ami, Elihap, dit Sadoq. Bien que tu sois né en Egypte, tu es pourtant devenu l'un des nôtres. Je sais que tu n'approuves plus les décisions du roi Salomon. Comme nous, tu dois agir et veiller sur le bonheur du peuple que le roi met en péril.

Elihap avait peur. Il se trouvait mêlé malgré lui à un complot dont il devenait le partenaire obligé. Jéroboam ne le laisserait pas sortir vivant de cette cave s'il s'opposait aux desseins du grand prêtre. Le secrétaire se sentait coupable de trahir un roi qui l'avait sauvé du malheur, puis élevé à une dignité enviable. En dépit du risque encouru, il aurait dû le défendre, démontrer aux factieux qu'ils se trompaient, les convaincre de rester fidèles à Salomon. Mais Elihap n'avait pas une vocation de guerrier. Il ne possédait qu'une seule existence. Son puissant protecteur céderait fatalement devant l'adversité et l'opposition montante à sa politique. Le secrétaire n'avait-il pas le devoir de préparer l'avenir, son avenir? Sadoq n'avait-il pas raison d'intervenir en cette période trouble où le monarque voyait son pouvoir entamé par un Maître d'Œuvre étranger? Hiram ne cherchait-il pas, lui aussi, à renverser le trône pour imposer le règne de sa confrérie? Ne pas s'y opposer eût été criminel.

— Je vous approuve, déclara Elihap.

Le grand prêtre donna l'accolade au secrétaire de Salomon, lui accordant ainsi la plus significative des marques d'amitié.

— Tu es un homme courageux, dit Sadoq. Avec toi, nous reconstruirons Israël.

— Quelle est la position de Banaias?

— Le général est un être simple. Il ne connaît que le maniement de l'épée. Notre action doit demeurer secrète, notre visage indéchiffrable. Le mettre trop tôt au courant de nos projets serait une erreur. Mais il est de cœur avec nous et nous obéira le moment voulu.

Jéroboam jubilait. Une route glorieuse s'ouvrait devant lui. Demain, il serait roi d'Israël et chef de guerre. Le vieux Banaias envoyé dans une résidence provinciale pour y finir ses jours, Sadoq reclus dans l'ancienne chapelle de David, Elihap condamné pour haute trahison, Jéroboam disposerait d'un pouvoir absolu et lèverait la plus grande armée jamais rassemblée en Israël. Il s'emparerait de Tyr et de Byblos, puis attaquerait les marches du Delta égyptien, exterminerait les troupes de Pharaon et entrerait, victorieux, dans l'orgueilleuse cité de Tanis.

Grâce à Elihap, il aurait connaissance du fonctionnement de l'administration de Salomon comme s'il dirigeait lui-même l'Etat. Espionner le roi au cœur de son palais l'empêcherait d'être pris au dépourvu. Dernier obstacle à surmonter : Hiram et sa confrérie.

— Comment comptez-vous agir? demanda Elihap.

— Tu nous renseigneras sur les intentions de Salomon, répondit Sadoq.

— Veille à ses relations avec Hiram, ajouta Jéroboam. Nous voulons briser leur entente néfaste.

— Leur entente... répéta le secrétaire, dubitatif. Est-ce le terme qui convient? Parfois, j'ai le sentiment qu'ils sont unis comme des frères de sang et que rien ne rompra leur amitié. Ce n'est sans doute qu'illusion. Salomon déteste Hiram. Sa renommée lui porte ombrage. Lorsque le temple sera édifié, comment se débarrassera-t-il de lui? En dépit de rumeurs dont il doit être lui-même l'origine, chacun sait que le Maître d'Œuvre ne quittera pas Jérusalem après avoir réalisé son chef-d'œuvre. Son prestige sera au moins égal à celui de Salomon et il voudra en jouir.

— C'est pourquoi nous empêcherons la naissance de cet inutile sanctuaire, affirma Sadoq. Salomon nous en sera reconnaissant.

— Il nous haïra d'avoir ruiné le projet qui devait couronner son règne, objecta Elihap.

— Ce monarque est un tyran et un fou, jugea Jéroboam. Il ne mérite plus de gouverner Israël.

— Empêcher la construction du temple... Qui en sera capable?

— Moi, répondit Jéroboam.

*
**

Les deux ouvriers de la corvée s'approchèrent, courbés, de l'entrée du chantier. N'y pénétraient que les membres de la confrérie. Les fondations du temple étant en cours d'achèvement, Hiram n'admettait plus de profane. Ceux qui participeraient à l'élévation du plan avaient prêté serment de fidélité au Maître d'Œuvre et juré de garder le secret sur ce qu'ils verraient et entendraient. Leur initiation aux mystères du Trait leur permettrait de manier les pierres avec amour et de les placer en rectitude dans l'édifice.

Hiram rendait compte de l'avancement régulier de l'Œuvre, mais refusait de révéler les techniques utilisées. De plus en plus ombrageux, l'architecte espaçait ses brefs entretiens avec le monarque. Le travail l'appelait en permanence sur le rocher où, derrière de hautes palissades, grandissait le sanctuaire.

Les ouvriers s'immobilisèrent. La porte du chantier était surveillée par deux gardiens du seuil, l'un à l'intérieur, l'autre à l'extérieur. Parvenir jusqu'ici avait été aisé. Payés par Jéroboam, les soldats interdisant d'ordinaire la route menant au rocher avaient laissé passer les messagers du chef de la corvée. La suite de l'expédition serait moins facile. Les artisans d'Hiram faisaient-ils une ronde ? Des guetteurs étaient-ils postés derrière les gros blocs accumulés près de l'entrée ?

Dans le bleu du crépuscule, ils observèrent. Le gardien du seuil, assis en tailleur et recroquevillé sur lui-même, semblait dormir. Ne détectant rien d'insolite, les envoyés de Jéroboam se levèrent. L'un d'eux marcha vers la sentinelle. L'autre, en retrait, lui avait remis une torche allumée aux braises contenues dans une boîte à feu.

Surpris par la lueur, le gardien du seuil s'éveilla.

— Qui es-tu, l'ami ?

— Un tâcheron qui demande à être reçu sur le chantier du temple.

— Passe ton chemin. Maître Hiram n'engage plus personne.

— On m'a dit le contraire.

— On t'a trompé.

— Voilà une confrérie bien prétentieuse... Ceux qui détiennent des secrets sont des peureux ou des comploteurs.

— Va-t'en, ou tu goûteras de mon bâton !

— Reçois d'abord ton châtiment !

De l'extrémité de sa torche, qu'il mania comme une épée, le tâcheron enflamma les vêtements du gardien du seuil. Pendant que le malheureux appelait au secours et se roulait sur le sol en hurlant de douleur, les deux hommes de la corvée s'enfuirent en courant.

*
**

L'attentat avait fait grand bruit. Gravement brûlé, le gardien du seuil avait été soigné au palais par Salomon en personne. Le magnétisme du roi, des baumes provenant de Saïs, la cité des médecins égyptiens, et des emplâtres de figues le guériraient. Malgré les investigations menées par le maître du palais et le secrétaire, les deux assassins n'avaient pas été retrouvés.

Hiram s'était fermement opposé à l'établissement d'un cordon de gardes armés autour du chantier. En dépit des risques encourus, les membres de la confrérie continueraient à veiller eux-mêmes sur leur sécurité.

Le roi promulgua un décret annonçant la lapidation immédiate de quiconque porterait atteinte à un maître, un compagnon ou un apprenti. Personne ne pourrait accéder au sommet du rocher sans un sauf-conduit, une tablette de bois marquée au sceau de Salomon.

Le peuple murmura. Chacun estima que la dépendance du monarque à l'égard d'Hiram s'accroissait de manière inquiétante. Le roi ne cédait-il pas à toutes les exigences de son Maître d'Œuvre ? Ne devenait-il pas un jouet entre ses mains ? De fait, Salomon puisait largement dans son trésor pour financer des travaux de plus en plus coûteux. Hiram rejetait les pierres affligées d'un défaut, fût-il minime, disloquait les colonnes dont le galbe ne respectait pas les proportions justes, abattait les murs dont le fruit ne correspondait pas à ce qu'il avait exigé.

Au désespoir du roi, il œuvrait comme s'il disposait de l'éternité.

⁂

Par une nuit sans vent et sans nuages, Hiram réunit la totalité de la confrérie. En silence, les bâtisseurs observèrent le Maître d'Œuvre. A l'aide d'une baguette de cèdre percée à son sommet d'un cran de mire, il visa la Polaire. Son bras tendu devenait ainsi la coudée des étoiles. Les fondations s'imprégnaient de l'inaltérable lumière du nord. Rendues vivantes, les pierres ne subiraient pas l'usure du temps.

Cette nuit-là, le vin coula à flots sur le chantier. Les artisans échangèrent leurs certitudes et leurs espoirs. Ils avaient conscience de participer à une aventure grandiose. La seule voix d'Hiram, si proche d'eux par la fraternité et si lointaine par la science, leur donnait une énergie inépuisable. Dès le lendemain matin, oubliant migraine et besoin de sommeil, tous continuèrent à disposer les blocs d'assises bien réglées et à utiliser les forets à mèche de silex pour dégrossir les pierres.

Les compagnons les épannelèrent avec des masses de dolérite, assurant la finition avec des ciseaux de cuivre sur lesquels ils frappaient avec des maillets de bois. Vite usées, les lames étaient réaffûtées, puis les outils remplacés.

Un ordre d'Hiram interrompit le chant des ciseaux. Les artisans se réunirent autour de lui. Le Maître d'Œuvre monta sur la plus haute assise de pierre, formant une marche par rapport au socle du temple. A ses pieds, plusieurs poutres. Il en disposa une verticalement et la bloqua avec trois jambages en sapin. Puis il éleva une seconde poutre et la fixa perpendiculairement à la première, de manière à ce qu'elle pivotât de bas en haut. Puis il éleva une troisième poutre et la fixa. Il y noua des cordes. Deux maîtres soulevèrent un bloc qu'il suspendit à l'extrémité de la poutre la plus proche de l'axe. Les sept autres maîtres tirèrent sur les cordes, assurant un contrepoids qui permit au Maître d'Œuvre d'élever, sans grand effort, le bloc jusqu'à l'assise supérieure, encore imaginaire. Il suffirait d'utiliser un madrier supplémentaire, des leviers et des cales pour faire glisser les plus lourdes pierres en toute sécurité et les mettre en place avec grande précision. Ainsi, devant les yeux admiratifs des membres de sa confrérie, Hiram venait-il de révéler l'un des procédés de levage utilisés par les bâtisseurs des grandes pyramides d'Egypte.

38.

Hiram roula le papyrus contenant le plan du temple. Le portant dans ses bras, il se dirigea vers l'extrémité du rocher, là où s'élèverait le Saint des saints. Puis il mit le feu aux feuilles cousues les unes aux autres.

L'architecte n'avait plus besoin du plan. Dans les flammes disparaissaient les clés des proportions et des mesures qui ne subsisteraient que dans sa mémoire. L'édifice était devenu la chair du Maître d'Œuvre, sa substance. Il ne commettrait aucune erreur en guidant les maîtres et les compagnons dans le développement de l'épure. Désormais, le temple parlerait à travers lui. Le désir de le créer brûlait comme une passion insatiable. Pour continuer à vivre, Hiram devait construire.

Dans la lumière orange qui s'élevait vers le ciel nocturne, l'architecte distingua d'autres flammes. Quelqu'un, au loin, avait allumé un autre feu, réponse insolite au sacrifice accompli par le Maître d'Œuvre. Hiram, intrigué, sortit du chantier et longea le mur du palais. Dominant la cité de David, la source de Gihon et la vallée du Cédron, il repéra l'endroit d'où surgissait un feu mêlé à des fumées noires et nauséabondes.

Passant le barrage établi par les soldats de Salomon, Hiram chemina jusqu'à l'orée de ce val profond et isolé. Là se tenaient accroupis des mendiants qui ne semblaient pas incommodés par les odeurs de chair brûlée.

— N'allez pas par là, Seigneur, recommanda l'un d'eux. C'est la géhenne, le dépotoir de Jérusalem. Même des gueux comme nous n'osent pas y pénétrer.

— Autrefois, ajouta un autre, on y tuait des innocents pour apaiser la colère de Moloch. Aujourd'hui, on y entasse les ordures et les cadavres des bêtes. Les anciens démons y rôdent toujours...

— La nuit, précisa un troisième, ces spectres dévorent quiconque s'aventure dans le charnier.

Les mendiants ne plaisantaient pas. Hiram prit leur avertissement au sérieux. Mais une force irrésistible le contraignait à explorer la géhenne. En dépit des lamentations des pauvres hères, il avança.

C'était bien l'enfer. Déchets immondes et remugles agressaient l'œil et l'odorat. L'architecte enjamba des tas d'ossements. Le feu brillait au fond de cette vallée de désespoir dont l'horreur rejetait la présence humaine. Pourtant, au pied des flammes, le visage roussi, un homme en haillons riait d'un rire de dément.

— Impur! lança-t-il en apercevant Hiram. Tu es un impur, moi seul suis pur!

Le fou avait le visage et les mains couverts de tatouages représentant Moloch et des démons aux gueules sanglantes.

— Ne va pas plus loin! Tu n'as pas le droit!

La lueur avait éclairé, l'espace d'un instant, une forme massive couverte d'immondices. L'architecte s'approcha.

— Arrête-toi! Seul un être pur peut toucher à cette pierre!

Perdu au cœur de la géhenne, un énorme bloc de granit rose gisait sur le sol. Hiram songea à l'enseignement de ses maîtres. Ne s'agissait-il pas de la pierre tombée du ciel, du trésor offert aux artisans par l'architecte des hommes afin qu'ils bâtissent sur elle le sanctuaire de Dieu?

Le possédé se leva. Brusquement, son délire s'apaisa.

— Ne touche pas à ce bloc, Maître d'Œuvre! Aucune force, ni d'en haut ni d'en bas, ne le soulèvera.

Hiram ne tint pas compte de l'objurgation. Quand sa main entra en contact avec le granit poli à la perfection, il sut que ce chef-d'œuvre venait d'Egypte. Seul un adepte de la Maison de Vie avait pu réussir à rendre aussi lisse cette surface noire et rose.

— Oublie cela, l'exhorta le possédé. Pars, éloigne-toi d'ici! Sinon, ton œuvre sera détruite!

Le fou poussa un hurlement qui atteignit le ciel. D'un bond, il se jeta dans le feu. Ses haillons s'embrasèrent, ses cheveux se transformèrent en torche. Il mourut dans un rire.

Atterré, Hiram éprouvait pourtant une joie vivace. Il venait de découvrir la pierre d'angle du temple.

Après qu'une centaine d'hommes de la corvée eurent tracé un chemin dans les ordures de la géhenne et délivré le bloc de sa gangue de pourriture, Hiram et les maîtres tentèrent en vain de le déplacer. Il faudrait d'abord creuser profondément la terre, puis construire de solides palans.

Salomon, accompagné du général Banaias et de son secrétaire Elihap, vint admirer la merveille. Lui aussi la toucha avec respect.

— Comment comptez-vous employer ce bloc?

— Comme fondation du Saint des saints, répondit Hiram. A condition de pouvoir le manœuvrer.

Salomon se tourna vers l'occident, referma sa main droite sur le rubis et leva la tête vers le ciel.

— Là où les hommes échouent, les éléments réussissent. Ressentez-vous la puissance du souffle qui naît, Maître Hiram?

Un vent violent se leva. Plus hargneux que le khamsin, il secouait les corps au point de les faire vaciller.

— Je connais l'esprit du vent, continua Salomon. Je sais où il se forme, dans l'immensité de l'univers, près des rives de la mer des algues. C'est lui qui, à la voix de l'Eternel, ouvrit les flots de la mer Rouge pour laisser passer mon peuple. Aujourd'hui, sa force sera plus grande encore. Il soulèvera la pierre.

Déchaîné, le souffle de la tempête obligea Elihap et Banaias à s'abriter. Salomon resta debout, comme insensible. Son regard croisa celui d'Hiram lorsque le bloc gémit, comme s'il s'arrachait à son linceul. L'architecte n'hésita plus. D'un signe, il ordonna aux maîtres d'emprisonner la pierre dans des cordes. L'un d'eux alla chercher les compagnons. Avec l'aide du vent, venu de la racine du cosmos, après avoir versé du lait sur le chemin du halage, la confrérie fit glisser la pierre d'angle du temple vers sa destination.

Alors que Jérusalem fêtait le rassemblement de la Hasartha[1] où le peuple, en consommant des pains d'offrande, commémorait le don de la loi divine à Moïse, Hiram terminait de choisir les imposants troncs de cyprès au bois parfumé qui recouvriraient le sol du temple. Puis il vérifia le parfait état des oliviers, choisis un à un dans la campagne. Ces arbres gorgés de soleil, hauts de douze mètres, âgés d'au moins quatre cents ans, fourniraient la matière des sculptures symboliques qui orneraient le sanctuaire. Les pierres taillées dans les carrières, posées sur des socles de granit, formaient un imposant cortège, attendant d'être placées dans la construction.

L'étape décisive s'annonçait. Pendant plusieurs jours, nul n'avait entendu le chant des ciseaux, des marteaux, des racloirs, des polissoirs. Le fer ne brisa pas le silence du chantier car maîtres et compagnons avaient reçu de la bouche du Maître d'Œuvre les secrets nécessaires pour transposer dans l'espace l'art du Trait inscrit sur le plan d'œuvre.

Les conteurs, devant une foule passionnée, proposaient cent explications, plus magnifiques les unes que les autres, pour justifier cette absence de bruit. Tout d'abord, grâce à l'intervention de Salomon, les démons avaient cessé de défaire chaque nuit le travail des bâtisseurs. Ensuite, sur l'ordre du roi, ils s'étaient amendés en participant à la construction. Rendant hommage à la sagesse de Salomon, ces forces hostiles avaient accepté d'aider les artisans. Sortant de la terre, des eaux, des

1. La Pentecôte.

airs, des plaines et des ravins, des forêts et des déserts, jaillissant des métaux cachés dans les profondeurs, de la sève des arbres, des éclairs de l'orage, des vagues de la mer ou du parfum des fleurs, les démons s'inclinèrent devant Salomon qui les marqua de son sceau. Aussi portèrent-ils les blocs et les troncs, l'or et le bronze, glissant au-dessus du sol. Mais le plus inspiré des conteurs en savait encore plus : c'était un aigle de mer, aux ailes si vastes que son corps s'étendait de l'orient à l'occident et du midi au septentrion, qui avait apporté à Salomon une pierre magique extraite de la montagne du couchant. Le roi l'avait remise à Hiram, l'enveloppant dans une étoffe précieuse placée à l'intérieur d'une boîte en or. Il suffisait au Maître d'Œuvre de tracer un trait sur le roc de la carrière et d'y poser le talisman : la pierre se fendait d'elle-même. Les carriers n'avaient plus qu'à transporter les blocs jusqu'au chantier. Pour les ajuster les uns aux autres, nul besoin de polissoir : grâce au don de l'aigle, ils s'assemblaient avec une telle exactitude qu'aucun joint n'était nécessaire.

***

— Nous avons échoué, constata Sadoq. Salomon et Hiram sont plus forts que jamais.

Réunis dans la cave de la ville basse, loin des oreilles curieuses, Elihap et Jéroboam faisaient grise mine. Selon le rapport du secrétaire, les travaux du temple, après cinq années de minutieuse préparation, avançaient à présent avec une surprenante rapidité. Les fondations achevées, les premières assises de pierres montées, le bloc de fondation du Saint des saints mis en place, le sanctuaire croissait selon un rythme nouveau. Quant au palais du roi, il s'embellissait chaque jour. La salle d'audience était décorée. Demain s'édifierait le Trésor.

Le peuple jubilait. L'effort demandé par Salomon lui semblait léger. Puisque la sagesse inspirait le roi et siégeait en son cœur, pourquoi ne pas lui accorder une totale confiance? Ce qu'il avait promis, il le tenait. L'orgueilleux rocher, dont la superbe avait été maîtrisée par la confrérie d'Hiram, était devenu le serviteur du temple de Dieu où brillerait la lumière de la paix.

— Ces maudits artisans n'ont pas eu peur, se plaignit Jéroboam. Pourtant, l'attentat contre le gardien du seuil aurait dû provoquer une débandade. Si nous recommencions...

— Inutile, objecta Elihap. Maître Hiram leur ôte toute crainte. Ils sont prêts à mourir pour lui et ne céderont à aucune menace.

Furieux, le géant roux frappa du poing le mur humide.

— Alors, détruisons cet architecte !

— Beaucoup trop dangereux, estima le grand prêtre. Il est protégé par les maîtres et les compagnons. L'enquête de Salomon remonterait très vite jusqu'à nous. En nous attaquant à Maître Hiram, nous perdrions la vie.

— Faut-il donc abandonner la lutte, se résigner à voir Salomon et Hiram triompher ?

— Bien sûr que non. Il reste la ruse. N'est-il pas vrai, Elihap, que certains apprentis se plaignent de salaires modestes ?

— C'est exact, répondit le secrétaire. Ils souhaiteraient devenir compagnons, mais Maître Hiram ne songe guère à accorder des promotions.

— Semons le trouble dans la confrérie, proposa Sadoq.

— Ces hommes-là ont prêté serment, rappela Elihap. Ils ne trahiront pas leur chef.

— Tout individu a un prix, dit Jéroboam. Soyons prêts à le payer.

39.

Le premier jour de la fête de la tonte des brebis et de la consécration des troupeaux, au début de l'été, Hiram donna congé aux artisans de la confrérie. Ils participèrent aux banquets organisés par les paysans qui n'obtinrent aucune réponse aux multiples questions sur l'état d'avancement des travaux.

L'architecte n'assista à aucune festivité. Il se promenait dans la campagne, loin des villages, en compagnie de son chien.

Devant la porte du chantier, un Caleb furieux d'avoir été nommé gardien du seuil extérieur. Comme les heures lui semblaient longues ! Qui oserait lui demander passage, alors que plus de cent soldats, avec l'accord de Maître Hiram, veilleraient sur les lieux jusqu'au retour de la confrérie ? Le boiteux avait horreur de la solitude, surtout lorsqu'il manquait l'occasion de manger à satiété et de s'enivrer de vin frais. Personne ne s'opposait plus à la construction du temple. Chacun attendait avec impatience de contempler sa splendeur. Caleb eût été plus utile à remplir les coupes qu'à surveiller le vide, assis à l'ombre grêle de la porte du chantier.

Quelle ne fut sa surprise, vite teintée de crainte, de voir progresser vers lui un homme grand, coiffé d'un diadème d'or et vêtu d'une robe blanche au liseré d'or.

Reconnaissant le roi Salomon, Caleb trembla.

— Personne… personne ne peut entrer ici sans connaître le mot de passe ! déclara-t-il d'une voix incertaine.

Le souverain sourit.
— Mon sceau me donne accès à tous les mondes. Si tu t'opposes à moi, je te transforme en bête sauvage ou en démon sans tête.
Caleb s'agenouilla devant Salomon.
— Seigneur... j'ai reçu des ordres !
— Es-tu membre de la confrérie ?
— Un peu... un peu seulement... Mais je ne sais rien d'important !
— En ce cas, tu oublieras ma venue. Sache garder ta langue et ôte-toi de mon chemin.
Le temple n'appartenait-il pas au roi d'Israël ? Qu'il le découvrît plus tôt que prévu, quelle gravité ? Même boiteux, Caleb aimait la forme humaine que Dieu lui avait donnée. S'affronter à la magie royale eût été déraisonnable. Aussi obéit-il avec diligence.
Le seuil franchi, Salomon progressa à pas très lents dans le domaine d'Hiram.
Cachés par l'enceinte, les murs du temple étaient construits en briques revêtues de boiseries. La partie inférieure se composait de trois assises de pierres de taille, surmontées de rangées de madriers de cèdres servant de chaînage et assurant la cohésion jusqu'au sommet. Des poutraisons en bois de cèdre assujetties aux murs par des écharpes formaient une toiture robuste qui supporterait des terrasses. L'ensemble donnait une impression de grâce et de sérénité. L'architecte avait su traduire dans les lignes de l'édifice les plus secrètes pensées de Salomon, son ardent désir d'une paix qu'il voulait faire rayonner sur le monde.
Impossible de pénétrer à l'intérieur. Des planches et des blocs de calcaire en interdisaient l'accès. Frustré, le roi s'aventura dans la partie du chantier où étaient rangés les outils et où se dressait l'atelier d'Hiram. Le silence de lieux d'ordinaire si animés le comblait d'un bonheur diffus. Il avait la sensation de collaborer au travail des sculpteurs, de percevoir la beauté de leurs gestes, de s'asseoir auprès d'eux lors du repos du soir. En l'absence des artisans, leur esprit continuait à transformer la matière, comme si l'œuvre se poursuivait d'elle-même, au-delà des hommes.

L'atelier du Trait... Cette partie de son royaume lui était interdite. Dans cette modeste bâtisse s'élaborait pourtant le sanctuaire de Yahvé. Salomon ne résista pas à l'envie d'en pousser la porte.

Elle s'ouvrit.

Sur le seuil, une porte miniature en granit. Au fronton, une inscription : « Toi qui crois être un sage, continue à chercher la sagesse. » Au plafond, des étoiles à cinq branches alternant avec des soleils ailés. Sur le sol, un cordeau à treize nœuds entourant un rectangle argenté. Dans les angles de la pièce, des jarres et des vases contenant équerres, coudées et papyrus couverts de signes géométriques. Sur le mur du fond, une seconde inscription : « Ne te charge pas de biens sur cette terre ; là où tes pas te portent, si tu es un juste, rien ne te manquera. »

Salomon médita longuement à l'intérieur de l'atelier. Hiram s'était moqué de lui, voulant lui donner une leçon. En désignant Caleb comme gardien, le Maître d'Œuvre savait qu'il ne poserait aucun obstacle à la curiosité qui entraînerait fatalement le roi vers le chantier désert. Paroles et objets avaient été disposés à l'intention du visiteur indiscret.

La vanité d'un tyran eût été cruellement blessée. Mais Salomon vécut l'épreuve avec le sentiment d'appartenir désormais à une confrérie qui, au lieu de l'abaisser, exaltait en lui l'amour de la sagesse.

Lui aussi aurait aimé manier les outils, vivre la chaleur d'une fraternité, s'attacher à la perfection d'un travail fini.

Mais il était le roi. Et nul autre que lui-même ne pouvait parcourir le chemin que Dieu avait tracé.

Un fils n'était-il pas la couronne des vieillards, un plant d'olivier appelé à croître sous un ciel lumineux, la flèche dans la main d'un héros, la récompense du sage ? Oui, un fils s'annonçait comme une bénédiction.

La reine d'Israël allait donner naissance au fils de

Salomon, aidée de plusieurs sages-femmes qui la placèrent sur le siège d'accouchement. Le roi imaginait l'instant délicieux où il tiendrait dans ses bras le petit corps qui serait baigné, frotté de sel et enveloppé de langes avant que Salomon ne le montrât à une nombreuse assistance poussant des cris d'acclamation. Le monarque rêvait de la cérémonie de la circoncision. Le prêtre accomplirait avec précision l'ablation du prépuce et placerait sur la plaie un emplâtre d'huile, de cumin et de vin. Le père prendrait son fils sur les genoux et, calmant la douleur par son magnétisme, lui parlerait de son avenir d'héritier de la couronne. Il lui apprendrait qu'oublier l'usage du bâton revenait à haïr son enfant. Folie et ruine guettaient celui que le père ne redressait pas vers le ciel.

Les plaintes de Nagsara inquiétèrent Salomon. La jeune femme souffrait, en vertu du châtiment divin qui pèserait sur la naissance des humains jusqu'à la fin des temps.

Vint la délivrance.

Une sage-femme présenta le nouveau-né à Salomon.

Le roi le repoussa.

Nagsara ne lui avait pas donné un fils, mais une fille.

La mère, considérée comme impure, devait rester isolée pendant quatre-vingts jours. Il lui était interdit de sortir de sa chambre.

Nagsara ne cessait de pleurer. Comment pourrait-elle se faire pardonner? En donnant un fils à Salomon, elle aurait reconquis le cœur de son époux. Cette petite fille, qu'elle n'avait même pas voulu voir, injuriait la grandeur du roi d'Israël.

Quand Salomon consentit à lui rendre visite, Nagsara implora sa clémence.

— Oublions ce malheur, mon maître! Je vous jure que je concevrai un fils!

— D'autres soucis m'habitent. Repose-toi, Nagsara. Tu es épuisée.

— Non… je me sens forte. Je désire me lever et vous servir.

— Pas de folie. Confie-toi aux mains de tes servantes.

— Ce sont des vôtres dont j'ai besoin.

Salomon restait distant.

— L'administration du pays requiert une présence de tous les instants.

La gorge de la jeune femme se serra. Elle refusait de croire à la déchéance qui la guettait.

— Quand vous reverrai-je?

— Je l'ignore.

— Voulez-vous dire que... vous me répudiez?

— Tu es la fille de Pharaon et mon épouse. Par ta présence, Siamon a lié la destinée de l'Egypte à celle d'Israël. Je ne romprai ni cette union-là ni la nôtre. Jamais je ne te répudierai.

L'espoir déchira un ciel trop noir. Nagsara s'enflamma.

— Alors, votre amour n'est pas mort... Permettez-moi de rester à vos côtés. Je me tairai, je serai plus impalpable qu'une ombre, plus transparente qu'un rayon de soleil, plus douce que la brise d'automne.

Salomon tendit les mains vers Nagsara qui les embrassa avec ferveur.

— Je n'ai pas le droit de te mentir, Nagsara. Je t'ai aimée, mais cette flamme s'est éteinte. La passion s'est enfuie comme un cheval épris de grands espaces. Semblable à celui de mon père, mon désir bondit de colline en vallon, de coteau en sommet. Nulle femme ne l'emprisonnera.

— Je vaincrai mes rivales! Je les déchirerai de mes ongles, je les jetterai dans la pourriture de la géhenne!

— Apaise cette fièvre, mon épouse. La haine ne nourrit pas l'amour.

— Votre affection seule m'importe. Toutes mes forces seront consacrées à la conquérir.

— Mon respect t'est acquis.

— Il ne me suffit pas et ne me suffira jamais.

Salomon s'écarta. Comme il eût souhaité éprouver la même passion que la jeune Egyptienne! Mais quel être humain pouvait rivaliser avec le temple ? Seul, il emplissait le cœur du roi. Seul, il attirait désormais son amour. Le plaisir n'était qu'exaltation passagère et distraction du corps. Le temple absorbait l'être entier du souverain d'Israël.

Quand il sortit de la chambre, la reine, malgré sa faiblesse, décida de consulter la flamme. Combien d'années de son existence lui volerait-elle, cette fois, pour lui accorder la vérité ?

Au terme de sa voyance, Nagsara s'évanouit. Elle demeura inconsciente plusieurs heures.

A son réveil, elle savait.

Ce n'était pas le visage d'une rivale qu'elle avait discerné dans le bleu orangé de la flamme de l'au-delà, mais un monument immense, aux pierres brillantes, dominant une cité en liesse.

Le temple de Jérusalem. Le temple de Salomon.

Ainsi, le sanctuaire de Yahvé tuait en Salomon toute tendresse pour la femme qui lui offrait sa vie. Comment combattre un être de pierre qui, jour après jour, devenait plus puissant, sinon en frappant celui qui le faisait croître, l'architecte Hiram ?

C'est à la déesse Sekhmet, la terrifiante, la destructrice, la propagatrice des maladies, que Nagsara aurait recours.

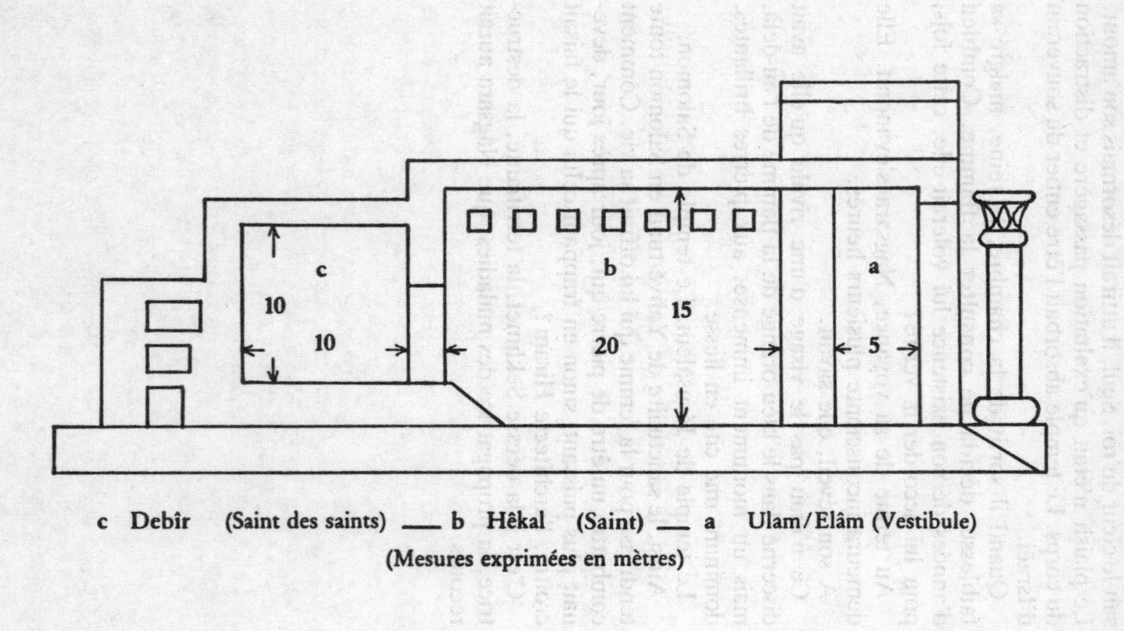

c Debîr (Saint des saints) —— b Hêkal (Saint) —— a Ulam/Elâm (Vestibule)

(Mesures exprimées en mètres)

40.

— Le temple est achevé, déclara Hiram. Depuis plus de six années, ma confrérie s'est mise à l'Œuvre. Qu'elle vous soit aujourd'hui confiée, roi d'Israël.

Salomon se leva, descendit les marches de l'estrade où il trônait et fit face à l'architecte.

— Que Dieu protège ses serviteurs. Guidez-moi vers Sa demeure, Maître Hiram.

Côte à côte, les deux hommes sortirent du palais, passèrent dans la grande cour inondée d'un soleil ardent et pénétrèrent dans l'aire sacrée en empruntant le passage reliant la demeure du roi à celle de Yahvé.

Ils s'arrêtèrent devant deux colonnes de bronze, hautes de dix mètres, supportant des chapiteaux de bronze également ornés de grenades.

— Ces colonnes sont creuses, indiqua Hiram, et ne soutiennent rien d'autre que les fruits contenant les mille et une richesses de la création.

Le Maître d'Œuvre songeait à l'arbre qui avait abrité le cadavre d'Osiris. Dans l'être du dieu, la résurrection avait vaincu la mort. A qui se dirigerait vers le sanctuaire, comme en Egypte, les deux colonnes, analogues aux obélisques précédant le pylône[1] d'accès, annonceraient la nécessaire mort au monde des apparences, le passage à travers le fût vertical pour renaître sous la forme d'une grenade, puis éclater comme un fruit mûr dans l'éblouissement du sacré.

1. Le pylône, symbole de la contrée de lumière où ressuscite quotidiennement le soleil, est un massif monumental marquant l'entrée du temple égyptien.

Salomon s'approcha de la colonne de droite et lui imposa son sceau.

— Dieu établira ici son trône à jamais, affirma-t-il. C'est pourquoi je te nomme *Jakin*[1].

Puis il agit de même envers la colonne de gauche.

— Dans la force de Dieu, que le roi se réjouisse ! C'est pourquoi je te nomme *Booz*[2].

Pour le monarque, les deux colonnes s'élevaient, arbres de vie dont le rayonnement s'ouvrait sur l'univers dont il avait rêvé et qu'il voyait se matérialiser. Par son génie, Hiram rendait possible le retour au paradis, au lieu béni d'avant la chute et le péché.

Au-delà de cette frontière, une pièce de dix mètres de large et de cinq mètres de long, vestibule vide de tout objet, aux murs décorés de fleurs sculptées, de palmes et de lions ailés dorés à l'or fin, étincelant sous une lumière vive. Hiram avait ainsi transposé la salle du temple égyptien précédant le sanctuaire secret.

— Cet endroit s'appellera l'*ulam*, « celui qui est devant », décida Salomon. Ici se purifieront les prêtres.

Ce narthex était fermé par une cloison de bois. Au milieu, une porte dont le roi écarta les lourds vantaux en bois de cyprès.

Il découvrit une grande salle de vingt mètres de long, dix de large et quinze de haut. Des fenêtres aux barreaux de pierre dispensaient une faible lumière. Salomon s'y habitua. Il remarqua, sur les murs couverts de boiseries de cèdre, des guirlandes de fleurs et des palmes d'or. Au linteau, un triangle. Sur le sol, un parquet de cyprès. Hiram avait placé cinq chandeliers d'or à gauche de l'entrée et cinq à droite. De part et d'autre du centre un autel d'or et une table de bronze. Ainsi avait-il traduit la chambre du milieu et la salle des offrandes où officiait le pharaon d'Egypte.

Salomon se déchaussa.

— Quiconque pénétrera en ce lieu, le *hêkal*, y marchera pieds nus. Sur l'autel seront disposés l'encens et les parfums, de sorte que Dieu se nourrisse chaque jour de

1. Jeu de mots rituel sur le terme « établir, ériger ».
2. Jeu de mots rituel sur le terme de « force ».

l'essence subtile des choses. Sur la table, les douze pains d'offrande. Au cœur du Saint, un candélabre à sept branches[1] dont la lumière symbolisera le mystère de la vie en esprit.

Salomon allait de surprise en surprise. Non seulement Hiram avait manifesté le temple parfait, mais encore un esprit parlait à travers le roi, dictant les paroles qui donnaient leur nom aux parties de l'édifice.

Il s'immobilisa près du rideau qui séparait le *hêkal* de la dernière pièce du temple.

— Est-elle plongée dans les ténèbres?

— Aucune lumière n'y pénètre, répondit Hiram, qui s'était inspiré du naos, lieu secret où Pharaon communiait avec la divinité.

L'Ecriture ne révélait-elle pas que Yahvé exigeait d'habiter dans l'obscurité? Salomon souleva le voile. Hiram l'empêcha de retomber, le monarque put ainsi contempler l'intérieur de cette énorme pierre cubique de dix mètres d'arête, dépourvue de fenêtres.

— Voici donc le *debîr*, murmura-t-il, la chambre cachée.

Les murs du Saint des saints étaient recouverts de l'or de Saba, à jamais invisible pour le profane. N'entrerait ici que le roi ou son délégué, le grand prêtre.

Le sol s'élevait nettement au-dessus de celui des autres pièces, conformément à la symbolique égyptienne qui faisait se rejoindre à l'infini le plafond céleste s'abaissant peu à peu et le dallage terrestre s'élevant vers lui.

En dessous, le gigantesque bloc de granit tombé du ciel.

— Ici sera conservée l'Arche d'alliance, décida Salomon, le reliquaire qui maintient la présence de Dieu parmi son peuple.

Le roi se tourna vers Hiram.

— Laissez-moi seul.

Le rideau retomba.

1. Lors du sac de Jérusalem, les légionnaires de l'empereur romain Titus considéreront ce candélabre comme la pièce la plus précieuse du butin. Il symbolisait le mystère de l'univers et la connaissance de ses lois.

Plongé dans les ténèbres du Saint des saints, Salomon savoura la paix du Seigneur. Dans cet instant de plénitude, au sein de l'isolement que requérait l'invisible lumière de Dieu, le monarque atteignit l'apogée de son règne. Ce qu'il avait espéré, non pour lui-même, mais pour la gloire de l'Unique, était devenu réalité. A l'issue du chemin, il y avait ce vide, implacable et serein.

Ici, désormais, Salomon viendrait implorer la sagesse.

Quand il sortit du temple, le roi fut ébloui par le soleil. Ce qu'il vit l'étonna au point qu'il crut à une hallucination.

Sur le parvis, non encore dallé, trônaient deux personnages ailés à tête humaine hauts de cinq mètres. En bois d'olivier recouvert d'or, ils ressemblaient aux sphinx gardant les allées menant aux temples d'Egypte. Maître Hiram leur avait donné le visage de Salomon.

— Voici le chef-d'œuvre des maîtres, dit Hiram.

Salomon détailla les stupéfiantes sculptures. Pas un défaut n'affligeait leur magnificence. Qui d'autre que le roi des cieux pourrait contempler ces anges que l'Ecriture appelait Chérubins ?

— Qu'ils soient placés dans le Saint des saints, décida Salomon, et qu'ils disparaissent aux regards des hommes. Leurs ailes protégeront l'Arche d'alliance. Ils incarneront le souffle de Dieu. Dans leur envol, ils emporteront les âmes des justes.

Le roi admira à nouveau les deux colonnes, parcourant en esprit l'axe du temple.

— Pouvons-nous procéder à l'inauguration, Maître Hiram ?

— Le parvis et les bâtiments annexes ne sont pas terminés.

— Sont-ils si nécessaires ?

— Ne les jugez-vous pas indispensables ? Sans eux, le temple ne serait pas complet.

Salomon calma son impatience. Maître Hiram avait raison.

— De plus, ajouta l'architecte, il est une autre œuvre, unique, à laquelle je veux donner naissance. Toute la confrérie y travaillera, aidée des fondeurs.

— Pendant combien de temps?

— Quelques mois, si vous m'accordez un total appui.

— Comment en irait-il autrement, Maître Hiram? Si les mots savaient dire...

Le roi s'interrompit. Remercier l'architecte d'avoir rempli son contrat serait s'abaisser. Un monarque n'avait pas le droit d'exprimer un sentiment de reconnaissance à son serviteur, fût-il Maître d'Œuvre. Salomon aurait aimé témoigner de son amitié à cet architecte farouche, partager avec lui ses inquiétudes et ses espérances. Mais sa fonction le lui interdisait.

Assis entre les colonnes, Hiram assistait au coucher du soleil. Epuisés, les membres de la confrérie se reposaient avant de reprendre les travaux. Ils seraient des plus dangereux. L'architecte prendrait toutes les précautions possibles pour éviter de mettre en péril l'existence de ses artisans. Il payerait de sa personne, mais aurait besoin d'aide. Voir périr l'un de ses compagnons de chantier lui serait insupportable. Impossible, cependant, d'abandonner l'idée qui avait germé en son esprit. Afin de couronner le temple et de se purifier lui-même de l'effort surhumain accompli au cours de ces longues années d'exil, il fallait que sa vision prît forme.

Hiram regrettait que son entretien avec Salomon, sur le parvis inachevé, eût tourné court. Il aurait souhaité lui clamer l'admiration qu'il éprouvait envers un roi épris de sacré, l'amitié née à travers les épreuves. Mais Salomon régnait sur Israël, lui sur sa confrérie. Le monarque n'avait pas manié les outils, versé sa sueur, écorché ses mains. Il ne serait jamais ce Frère, dans la peine comme dans la joie. Ce qu'ils avaient réalisé, le roi et lui, les dépassait sans les réunir.

Avec les derniers rayons du couchant, Hiram erra sur le chantier. Dans quelques jours, il démonterait l'atelier du Trait. Le travail et la peine des bâtisseurs seraient effacés de l'Histoire. L'édifice qu'ils avaient créé leur échapperait à jamais.

Le pied du Maître d'Œuvre heurta un éclat de calcaire masquant un trou. Sortant de son abri, un scorpion noir s'enfuit, en quête d'une autre cachette.

Le scorpion de la déesse Serket, celle qui resserrait la gorge, empêchait l'air de passer et préparait la venue de la mort... Le tueur à la sombre carapace était-il porteur d'un présage ? De quel trépas se faisait-il le messager ?

41.

— Je réclame la mort, dit Sadoq.

— Pourquoi tant de sévérité? s'étonna Salomon.

— Parce que votre épouse est coupable de magie noire. Plusieurs prêtres l'ont vue rendre hommage à de fausses divinités, faire briller une flamme en plein jour et prononcer des incantations avant de tomber dans une extase impie. Au nom de Yahvé et de la loi d'Israël, je réclame un procès exemplaire. Nul n'est au-dessus de la justice.

La colère de Sadoq n'était pas feinte. Outre la haine qu'il portait à l'Egyptienne, il y avait sa foi exigeante de grand prêtre.

— Tes témoins sont-ils prêts à comparaître devant moi?

— Ils le sont, Majesté.

— L'accusation sera donc formulée.

Salomon savait que le peuple murmurait. Aux portes de la capitale, où se tenaient les marchés et où l'on embauchait les journaliers, les croyants, scandalisés par le comportement de la reine, réclamaient un châtiment. Les conversations allaient bon train. A l'heure où Yahvé jouirait du plus beau temple jamais construit, comment admettre qu'une étrangère le défiât avec des rites païens?

Si la sagesse assistait Salomon dans ses entreprises, ne souffrait-il pas de la présence d'une diablesse à ses côtés? Nagsara n'était-elle pas responsable des maux qui affligeaient les vieillards, de la mort prématurée des nouveau-nés, du khamsin desséchant, des récoltes insuffisantes, des hivers trop rudes ? N'avait-elle pas partie liée avec les démons de la nuit et les nuages d'insectes ? Le jugement du peuple, lui, était rendu : Nagsara l'Egyptienne devait disparaître.

L'atelier du Trait démonté, le parvis occupé par les poseurs du pavement, Maître Hiram habitait de nouveau la salle souterraine en compagnie de son chien et de Caleb. Le boiteux, qui n'appréciait pas l'atmosphère du chantier exclusivement vouée au travail, avait de nouveau l'occasion de briller en préparant d'excellents plats qu'appréciait l'architecte, presque autant qu'Anoup.

Utilisant des éclats de calcaire qu'il broyait ensuite entre ses doigts, supprimant ainsi toute trace de son travail, il dessinait plan après plan, améliorant sans cesse l'épure de l'œuvre qui devait se dresser sur l'aire sacrée et rendre illustre le temple de Salomon dans les siècles des siècles.

Caleb servit à Hiram de l'agneau grillé au romarin. Malgré la désapprobation du cuisinier, le chien hérita d'un bon morceau.

— La reine risque-t-elle d'être condamnée ?

— Salomon n'a pas le choix, répondit Caleb. Il y a de nombreux témoins. Les langues se délient. L'Egyptienne pratique la magie noire depuis trop longtemps.

— Quelle peine encourt-elle ?

— La lapidation.

— Comment peut-elle se défendre ?

Caleb réfléchit en buvant une coupe de vin.

— Il y aurait bien un moyen... Un rituel très antique...

— Lequel ?

— L'épreuve de l'eau amère. L'accusée boit une horrible mixture où sont mêlés de la poussière, des excréments d'animaux et des déchets de plantes. Si elle vomit, sa culpabilité est prouvée. Le châtiment est appliqué sur-le-champ. Sinon, elle est reconnue innocente.

— Parfait, estima Hiram.

Le boiteux fronça les sourcils.

— Parfait? Qu'est-ce que ça signifie? Vous réjouiriez-vous de l'exécution d'une femme? Cela ne vous ressemble guère.

L'architecte demeura silencieux.

*
**

La reine d'Israël, informée par le secrétaire de Salomon qu'elle devrait comparaître devant le tribunal royal sous l'inculpation de magie noire, se terrait dans ses appartements du nouveau palais. Elle n'avait pas réussi à reconquérir son mari. La déesse Sekhmet n'avait pas eu le temps de lui venir en aide. Bien qu'elle se fût épuisée à consulter la flamme, Nagsara n'avait pas obtenu le moyen de briser Hiram et de le précipiter dans le royaume des ténèbres. Ce royaume où, par le jugement de l'homme qu'elle aimait, elle pénétrerait bientôt.

Nagsara ne voulait pas mourir. Elle possédait suffisamment de force pour continuer à lutter, suffisamment de pouvoir magique pour vaincre Israël tout entier. Son imprudence ruinait de légitimes espérances. A ce désastre s'ajoutait l'humiliation de recevoir celui qu'elle détestait, l'architecte du temple. Par l'intermédiaire de Caleb, il lui avait demandé audience. D'abord décidée à refuser, elle avait réfléchi. N'était-ce pas l'occasion d'extirper la racine du mal?

Quand Maître Hiram entra, Nagsara serra le manche du poignard qu'elle tenait dissimulé dans un pli de sa robe.

— Venez-vous me persécuter davantage?

— Vous aider, Majesté. Je connais le sort cruel qui vous guette. Dès que l'accusation sera formulée, exigez l'épreuve de l'eau amère.

Hiram la décrivit en détail à la reine.

— Pourquoi vous obéirais-je?

— Pour sauver votre vie.

— Etrange sollicitude.

— L'injustice m'est insupportable. Vous n'êtes accusée qu'en raison de votre origine égyptienne.

— Qu'en savez-vous ?
Elle s'approcha du Maître d'Œuvre.
— J'ai pratiqué la magie et la pratiquerai encore. Je veux que Salomon m'aime. Si ma conduite vous heurte, condamnez-moi, vous aussi !
Brandir l'arme, frapper, frapper encore... Des gestes simples, vifs, précis et Nagsara serait délivrée du démon qui l'empêchait d'être heureuse.
— Je vous le répète, Majesté : je suis venu vous aider, non vous juger.
— Je ne comprends pas...
— Versez dans la coupe d'amertume cette fiole d'aloès pourpre que je vous remets. Cette teinture vous empêchera de vomir.
Désorientée, Nagsara jeta le poignard sur le sol. Hiram n'accorda pas le moindre regard à l'arme qui devait le tuer.
— Que les dieux vous protègent, Majesté.

La reine écouta sans protester les accusations formulées par Sadoq. Elle chercha en vain un sourire sur le visage de Salomon, un encouragement dans son regard. Il demeurait froid, lointain, se contentant de présider le tribunal de Yahvé.
Sadoq appela les témoins à charge. La reine ne les contredit pas. A l'issue de leur déposition, elle exigea l'épreuve de l'eau amère. Le grand prêtre, certain du résultat, ne s'y opposa pas. Avant de boire, dos tourné au tribunal, Nagsara versa l'antidote. La peur la saisit. Hiram ne lui avait-il pas donné du poison afin de hâter sa fin et de lui éviter la lapidation ? Ne lui avait-il pas joué une abominable comédie ?
Elle but d'un trait.
Un goût atroce envahit sa bouche. Du feu lui brûla les entrailles.
Mais elle ne vomit pas. Après avoir salué Salomon, elle passa devant Sadoq, la tête haute.

Pendant que le peuple acclamait Nagsara innocentée par le jugement de Dieu, le grand prêtre réunit ses alliés, Elihap et Jéroboam. A la suite de ce nouvel échec, Sadoq avait envie de renoncer. La lutte s'avérait trop inégale. Lui aussi croyait, à présent, que la sagesse inspirait la pensée et les actes de Salomon. Quiconque se dressait contre lui subissait une défaite. La raison ne commandait-elle pas au grand prêtre de se contenter de sa fonction et de servir fidèlement son roi ?

— J'ai d'excellentes nouvelles, dit Jéroboam, exalté. Plusieurs apprentis sont fort mécontents de leur sort. Maître Hiram les traite comme des esclaves. Il impose toujours plus de travail et refuse d'augmenter leur traitement. Leur hébergement est insalubre.

— N'en êtes-vous pas responsable ? s'étonna Elihap.

— Si, admit Jéroboam, joyeux. Mais j'ai convaincu un groupe de mécontents que j'obéissais aux ordres de Maître Hiram et qu'il méprisait les apprentis. Une rumeur circule, à l'intérieur de la confrérie. L'architecte aurait l'intention de créer une œuvre inouïe qui couronnerait le temple. Pour y parvenir, il aurait besoin du concours de tous, même des fondeurs d'Eziongaber. Si nous fomentons une révolte parmi les apprentis, nous le conduirons à l'échec. Sa chute entraînera celle de Salomon.

Sadoq fut ébranlé. La haine que Jéroboam éprouvait à l'égard du roi l'entraînait vers des conclusions hâtives. Mais affaiblir la confrérie et Maître Hiram serait, en effet, un résultat appréciable.

— As-tu payé ces hommes?

— Certains apprentis ont refusé, d'autres ont accepté... Avec le temps, je les achèterai tous. Maître Hiram croira régner sur une confrérie qui nous appartiendra.

Sadoq demeurait sceptique. Compagnons et maîtres sauraient expliquer que quelques médiocres n'affectaient pas la cohérence d'un groupe. Le prestige de Maître Hiram était trop affirmé pour être terni par quelques piqûres d'insectes malfaisants.

— Peux-tu détourner une partie du trésor de Salomon ? demanda Jéroboam à Elihap. Plus nous payerons avec générosité, plus nous aurons de partisans.

— Ce ne sera peut-être pas nécessaire.

Le géant roux s'emporta.

— T'opposerais-tu à mon plan ?

— Le destin le complétera en enfermant Maître Hiram dans les rets d'une malédiction. J'ai une autre bonne nouvelle : dans la ville basse, un ouvrier vient de mourir de dysenterie.

42.

L'été asséchait les gorges. Les fortes chaleurs épuisaient les organismes les plus robustes. Cinq ouvriers avaient succombé à la dysenterie. Plus d'une centaine étaient atteints par la maladie. Des nuées de moustiques venant des marécages proches du Jourdain avaient envahi Jérusalem. La poussière, tourbillonnant dans des vents brûlants, pénétrait dans les yeux et provoquait de nombreuses ophtalmies.

Les médecins ne parvenaient pas à fabriquer une quantité suffisante de collyres à base d'antimoine. A ceux dont les entrailles étaient torturées par les démons, on faisait boire des tisanes de romarin, de rue et de jus extrait de la racine des palmiers.

Une vingtaine d'apprentis demandèrent à voir Maître Hiram. Anoup grogna. Caleb répondit que l'architecte travaillait aux plans de son chef-d'œuvre et qu'il les convoquerait d'ici peu. Devant l'insistance du meneur, Caleb consentit à importuner Hiram.

Ce dernier abandonna son labeur et vint à la rencontre de ses apprentis. Son visage courroucé imposa le silence dans leurs rangs.

— Que signifie cette démarche ? Auriez-vous oublié notre hiérarchie ? Ignorez-vous que vous devez adresser les requêtes au maître chargé de votre instruction ?

Le meneur, un jeune homme d'une vingtaine d'années aux épaules frêles, s'agenouilla devant le Maître d'Œuvre et jeta sur le sol plusieurs pièces d'argent.

— Vous seul pouvez intervenir. Des hommes de la

corvée cherchent à nous soudoyer, nous leur résisterons. Mais pourquoi devons-nous résider dans des demeures sordides ? Sommes-nous considérés comme des bêtes malades ?

— N'est-ce pas Jéroboam qui se charge de votre logement ?

— Il prétend obéir à vos ordres. Nous préférions les tentes. Il nous a obligés à déménager en invoquant votre autorité.

Ainsi, à l'intérieur même de la confrérie, le nom d'Hiram pouvait être utilisé à de mauvaises fins. La fraternité qu'il avait tissée se révélait bien fragile.

— Conduisez-moi jusqu'à vos demeures. Je veux les voir.

Hiram fut douloureusement édifié. Les apprentis avaient été cantonnés dans des maisons basses, sans air et sans lumière, aux murs tachés de lèpre et creusés de cavités rougeâtres où grouillaient des cafards. Des malades gisaient sur des nattes infectes.

— Quittez immédiatement ces taudis, ordonna Hiram, et retournez au camp des tentes.

Quand le Maître d'Œuvre voulut sortir de la capitale par sa porte principale afin de se rendre sans tarder au temple de Jérusalem, il se heurta à une foule vociférante composée d'hommes de la corvée. Plusieurs ouvriers déchaînés appelaient à la grève. Ils se plaignaient de salaires insuffisants, de payes retardées, de nourriture malsaine.

Hiram fendit leurs rangs et se plaça au milieu d'eux. Il les laissa hurler pendant de longues minutes. Personne n'osa porter la main sur lui. La révolte s'apaisa. Quand les clameurs se turent, l'architecte prit la parole.

— Vos revendications sont justes, reconnut-il. Où est votre chef ?

— Jéroboam voyage en province, répondit un vieillard. Notre chef, c'est vous ! Vous êtes responsable de nos malheurs.

La tension monta à nouveau. Quelques injures fusèrent.

— Ceux qui calomnient leur chef se rendent indignes

du travail qu'on leur confie, dit Hiram. Vous n'appartenez pas à ma confrérie, mais à la corvée que Jéroboam est chargé d'organiser. Ce n'est pas à vous que je m'adresserai, mais au roi. En tant que Maître d'Œuvre, j'obtiendrai ce qui doit vous être accordé. Si un seul d'entre vous met ma promesse en doute, qu'il me jette une pierre au visage.

Le cercle des ouvriers s'écarta.

Un cri s'éleva : « Gloire à Maître Hiram ! », suivi de centaines d'autres.

*
**

— Si j'ai réuni le conseil de la Couronne, expliqua Salomon, c'est pour examiner un important document qui vient de me parvenir.

Jérusalem ne parlait que de la destitution de Jéroboam, demandée et obtenue par Maître Hiram, nommé chef de la corvée. Le pouvoir de l'architecte s'étendait encore. Sa popularité, après que les exigences des ouvriers eurent été satisfaites, menaçait d'égaler celle de Salomon. Les membres du conseil étaient persuadés que le roi les avait convoqués afin d'étudier cette dangereuse situation. Mais il n'en avait cure.

— Voici la lettre que j'ai reçue, poursuivit le monarque : « *A mon Frère Salomon, le puissant roi d'Israël, de la part de sa Sœur, la reine de Saba. Les arbres qui poussent dans mon pays furent plantés le troisième jour, dans la pureté de la création, avant la naissance de l'humanité; les fleuves qui arrosent mes terres ont leur source dans le paradis; les Sabéens ignorent la guerre et le maniement de l'épée. C'est en messagère de la paix que je t'écris. Je t'ai envoyé mon or car tu souhaitais bâtir un temple. Aujourd'hui, j'aimerais le contempler, savoir à quelles fins ont servi les richesses de Saba. Mon Frère m'invitera-t-il à sa cour?* »

Sadoq, Elihap et Banaias étaient abasourdis. Salomon jouissait décidément de tous les bonheurs. Jamais la reine de Saba n'avait quitté son pays. Et voici qu'elle proposait d'illuminer de sa présence la Jérusalem du fils de David !

— Que cette femme se prosterne d'abord devant toi, exigea le général Banaias, méfiant. Elle oublie que tous les souverains de la terre doivent rendre hommage à ta sagesse. Si elle refuse, mon armée se déchaînera contre elle!

Salomon apaisa l'homme de guerre.

— Accueillons la paix qu'elle nous propose, dit le roi. Son voyage sera un hommage à Yahvé.

— Méfiez-vous de cette femme, recommanda Sadoq. Si cette reine se purifie dans les fleuves du paradis, si elle se nourrit des fruits des arbres nés avant la chute et le péché, si sa richesse est la plus abondante, sa sagesse ne serait-elle pas supérieure à la vôtre?

— Je prends ce risque, indiqua Salomon. Avez-vous d'autres objections à la venue de la reine de Saba?

Les trois membres du conseil se turent.

— Il ne me reste plus qu'une seule personne à consulter. Tiens-toi prêt, Elihap, à écrire ma réponse.

Salomon s'entretint avec Maître Hiram juste avant son départ pour Eziongaber. Les deux hommes marchèrent côte à côte sur la grande route pavée qui lie Jérusalem à la Samarie.

— Yahvé nous gratifie d'un miracle : la visite prochaine de la reine de Saba. Le conseil de la Couronne a donné son approbation. Quel est votre avis, Maître Hiram?

— C'est vous qui gouvernez Israël, Majesté.

— Souhaitez-vous la présence de la reine lors de l'inauguration du temple?

— A mon sens, ce serait une erreur. Ce moment-là est réservé au dialogue entre le roi et son dieu. Nul monarque étranger ne doit le troubler.

— Sage précaution, reconnut Salomon. Quand fixeriez-vous l'arrivée de la reine?

— Lorsque le temple aura été inauguré, quand le palais et les bâtiments annexes seront achevés. Le roi d'Israël fera admirer une œuvre finie.

— Dans combien de temps, Maître Hiram ?
— Dans un an, Majesté.

***

Jéroboam laissa éclater sa colère. Son poste de chef de la corvée perdu, il devenait simple intendant des écuries de Jérusalem. Les apprentis avaient simulé une trahison pour mieux avertir Hiram de ce qui se tramait contre lui. La tentative de révolte des ouvriers de la corvée avait échoué ; Hiram avait utilisé l'événement à son profit. L'architecte apparaissait aussi intouchable que le roi. Une protection divine s'étendait sur les deux hommes.

— Soyez satisfait de votre sort, observa Elihap. C'est Hiram lui-même qui a plaidé votre cause auprès de Salomon. Tout en exigeant votre renvoi pour incompétence, il a imploré la clémence.

— J'ai été ridiculisé aux yeux d'un troupeau de moutons qu'hier je commandais ! rugit le géant roux. Moi, le futur roi de ce pays, je suis réduit à la condition d'un valet dont on se moque !

— Renonçons à ce complot, proposa le secrétaire de Salomon. Le sort nous est contraire.

— Il nous reste une dernière chance, estima Sadoq. L'idée de Jéroboam était excellente, mais nous l'avons mal appliquée. Les apprentis sont trop dévoués à Hiram.

— Voudriez-vous corrompre les maîtres ? ironisa l'ancien chef de la corvée. Ils se feraient tuer pour Hiram !

— Je pense aux compagnons. Ecartons la corruption et songeons à l'ambition. Parmi eux, il en est qui désirent ardemment devenir maîtres et découvrir le mot de passe qui leur ouvrira la porte des grands mystères. En premier lieu, affaiblissons le prestige d'Hiram. Faisons échouer son chef-d'œuvre. Ensuite, persuadons deux ou trois compagnons de forcer ce mauvais architecte à leur livrer les secrets de la maîtrise. Ainsi le cœur de la confrérie sera-t-il détruit. Enfin, prouvons que Salomon est un roi indécis, qui compromet la sécurité d'Israël et trahit les intentions de Yahvé.

Elihap, malgré la crainte qui gênait sa respiration, n'osa protester. Jéroboam, de nouveau empli d'espoir, passa la main dans ses cheveux. Le grand prêtre était un esprit remarquable mais dangereux. Salomon déchu, éliminer Sadoq serait indispensable.

*
**

Le pays de Saba vivait dans la paix et le bonheur. De vastes forêts où gambadaient des singes ornaient le sommet de collines parcourues de rivières bordées de jasmins. Les plaines s'ornaient de gardénias géants où nichaient des centaines d'oiseaux au plumage rouge, vert et jaune.

Au lever du soleil, Balkis, la reine de Saba, apparut sur la terrasse supérieure de son temple, ornée de sphinx et de stèles dédiées à la déesse égyptienne Hathor. Elle admira les jardins suspendus où trônaient des oliviers centenaires qui, selon la légende, avaient été plantés par le dieu Thot lui-même, lors d'un de ses voyages à Saba.

La reine étendit les bras vers le soleil levant, lui adressant une longue prière en hommage aux bienfaits qu'il dispensait à son pays et à son peuple. Aujourd'hui comme hier, les montagnes offriraient leur or. Des spécialistes récolteraient l'encens, la cannelle, le cinnamome ; des pêcheurs amasseraient des perles. Les splendeurs seraient acheminées jusqu'au palais où la reine appellerait sur eux la bénédiction du soleil et de la lune.

Une huppe argentée se posa sur le rebord de pierre de la terrasse. Ne présageait-elle pas l'arrivée imminente d'un messager venu d'Israël? De fait, le Premier ministre ne tarda pas à porter une missive à Balkis.

Elle la lut avec joie.

— Je viendrai, murmura-t-elle. Dans un an, Salomon, je viendrai à Jérusalem.

43.

S'inspirant des bassins de purification présents sur le parvis des temples égyptiens, Hiram avait conçu le projet d'une monumentale vasque de bronze qu'il s'apprêtait à créer sur les bords du Jourdain. Les maîtres, à la vue des plans, avaient appelé « mer d'airain » le chef-d'œuvre de l'architecte redoutant les difficultés techniques presque insurmontables que les fondeurs auraient à affronter.

Des murs de briques avaient été élevés autour d'un gigantesque moule creusé dans le sable. C'est lui qui recevrait la coulée de bronze provenant de la gueule béante de plusieurs hauts fourneaux.

Hiram était inquiet. L'entreprise s'annonçait périlleuse. De multiples rigoles permettraient de dévier le fleuve de feu si un incident se produisait. Mais les précautions prises ne rassuraient pas le Maître d'Œuvre. A tous ceux qui travailleraient sur le chantier, il demanda d'interrompre le travail au premier signe de danger. Il eut même la tentation d'abandonner sa création au domaine du rêve, mais l'enthousiasme des maîtres était tel qu'il consentit à ne pas reculer.

Hiram vérifia un à un les échafaudages qui furent placés autour de la future mer d'airain, examina longuement le fourneau placé sous elle, fit répéter dix fois les gestes aux ouvriers. Tout semblait en ordre. L'exaltation des grandes heures animait les cœurs.

Conformément à la tradition des fondeurs, l'œuvre

commença quand les étoiles furent visibles. Dans la nuit, la moindre anomalie serait immédiatement repérée. L'œil pourrait suivre les méandres du fleuve de feu.

Ce fut le moment choisi par Jéroboam et deux hommes de la corvée pour agir. La surveillance du chantier s'était relâchée et l'obscurité favorisait leurs desseins. Ils fissurèrent le moule principal en plusieurs endroits.

Hiram leva la main droite. Du sommet des tours de briques, le métal s'écoula dans les canaux qui le conduiraient vers le fourneau. La coulée rougeoyante perça les ténèbres, illuminant les eaux du fleuve et la campagne environnante. Les artisans, ébahis, eurent l'impression qu'un soleil éclaté surgissait des profondeurs de la terre, lumière d'outre-tombe nourrie aux flammes de l'enfer. Le fleuve incandescent semblait jaillir d'un monde interdit régi par des lois inconnues.

Le flot igné s'enfla, menaça de déborder. Mais les fondeurs parvinrent à le réguler de manière à ce qu'il demeurât dans les canaux. Hiram et les maîtres brisèrent eux-mêmes les bouchons de terre cuite obturant les passages en direction du fourneau.

Lorsque l'ensemble des rigoles fut rempli de cette lave métallique, leur réseau forma un pays de feu irrigué par cent rivières convergeant vers un foyer central à l'insatiable appétit. Fascinés, les artisans regardèrent la coulée, lente et solennelle, emplir les cavités de la mer d'airain. Des sourires se dessinèrent sur les visages rougis par la chaleur. Le chef-d'œuvre prenait forme.

Soudain, le liquide brûlant déborda d'une rigole, menaçant d'incendier un échafaudage de bois.

— Les pots à feu ! hurla le Maître d'Œuvre.

Au sommet des tours, plusieurs fondeurs utilisèrent de grandes tiges au bout desquelles étaient accrochés des pots qu'ils plongèrent dans le torrent de métal dont ils réduisirent la masse et le flux. L'opération fut si rapidement menée que nul dégât ne fut causé à la vasque géante. L'airain excédentaire s'écoula dans la terre où il mourut en grésillant.

Hiram s'assura qu'aucun ouvrier n'avait été blessé. Il respira mieux. La coulée prenait la place qui lui avait été destinée, commençant à tracer l'immense cercle de la mer d'airain et à faire naître le corps massif des douze taureaux qui la supporteraient.

Un cri de terreur lui perça le cœur.

— Le moule ! Le moule éclate !

Le fondeur qui venait d'observer la déchirure fut aspergé d'une lave furieuse échappant à son carcan. Le visage et la poitrine calcinés, il mourut sur-le-champ.

Partout sur son parcours, le fleuve de feu tenta de sortir de son lit. Quelques minutes de plus, et la mer d'airain était née.

Un compagnon se précipita vers Hiram.

— Maître, il faut stopper la coulée ! Si elle déborde, tout sera détruit et il y aura des dizaines de morts !

— Si nous intervenons trop tôt, ce sera pire.

Le moule se fissura davantage. Mais l'airain se solidifiait. Le compagnon, croyant que le Maître d'Œuvre avait perdu l'esprit et qu'il ne se préoccupait que de son chef-d'œuvre en oubliant ses Frères, monta au sommet d'une des tours en rondins contenant des milliers de litres d'eau. Fou de terreur, il libéra le déluge.

Pendant que la coulée continuait à faire gémir le moule, la surface brûlante, au contact de l'eau, se transforma en geysers. Une pluie de feu s'abattit sur les ouvriers qui s'enfuirent en hurlant. Beaucoup d'entre eux s'effondrèrent près des échafaudages qui ne tardèrent pas à s'enflammer.

Salomon admira la création de Maître Hiram. La mer d'airain, encore fumante, sortait de la nuit de souffrance et de malheur pendant laquelle elle avait été engendrée. Dès l'annonce de la catastrophe, le roi avait quitté Jérusalem pour les fonderies du bord du Jourdain.

Plus de cinquante ouvriers décédés, une centaine

atrocement brûlés. Mais la mer d'airain avait traversé victorieuse l'épreuve. Né dans l'esprit d'un génie, le bassin de purification aux douze taureaux faisait désormais partie des plus grandes merveilles façonnées par la main humaine.

Au sein de la dévastation, la beauté.

— Où se trouve Maître Hiram ? demanda le roi au surveillant des fonderies.

— Nul ne le sait. Il a organisé les secours puis il a disparu.

— Que l'œuvre soit transportée jusqu'au parvis du temple. Que rien de fâcheux ne lui advienne.

Salomon ordonna à une escouade de soldats appartenant à sa garde personnelle de demeurer sur le chantier. Aucun soldat ne fut autorisé à l'accompagner. C'était à lui, et à lui seul, de retrouver l'architecte.

Il chemina le long du fleuve, aboutit à une barrière de roseaux. Il était persuadé que Maître Hiram, cruellement blessé par la mort de ceux qu'il gouvernait, avait cherché refuge dans la plus lointaine des solitudes. Ecartant le rideau végétal, Salomon s'aventura dans un univers hostile où de petits carnassiers s'attaquaient à des nids d'oiseaux. Quelques tiges cassées prouvèrent au monarque que le Maître d'Œuvre avait bien emprunté ce chemin-là. Adolescent, le roi avait chassé dans ces lieux reculés où il aimait rêver de la sagesse.

Lorsqu'il parvint au sommet de la butte de terre rouge dominant le lac des hibiscus, un minuscule plan d'eau environné de plantes odorantes, Salomon vit Hiram. Nu, il se lavait en frottant sa peau avec du natron.

Le roi fit craquer des brindilles. Hiram leva la tête, aperçut l'intrus, mais ne modifia pas le rythme de ses gestes. Ses ablutions achevées, il se vêtit de la tunique blanche et rouge puis s'assit sur le bord du lac. Salomon vint le rejoindre et prit place à ses côtés.

— C'est une immense victoire, Maître Hiram. La mer d'airain est un prodige.

— La plus affreuse de mes défaites. Des hommes sont morts à cause de moi.

— Vous vous trompez. Je suis persuadé qu'il y a eu sabotage. Nous en obtiendrons la preuve et nous châtierons les coupables.

— J'aurais dû le prévoir et déjouer leur piège.

— Vous n'êtes qu'un homme. Pourquoi charger vos épaules de tous les malheurs ?

— Ce chantier était le mien. Le désastre m'incombe.

— Vous êtes trop vaniteux. Votre chef-d'œuvre n'est-il pas devenu réalité ?

— Son prix est trop élevé. Aucune création ne justifie la perte de vies humaines. J'aimais ces hommes. Ils étaient mes Frères. A mes propres yeux, je suis à jamais indigne. La mer d'airain me rend impur. Rien n'effacera cette tache.

— A mes yeux, vous avez atteint le but que vous vous étiez fixé. Vous n'avez rien à vous reprocher. Mais vous n'auriez pas dû me mentir.

L'architecte tourna un instant la tête.

— Vous êtes circoncis, continua Salomon. Si vous étiez Hébreu, ce serait la marque visible, dans votre chair, de l'alliance avec Dieu. Les Tyriens ne sont pas circoncis. Et vous n'êtes ni hébreu, ni tyrien. A l'exception des gens de mon peuple, seuls les Egyptiens de haut rang pratiquent ce rite sacré. Vous m'avez caché vos origines. Comment admettrai-je qu'un Egyptien a construit le temple de Yahvé ? Je devrais vous tuer de mes mains. N'avez-vous pas placé dans les murs du sanctuaire quelque secret païen qui le dénature ?

— Ne cherchez-vous pas la sagesse, Majesté ? Ignorez-vous qu'elle est la lumière cachée au cœur des temples d'Egypte ? Là-bas, j'ai été éduqué par les fils des bâtisseurs de pyramides. Ils ont formé mon esprit. Amon ou Yahvé... les noms du principe unique varient, Lui demeure. La sagesse est rayonnement, non doctrine. Rien ne la ternit. Qui la vénère dès l'aurore la trouvera peut-être, au soir, assise à sa porte. Puisse Dieu m'avoir permis de rester fidèle aux enseignements des anciens et de ne pas vous avoir trahi.

— Je préfère la sagesse au sceptre et au trône, dit Salomon. Je la préfère à la richesse. Nul trésor ne peut lui être comparé. Tout l'or de Saba, devant elle, n'est qu'un grain de sable. Je la préfère à la beauté et à la santé. C'est elle qui m'a donné la science du gouvernement, qui m'a fait connaître les lois de ce monde, la nature scellée des éléments, le langage des astres, les pouvoirs des esprits, les vertus des plantes. Mais elle s'échappe, s'enfuit au loin... L'avez-vous capturée dans les pierres du temple, Maître Hiram ? Comment ai-je pu laisser un Egyptien diriger les ouvriers de mon royaume ? N'est-ce point la faute d'un mauvais roi ?

— Je ne connaissais ni votre peuple ni votre terre. J'ai appris à les aimer.

— Mais vous restez égyptien.

— Qu'est-ce qui nous sépare, Majesté ?

— L'événement qui sera célébré lors de l'inauguration du temple : la sortie des Hébreux hors d'Egypte, la délivrance de mon peuple opprimé par le vôtre.

— Vous savez comme moi qu'il n'a pas eu lieu sous la forme que vous évoquez. Les Hébreux fabriquaient des briques en Egypte. Ils recevaient un salaire pour leur travail. Nul ne les réduisait à une condition misérable. L'esclavage n'a jamais existé en Egypte. Il est contraire à la loi du cosmos dont Pharaon est le fils et le garant devant ses sujets. Moïse occupait de hautes fonctions à sa cour. S'il a quitté l'Egypte pour fonder Israël, c'est avec l'accord du Pharaon qu'il servait.

— Ce secret-là, Maître Hiram, ni vous ni moi ne devons le divulguer. Personne n'est encore prêt à l'entendre. La mémoire de mon peuple s'est nourrie du récit que contient notre livre saint. Il fonde notre histoire. Il est trop tard pour la modifier.

— Je ne vous crois pas, Majesté. Par le temple érigé sur le roc de Jérusalem, vous avez décidé d'établir un nouveau pacte entre Dieu et Israël qui sera une nouvelle alliance entre l'Egypte et Israël. Désunis, ni l'une ni l'autre ne connaîtront la paix.

Hiram lisait dans l'âme de Salomon, Salomon dans l'âme d'Hiram. Ils ne se l'avouèrent pas, craignant de rompre le lien magique qui les unissait.

Salomon savait que le Maître d'Œuvre ne se pardonnerait pas la mort de ses ouvriers, Hiram que le roi lui reprocherait d'avoir dissimulé son origine égyptienne. Mais le secret qu'ils partageaient les créait Frères en esprit.

— Le temple est la chair de Dieu, reprit Hiram. Le roi est celui qui le rend vivant. Vous êtes le seul médiateur entre votre peuple et Yahvé. Le seul, Majesté.

44.

Après le départ de Salomon, Hiram revint vers le chantier. Il avait promis au roi de ne pas abandonner le temple, de veiller sur l'installation de la mer d'airain et de terminer le parvis. Mais il avait également exigé de rester seul, dans le désert, pendant trois jours et trois nuits. Il ressentait la nécessité de s'éloigner de toute présence humaine et de rechercher en lui-même une nouvelle clarté.

Le Maître d'Œuvre croisa des bandes de damans, sortes de marmottes s'enfuyant à la moindre alerte. Il entendit le rire des hyènes et la plainte des chacals. Il aperçut des renards et des sangliers, s'imprégna d'un soleil ardent, marcha sur le sable ocre, dormit à l'abri de rochers oubliés par la main de celui qui avait pétri le désert. Quelle était cette présence montant de l'immensité comme une colonne d'encens, sinon celle du Créateur ?

Hiram aimait les paroles minérales, l'absence écrasée de chaleur, l'abnégation d'une terre qui avait renoncé à la fertilité pour mieux accueillir l'invisible perfection de l'Etre.

Rien n'échappait au désert. Le Maître d'Œuvre lui offrit la mort de ses compagnons de travail. Il enterra leur souvenir dans la sainteté du soir rougeoyant, confia leurs âmes à l'esprit du vent qui les emporterait aux confins de l'univers, près de la source où les ténèbres n'étaient pas encore nées.

Alors qu'il reprenait la piste menant au Jourdain,

Hiram vit une tente rouge et blanche dressée sur un monticule pierreux.

Aussitôt, il comprit. L'heure était venue. La joie qui aurait dû éclater le déchira.

Hiram pénétra sous la tente. Un nomade, vêtu à la bédouine, y était assis en posture de scribe. A la courte barbe en pointe, on identifiait un sémite. Agé d'une cinquantaine d'années, les yeux inquisiteurs, il offrit à l'arrivant une coupe remplie d'eau fraîche additionnée de vinaigre.

— Bienvenue à mon hôte. Qu'il me soit permis de lui donner asile jusqu'à ce que le sel qu'il mangera soit sorti de son ventre.

Hiram accepta le sel de la terre, proposé sur un plat d'albâtre.

— Comment m'avez-vous trouvé dans ce désert?

— J'arpente la région depuis plus d'un mois. On annonçait votre venue aux fonderies. Depuis les collines, j'ai assisté à la naissance de votre chef-d'œuvre et je ne vous ai plus quitté des yeux. De loin, j'ai vu venir vers vous Salomon. Ensuite, je vous ai suivi, respectant votre retraite. Avant que vous ne regagniez le monde, il me faut vous parler.

— Plus de sept ans après mon départ d'Egypte... Est-ce Pharaon qui vous envoie?

— Bien sûr, Maître Horemheb. Lui et moi sommes seuls informés de cette mission. N'espériez-vous un signe du roi d'Egypte, dès que votre tâche serait terminée?

Hiram prit sa tête entre ses mains comme un voyageur épuisé au terme d'un long périple. Cet instant, il en avait rêvé pendant sept longues années. Il l'avait conçu comme une délivrance, un bonheur au goût de miel, un soleil aux rayons bienfaisants. Mais il y avait eu le drame de la mer d'airain et l'entretien avec Salomon, près du lac perdu dans les hautes herbes. L'architecte désirait regagner l'Egypte mais il n'avait plus le droit de quitter Israël. Prêter assistance à Salomon, l'aider à consolider son trône et la paix, achever le temple qui sacraliserait son peuple étaient des devoirs auxquels il ne se soustrairait pas.

— Etes-vous satisfait de votre œuvre, Maître Horemheb ?

— Quel architecte le serait, à moins de placer au centre de son jardin l'arbre sec de la vanité ? Ce temple aurait pu être plus vaste et plus noble... Mais je ne disposais que de la surface du rocher.

— Avez-vous réussi à inscrire dans ses murs la sagesse de nos ancêtres ?

— L'Egypte est le cœur du sanctuaire de Salomon. Qui sait lire Karnak déchiffrera Jérusalem. Qui lira le temple de Yahvé connaîtra les mystères et la science de la Maison de Vie.

— Vous fûtes le fidèle serviteur de Pharaon. A ce titre, vous méritez honneurs et dignités. Mais le bonheur de l'Egypte semble en décider autrement...

— Que voulez-vous dire ?

— Pharaon espérait vous voir revenir auprès de lui. Il vous aurait nommé chef de tous les travaux du roi. Hélas, les ambitions de la Libye sont à nouveau vivaces. Siamon redoute une tentative d'invasion. Comment se comportera Israël ? Salomon sera-t-il un allié ? Vous seul, en raison de votre connaissance de ce pays et de son monarque, pourrez nous prévenir d'une éventuelle trahison. C'est pourquoi Pharaon vous demande de prolonger votre sacrifice.

Hiram but l'eau vinaigrée. Qui aurait osé discuter un ordre de Pharaon ? Siamon ne lui accordait aucun choix. Quand reverrait-il l'Egypte ? Sept autres années d'exil lui seraient-elles infligées ?

Seul le vent du désert connaissait la réponse.

Cette journée resterait sans égale dans l'histoire des hommes. Pour la fête de l'inauguration du temple, les rues de Jérusalem s'étaient emplies d'une foule exubérante. Les villages semblaient abandonnés. Aucun Hébreu ne voulait manquer le plus exceptionnel des événements. Quand Salomon annoncerait la naissance du sanctuaire de Yahvé, Israël serait créé une seconde fois, accédant au rang d'Etat puissant, capable de clamer jusqu'aux cieux sa foi et son espérance.

Circuler dans les ruelles était presque impossible, tant les masses de badauds devenaient compactes. Partout, on voyait des prêtres vêtus de robes blanches. Les chefs des tribus d'Israël, précédés d'une cohorte de serviteurs, trônaient au pied du rocher. Pas un pouce de la pente partant de la cité de David en direction du temple de Salomon n'était libre d'occupants. Chacun admirait le mur d'enceinte et ses trois rangées de pierres de taille. Quand s'ouvriraient les portes, gardées par les soldats de Salomon, libérant l'accès à l'esplanade, but du pèlerinage de milliers de croyants ?

Ce jour-là serait commémoré comme le plus glorieux de l'aventure d'Israël, celui où le dieu nomade avait enfin trouvé sa demeure de paix. Son sanctuaire serait le lieu du sacrifice reliant la terre au ciel. Les autres divinités et les autres cultes seraient supprimés, anéantis par la formidable puissance de l'Unique.

Salomon vêtit Hiram d'un manteau de pourpre.

— Voici l'insigne de dignité que vous deviez arborer le jour où votre œuvre serait achevée.

— Le sera-t-elle jamais, Majesté ?

— Le temps s'est arrêté sur le seuil du temple, Maître Hiram. Il dépasse son créateur.

Les deux hommes étaient seuls sur le parvis. A l'orient se dressait un sublime portique avec son triple alignement de plus de deux cents colonnes. A travers elles se dessinaient les formes du val du Cédron et des collines verdoyantes nourries de soleil.

— Je veux tout oublier du passé, déclara Salomon. Une heure passée en ces lieux vaut mille jours au paradis.

Le cœur serré, l'architecte contemplait le site qui, bientôt, ne lui appartiendrait plus. Le majestueux parvis avait pour centre un autel à gauche duquel se dressait la mer d'airain, soutenue par douze taureaux de bronze, trois à chaque point cardinal. L'énorme vasque rappelait le lac sacré de Tanis où, à l'aube, les prêtres se purifiaient avant de prélever un peu d'eau qui servirait à sacraliser les nourritures présentées aux dieux. La mer d'airain avait un rebord sculpté en forme de pétales. Elle symbolisait le lotus naissant des eaux primordiales sur lequel s'était levé le soleil du premier matin. Autour de lui, dix bassins d'une contenance de mille litres chacun étaient installés sur des chariots que les prêtres déplaceraient selon des impératifs rituels. On y puiserait le liquide indispensable pour nettoyer les bêtes de sacrifice.

Salomon ouvrit lui-même les portes de l'enceinte. Sadoq et plusieurs prêtres, portant l'Arche d'alliance, la franchirent lentement. Les Tables de la Loi quittaient à jamais l'antique cité de David. Elles résideraient désormais dans le Saint des saints du temple de Salomon.

Le grand prêtre s'inclina devant le roi qui s'approcha de l'Arche et la toucha avec vénération. Il se souvint de ce jour béni où, songeant à une impossible paix, il avait accompli le même geste. La loi divine avait exaucé son plus ardent désir. Il ferma les yeux, rêvant d'un monde où les hommes auraient tué la guerre et la haine, où leurs regards se dirigeraient sans cesse vers le temple afin d'y quérir la sagesse.

— Aidez-moi, Maître Hiram.

L'architecte souleva les supports postérieurs de l'Arche, le roi les antérieurs. Le poids, pourtant considérable, leur parut léger. Ils passèrent ensemble entre les deux colonnes, traversèrent le vestibule, puis le *hekâl* où se trouvaient l'autel des parfums, la table des pains d'offrande et les dix chandeliers d'or, et pénétrèrent enfin dans le *debîr* où veillaient les Chérubins côte à côte ; ces derniers se dressaient jusqu'à mi-hauteur du Saint des saints ; leurs ailes extérieures atteignaient les murs latéraux, les extrémités des ailes intérieures se touchaient, formant une voûte sous laquelle fut déposée l'Arche d'alliance.

Le Maître d'Œuvre se retira.

Salomon présenta à l'Arche la première offrande

d'encens. Dans le nuage odorant se révéla la présence divine. Le roi se sentit revêtu d'une lumière chaude. Les yeux d'or des Chérubins brillaient.

***

Salomon apparut à son peuple. Levant les mains, paumes tournées vers le ciel, il remit le temple à Yahvé. Des milliers de fidèles s'agenouillèrent, les larmes aux yeux.

— Que Dieu bénisse Son sanctuaire et les croyants! Ainsi renouvelleront-ils leur alliance avec Lui. Ainsi sera-t-Il miséricordieux et nous accordera-t-Il Son aide contre les puissances des ténèbres. Que le Seigneur soit avec nous comme Il fut auprès de nos ancêtres, qu'Il ne nous abandonne pas, qu'Il incline nos cœurs vers Lui afin que nous marchions sur Son chemin. Yahvé, dieu d'Israël, il n'y a aucun dieu semblable à Toi, là-haut dans les cieux, ici-bas sur la terre, Toi qui es fidèle à Ton pacte. Que Tes yeux soient ouverts nuit et jour sur ce temple, sur ce lieu où vit Ton nom.

Alors que les acclamations montaient vers le roi, il fut saisi d'angoisse. Dieu habiterait-il vraiment sur terre avec les hommes? Si les cieux des cieux s'avouaient trop étroits pour le contenir, que dire du temple de Jérusalem?

Deux sourires apaisèrent Salomon.

Le premier, celui d'Hiram, superbe dans son manteau de pourpre, devant la mer d'airain.

Le second, celui de la reine Nagsara, en robe d'apparat, à la gauche du grand prêtre et en retrait.

L'un et l'autre exprimaient joie et fierté. Rasséréné, Salomon gravit les marches du grand autel de dix mètres de haut placé à l'extrémité du parvis.

Le Maître d'Œuvre, le grand prêtre et la reine composèrent un triangle dont le centre était le roi d'Israël. Autour d'eux, les prêtres. Les gardes ouvrirent largement la grande porte de l'enceinte, libérant le passage aux pèlerins qui envahirent l'esplanade.

Un silence absolu s'établit. Les yeux fixés sur Salomon

allumant le feu de l'holocauste, les spectateurs de ce rituel de « la première fois » retinrent leur souffle. La flamme, qui ne s'éteindrait plus, sembla gagner le ciel.

Portant une brebis dans les bras, un prêtre vint aux côtés du roi. Il égorgea l'animal dont le sang s'écoula le long des rigoles aboutissant aux quatre angles de l'autel. Les cendres tomberaient à travers une grille horizontale.

Sur un signe de Salomon, des trompettes retentirent, livrant l'autel à une multitude de célébrants venant sacrifier les animaux qui seraient consommés lors du gigantesque banquet. Plus de vingt mille bœufs et cent mille brebis seraient immolés à la gloire de Dieu.

Salomon avait réussi. Le temple était né. Un Maître d'Œuvre de génie, Hiram, avait donné corps au projet insensé d'un monarque épris d'absolu.

Salomon pleurait de joie, immobile et solitaire, dans le Saint des saints.

Hiram, écrasé par le poids de l'exil et de la mort de ses Frères, se terrait dans la caverne en compagnie de son chien.

La reine Nagsara, seule dans sa magnifique chambre du palais, pleurait sur un amour perdu.

Caleb le boiteux, ivre de gaieté et de vin, festoyait à la table des riches qui chantaient le renom de Salomon le sage et d'Hiram le Maître d'Œuvre.

45.

Dès son inauguration, le temple devint le cœur de Jérusalem. Sur l'esplanade, on venait volontiers flâner, bavarder et même conclure des affaires. Nul ne devait frapper le dallage d'un coup de bâton. On ne pouvait y marcher que pieds nus ou avec des sandales d'une parfaite propreté. Des prêtres, qui circulaient en permanence, s'assuraient qu'aucune pièce de monnaie ne fût présente en ce lieu.

Sadoq découvrit avec satisfaction les logements que, sur l'ordre de Salomon, Maître Hiram avait construits pour les religieux. Une grande galerie en bois, le long du temple, desservait de petites chambres lumineuses et bien aérées. Là habiteraient les subordonnés directs du grand prêtre chargés d'organiser le travail des quinze mille prêtres qui officiaient chaque jour au temple. Après le bain purificateur du matin, ils se vêtaient d'une robe de lin blanc et sacrifiaient trois animaux, dont un taureau. Son sang, mêlé à l'huile sainte, servait à consacrer un nouveau desservant, qui appartiendrait à l'une des vingt-quatre classes de prêtres entretenant les lieux saints à tour de rôle. Les candidats étaient nombreux, guettant l'importance des gains correspondant à la fonction : dons de vêtements et de nourritures abondantes. Les attributions aux différents services du temple se décidaient par un tirage au sort que surveillait le grand prêtre. Le brûlage des parfums attirait les plus vives convoitises, cette tâche donnait droit à de la viande de bœuf et à du vin d'excellente qualité.

Salomon octroyait à Sadoq une stature inégalée. Placé à la tête d'une puissante administration, le grand prêtre bénéficiait d'honneurs incomparables. Ne devenait-il pas le personnage le plus riche du royaume après le monarque ?

Le grand prêtre ne tombait pas dans les pièges tendus par Salomon. Le roi avait cru endormir sa vigilance en le comblant de bienfaits. Ceux-ci ne lui faisaient pas oublier la seule réalité qui comptât : le monarque concentrait entre ses mains le pouvoir politique et le pouvoir religieux. Malgré le prestige dont il jouissait, Sadoq n'était qu'un second dont le Maître d'Israël pouvait se débarrasser à tout moment.

Puisque le temple avait pris naissance et qu'il satisfaisait le peuple, il était préférable de le préserver. A condition d'éliminer le trio maléfique qui entraînait Israël à sa perte : un Maître d'Œuvre ambitieux, une reine impie et un roi omnipotent.

*
**

La cabane à outils, plantée sur le rebord du champ, à l'ombre d'un vieux figuier, était assez vaste pour abriter trois paysans. En cette fin de matinée aux couleurs chaudes, elle offrait asile au grand prêtre Sadoq, à Jéroboam et à Elihap.

— L'enquête sur l'accident survenu à la fonderie avance, indiqua le secrétaire de Salomon. Des arrestations auront lieu. Les coupables parleront. Si le nom de Jéroboam est trop souvent prononcé...

L'ancien chef de la corvée, vêtu d'une pauvre tunique de laboureur, était sorti discrètement de Jérusalem, imité par Elihap. Quant à Sadoq, il avait renoncé à ses superbes vêtements de grand prêtre, adoptant une simple robe brune serrée à la taille par une large ceinture.

— Ne désespérons pas, recommanda Jéroboam. Salomon compte sur Hiram pour s'assurer le soutien d'une confrérie solide qui rassemble ouvriers hébreux et étrangers. Mais cette dernière est beaucoup moins cohérente qu'ils ne le croient l'un et l'autre.

— Avez-vous acheté des consciences? demanda le grand prêtre.

— Presque. Plusieurs compagnons sont très mécontents de l'attitude d'Hiram à leur égard. Trois d'entre eux, un maçon syrien, un charpentier phénicien et un forgeron hébreu ont exigé une promotion qui leur a été refusée. Encourageons-les à obtenir le mot de passe des maîtres et à découvrir leurs secrets. En échange de notre appui, ils nous les transmettront, ainsi l'architecte sera disqualifié et le roi mis en difficulté.

— Comptez sur moi pour aller plus avant, assura Sadoq. Débarrassez-moi d'Hiram et je chasserai Salomon du trône.

Elihap ne savait plus s'il devait s'associer à ce nouveau complot. Mais il avait trop peur de ses deux acolytes pour protester.

***

Que demeurait-il de l'homme après sa disparition terrestre? Une trace lumineuse, une ombre, une émotion... Ne se rejoignaient-elles pas dans la région ténébreuse où régnait le silence, si loin de ce monde que même la colère de Yahvé, tonitruante comme des milliers d'orages, ne parvenait pas à l'atteindre?

Hiram assistait sur le parvis du temple au lever du soleil, l'esprit agité par de sombres pensées. La mort volait autour de lui comme un oiseau de nuit résistant à la lumière naissante.

Quand sonnèrent les trompettes, les portes du sanctuaire s'ouvrirent et les premières prières montèrent vers Yahvé. Puis Sadoq procéda au sacrifice de l'aube. Le sang coula, la chair de la brebis grésilla. Les fumées du temple s'orientèrent vers le nord, annonçant des lendemains pluvieux.

La joie avait abandonné Hiram. Jouer le rôle d'un espion ne lui convenait guère. Créer un temple afin de transmettre dans une forme nouvelle l'antique sagesse était digne de la Maison de Vie. Trahir un roi pour qui il éprouvait admiration et amitié le révoltait. S'abaisser à ses propres yeux serait insupportable. Dans ses rêves rôdaient des formes menaçantes, revenant nuit après nuit... Ne fallait-il pas écouter ces signes de l'au-delà ?

— Vous voilà bien pensif, Maître Hiram.

— Majesté ? Vous...

— Il m'arrive d'être seul, aussi seul que vous, et de venir ici, un peu avant le lever du jour, contempler votre œuvre. Dieu m'a apporté le concours d'un architecte de génie, peut-être même celui d'un ami. Ne seriez-vous pas un émissaire de cette sagesse que je cherche dans tous les orients ?

— Non, Majesté. Un simple artisan.

— Un Maître d'Œuvre égyptien, rectifia Salomon. Un homme éduqué par des sages. Un homme différent des autres.

— Un homme pour lequel l'heure du retour dans son pays est venue, Majesté. Mon travail ici est vraiment terminé, à présent. La mer d'airain est en place. Aucune pierre du temple ne sera ébranlée avant plusieurs siècles. Libérez-moi de ma charge, Majesté. J'ai besoin de votre approbation.

— Vous êtes fier et farouche, Maître Hiram. Mais vous savez manier les hommes et les diriger.

— Dans l'unique intention de construire. Gouverner est votre affaire, pas la mienne.

— Quand comptez-vous prendre la route ?

— Dès la fin de cet ultime entretien. Seul et sans escorte. En Egypte, je séjournerai longtemps au désert. Peut-être me purifiera-t-il.

— Vous méritez une forte récompense. Un véritable trésor serait à peine suffisant.

— Je ne désire rien, Majesté.

— Et les membres de votre confrérie ? Que deviendront-ils après votre départ ? Vous avez organisé de gigantesques chantiers, entrepris de grands travaux, engagé et formé des centaines d'artisans, des milliers de tâcherons, mis sur pied une société entière. A qui obéira-t-elle, si vous n'êtes plus son chef ?

— A leur roi, Majesté.

— Non, Maître Hiram. J'ai encore besoin de vous.

Chaque année parviennent à Jérusalem de grandes richesses. Le travail des provinces, le commerce, les expéditions lointaines me procurent plus de vingt-trois tonnes de métaux précieux. Les plus riches souverains m'envoient des cadeaux. Grâce au temple, Israël est devenu un grand pays couronné par la fortune. Avec l'or de Saba, vous fabriquerez deux cents boucliers de taille normale et trois cents plus petits. Ma garde d'élite montrera les premiers au peuple lors des grandes fêtes. Avec les seconds, ils constitueront l'essentiel d'un trésor qui sera abrité dans l'édifice que vous construirez. Le reste de l'or sera caché dans le sous-sol du Saint des saints. Il serait utilisé si mon pays traversait une période de misère. C'est ma volonté, Maître Hiram.

***

L'architecte se lança avec fougue dans cette nouvelle entreprise. Maîtres, compagnons et apprentis furent heureux de poursuivre leur aventure sous les ordres de celui qu'ils vénéraient. Après avoir soumis une maquette au roi, Hiram entoura sur trois côtés le temple de bâtiments de trois étages communiquant entre eux par des trappes. Les étages allaient en se rétrécissant. Y seraient entreposées les richesses du royaume.

Le long de la route menant à la ville se dresserait la plus imposante de ces constructions, la maison de la forêt du Liban. A l'intérieur de cet imposant Trésor, long de cinquante mètres, large de vingt-cinq et haut de quinze, Hiram avait prévu une profusion de troncs de cèdres qui soutiendraient le toit. Au sommet se déploierait un savant enchevêtrement de poutres taillées dans les branches d'une soixantaine d'arbres.

Plus d'une année s'écoula dans la fièvre d'un travail communautaire qui porta les plus beaux fruits, lors d'un automne où la récolte des raisins et des olives fut d'une abondance exceptionnelle. Dans les champs, les laboureurs aiguillonnant les bœufs qui tiraient la charrue admiraient l'élégante silhouette de la maison de la forêt du Liban. Cette vision les consolait d'un labeur rendu rude par la sécheresse d'une terre rocailleuse où poussaient volontiers des chardons.

Le nouvel an, marqué par la fête du Grand Pardon, fut précédé d'une période de repentir pendant laquelle Israël expia rituellement ses péchés. Lors de la convocation d'automne, à l'heure où le peuple entier implorait Dieu d'accorder sa grâce, toute activité était interdite sous peine de mort. Un jeûne sévère était imposé.

Salomon, en cette unique occasion, autorisa le grand prêtre à pénétrer dans le Saint des saints qu'il purifia des souillures de l'année agonisante en lui offrant le sang d'un taureau mêlé à celui d'un bouc. Inaugurée par le son éclatant des trompettes, une procession s'était organisée en direction du temple. Les chants avaient sanctifié la campagne où, à genoux, les cultivateurs avaient écouté la voix des ancêtres leur rappelant que seul le Seigneur rendait la terre fertile.

A l'entour de Jérusalem, se dressèrent partout des huttes de feuillage et des tentes de fortune. Des milliers de pèlerins venaient y séjourner, de même que des citadins quittant leurs demeures pour la durée de la fête des Tabernacles, qui succédait à celle du Grand Pardon. Ainsi était commémorée l'éternelle errance de l'homme en ce monde. Ainsi était évoqué l'exil d'une race déchirée entre nomades et sédentaires.

Aux côtés de Salomon, sur le parvis du temple, Hiram écouta le chœur des prêtres évoquant la pierre d'angle que les bâtisseurs avaient rejetée et dont Yahvé avait fait la pierre fondamentale. Lui, l'architecte du temple, se sentait exclu comme ce pyramidion que Dieu seul savait placer pour achever l'édifice. Vers quel angle de l'univers s'orienterait désormais sa vie ? L'Egypte le refusait, Israël l'emprisonnait.

— Le bouc ! cria un officiant. Voici le bouc émissaire qui prendra sur lui nos impuretés et nos péchés !

Le grand prêtre, aidé par deux assistants, conduisit un superbe animal, revêche et indiscipliné, au pied de l'autel central.

— Seigneur, pria Sadoq, Ton peuple a péché. Il a commis des crimes et violé Ta Loi. Accorde-lui Ton pardon. Sois miséricordieux. Chasse cet animal dans le désert. Dirige-le vers un précipice où il mourra en expiation de nos fautes. Qu'il périsse dans la solitude. Que personne ne lui vienne en aide.

Sadoq s'écarta. Un prêtre fouetta les reins du bouc qui bondit en avant.

L'animal s'arrêta à un mètre d'Hiram. Les regards du Maître d'Œuvre et du condamné se croisèrent. Le premier ne lut aucune détresse dans les yeux du second. Seulement une fierté qu'aucun malheur n'éteindrait. Le bouc releva la tête, exhala un soupir montant de ses entrailles et s'élança vers sa mort.

Caleb mangeait du pain très cuit et du fromage frais. Anoup quêtait un peu de nourriture que le boiteux lui accordait avec parcimonie tandis qu'Hiram travaillait sur de nouveaux plans.

— Vous ne vous reposez donc jamais...

— La reine de Saba est en route pour Jérusalem. Salomon exige une capitale encore plus belle. Mes artisans devront accomplir des prodiges.

— Dieu lui-même sait prendre du bon temps.

— Il n'est pas le serviteur de Salomon.

— Le roi serait-il devenu votre meilleur ami?

Hiram posa son calame et dévisagea Caleb.

— Est-ce un reproche?

Le boiteux baissa les yeux, se concentra sur son écuelle.

— Personne ne peut être l'ami d'un roi. Une grande partie du peuple vous admire et vous respecte. Quel monarque supporterait longtemps la présence d'un rival? Vous avez eu beaucoup de chance. Le temple est achevé et vous êtes toujours vivant. Vous devriez en profiter pour reprendre la route.

Le Maître d'Œuvre traça une ligne rouge sur le papyrus. Sa main agissait avec une précision et une rapidité qui effrayaient presque Caleb. N'était-elle pas mue par un esprit ?

— Tu fus un prophète de malheur, mon brave Caleb, mais il n'est pas advenu. Grâce à ma confrérie, Israël est un pays riche et magnifique. Serait-il juste que j'abandonne ceux qui ont bâti temple et palais ? Ne me comporterais-je pas comme un lâche ?

Caleb n'avait plus faim. Il posa par terre l'écuelle que le chien s'empressa de lécher.

— Le chasseur ne rate jamais deux fois le même gibier. Salomon vous tuera, Maître Hiram.

— Voici mon cadeau de nouvel an, dit Salomon à Nagsara.

Sur le dallage des appartements de la reine, les serviteurs déployèrent un immense tapis de soie, couleur d'émeraude, tramé de fils d'or. A l'angle d'orient, ils placèrent un trône d'ivoire ; à celui du midi, un lit de pourpre ; à celui du septentrion, une table d'or couverte de vaisselle d'or ; à celui d'occident, des jarres d'huile, des outres de vin et des cuves remplies de miel.

La reine contempla celui qu'elle aimait d'un amour rendu plus ardent encore par sa réclusion. Depuis plus de sept années, Salomon n'avait pas vieilli. Aucune amorce de ride ne s'inscrivait sur son visage aux lignes si pures, à présent orné d'une magnifique barbe de jais qui ajoutait encore à son autorité naturelle.

— Soyez remercié pour votre bonté, Majesté. Mais ce ne sont pas ces trésors-là dont j'ai besoin. Je souffre. Mon cœur est meurtri. La déesse Hathor ne répond plus à mes prières. Chaque nuit, j'interroge la flamme ; elle ne me répond plus. Privée de votre regard, je n'ai plus d'avenir. Vous êtes trop sage, trop parfait, trop loin de l'humanité. Ne consentiriez-vous pas, comme votre père David dont les courtisans parlent avec tant d'émotion, à succomber à des faiblesses, à oublier l'Etat pour vous préoccuper de la détresse d'une femme ?

Salomon sortit de l'aile du palais réservée à la reine. Ce n'était pas à elle qu'il songeait, mais à Hiram.

Jusqu'à présent, il avait résisté aux calomnies auxquelles était en butte son Maître d'Œuvre. Il n'avait tenu aucun compte des mises en garde et des rumeurs car l'amitié ne s'accommodait pas du doute. Mais un venin commençait à lui brûler l'âme. Hiram était peut-être un autre homme, un ambitieux, un monarque qui taisait son nom. Salomon n'avait pas le droit d'être aveugle, sa lucidité dût-elle déchirer le plus précieux de ses sentiments.

Soudain, il eut envie d'abandonner Israël aux jeux du hasard et d'ordonner aux vents de l'espace de le faire disparaître dans l'immensité du ciel.

TROISIÈME PARTIE

Je suis noire mais je suis belle, filles de Jérusalem...
Dis-moi, toi que mon cœur aime,
où mèneras-tu paître le troupeau,
où le mettras-tu au repos à l'heure de midi
pour que je n'erre plus en vagabonde?

Cantique des cantiques, premier poème.

46.

Depuis la frontière d'Israël jusqu'à Jérusalem, la reine de Saba passa entre deux rangées de paysans qui lui présentaient leurs objets les plus précieux ; ils acclamaient la visiteuse venue du pays le plus riche de l'univers.

A proximité de la capitale, Salomon avait couvert la route pavée de perles et de diamants. Du haut de la nacelle posée sur le dos d'un éléphant blanc qui pressentait le moindre de ses ordres, Balkis découvrait la Terre promise.

D'une enivrante beauté, les yeux noirs soulignés d'un trait de fard vert, la bouche rieuse, le corps souple à peine voilé d'une robe de lin teintée de pourpre de murex, le cou orné d'un pectoral de lapis-lazuli, des bracelets d'or aux poignets et aux chevilles, la reine de Saba imposait le respect à qui l'approchait. Au charme qui envoûtait le cœur le plus sec, elle ajoutait la puissance d'un esprit vif comme l'aigle des montagnes.

Un châle de byssus sur les épaules, Balkis occupait la tête d'un défilé d'éléphants, de chameaux et de chevaux porteurs d'or, de pierres précieuses, de soieries et d'aromates. Les conduisaient plus de mille Sabéens à la peau noire. Leur reine avait la peau cuivrée, comme une Egyptienne du grand sud. A la fin du cortège, de lourds chariots chargés de flacons de myrrhe, de nard, de lis, de jasmin, de rose et de cinnamome.

Devant la grande porte de Jérusalem siégeait Salomon sur un trône d'or placé au milieu d'un parvis de cristal où se reflétait le ciel transparent d'automne. Autour du roi, des dignitaires vêtus de tuniques de soie ornées de bandeaux colorés et d'une ceinture de laine nouée plusieurs fois autour de la taille. La robe des prêtres, rehaussée de glands, était de couleur bleu jacinthe. Sadoq, sur la requête du souverain, s'affichait dans son costume de grand prêtre bien qu'il fût hostile à la venue d'une reine adorant des divinités païennes.

« Puisse-t-elle m'enseigner un pouvoir plus grand que mon pouvoir, pensait Salomon, une sagesse plus grande que ma sagesse. Puisse-t-elle m'aider à consolider la paix qui est la clé du bonheur des peuples. » Le roi songeait à Nagsara, dont la présence lui avait permis de commencer l'œuvre, quand une odeur de nard annonça l'arrivée de Balkis.

Le soleil de midi baignait la nacelle de l'éléphant blanc. La reine de Saba se dressa, coiffée d'une couronne pourpre. Devant le pachyderme, des serviteurs agitèrent des éventails afin de dissiper la fumée de parfum embaumant le cortège.

Salomon se leva dès que l'impressionnante monture s'immobilisa. Sadoq, révolté par l'impudence de cette étrangère qui s'autorisait à dominer ainsi le maître d'Israël, se tourna de côté.

— Reine de la riche contrée de Saba, soyez l'hôte de mon pays et de mon peuple.

L'éléphant s'agenouilla. Deux Sabéens aidèrent leur reine à en descendre. Elle demeura à quelques mètres de Salomon.

— L'univers célèbre votre puissance, roi Salomon. Je viens d'un paradis construit par des architectes qui ont taillé des montagnes, amené l'eau par des canaux et fertilisé le désert. Mes ancêtres ont creusé des lacs, planté des arbres et rendu la steppe verdoyante. Pour vous en faire don, j'ai apporté mille trésors. Lorsque j'ai vu la route de votre capitale pavée de perles et de diamants, j'ai eu honte. Ne valait-il pas mieux jeter dans les ruisseaux la misérable richesse de Saba ? Toute opulence est pauvreté devant vous.

— Mon palais vous attend.

— Je ne puis répondre favorablement à votre invitation, Majesté. Demain est jour de sabbat. Une étrangère ne doit pas troubler le culte de Yahvé. Avant le lever des étoiles, ma suite aura dressé des tentes au bord du Cédron.

Salomon, ébloui par la voix chantante d'une reine connaissant si bien les coutumes d'Israël, se conforma aux désirs de Balkis. Comment, dans le concert d'acclamations en l'honneur de la souveraine de Saba, aurait-il pu entendre les pleurs de son épouse Nagsara, esseulée dans un palais splendide dont elle avait horreur?

Au premier rayon du soleil levant, la reine de Saba monta sur un cheval blanc et entra dans Jérusalem. Une foule recueillie l'admira. Le plus humble des badauds sentait que le destin d'Israël se jouait en cet instant solennel. Le grand prêtre, qui n'avait pas été consulté, ne décolérait pas. En privé, il menaçait l'étrangère des foudres divines. Quelques femmes déploraient le sort funeste qui s'était abattu sur Nagsara. Et chacun de remarquer l'étrange absence du Maître d'Œuvre Hiram.

Dès qu'elle mit pied à terre, au début de la voie montant vers le temple, Balkis salua le soleil. Sa prière scandalisa la cohorte des prêtres. Mais Salomon n'adressa aucun reproche à la reine de Saba qui, dans sa robe vert clair aux lignes très sobres, était plus resplendissante que la veille. Il la pria de prendre place à ses côtés dans la chaise à porteurs en bois doré qu'avaient créée les charpentiers d'Hiram.

Balkis portait les cheveux courts. D'un noir brillant, ils étaient aussi fins que ses cils. Son visage, gracieux comme celui d'une biche, avait la tendresse des colombes et la fraîcheur des lis.

— Quelle est la véritable raison de votre venue?

— Voir le temple dont tous les peuples clament la perfection, découvrir le pays gouverné par un monarque dont on vante l'esprit pénétrant et dont on boit les paroles. Bienheureuses vos femmes, bienheureux vos serviteurs qui sont perpétuellement auprès de vous. Béni soit le Dieu qui vous a placé sur le trône d'Israël.

— Ces paroles sont trop élogieuses.

— Yahvé n'a-t-il pas offert à Salomon une intelligence aussi vaste que le sable du rivage ? Votre sagesse n'est-elle pas plus glorieuse que celle de tous les fils de l'Orient ?

— Nul ne possède la sagesse.

— Ne soyez pas si modeste. Votre réputation a dépassé les frontières d'Israël.

Salomon se méfia. La reine de Saba n'avait-elle pas l'intention de lui poser l'une de ces redoutables énigmes qui ridiculisaient le plus savant et ruinait la renommée la mieux assise ? Qui ne trouvait pas la solution perdait son honneur.

— J'ai pourtant un reproche à vous adresser.

— Lequel ? s'étonna le roi.

— La rumeur prétend que vous commandez aux démons, que vous comprenez le langage des animaux et des plantes. N'accéderiez-vous pas à des royaumes interdits ?

— Est-il un royaume interdit à qui cherche la sagesse ?

Balkis sourit.

— Jérusalem est une ville splendide, dit-elle avec douceur.

— La terre est un cercle entouré d'eau, révéla Salomon. C'est l'architecte des mondes qui l'a tracé. Au centre, il a placé Israël. Et au centre d'Israël, le rocher de Jérusalem où son esprit s'est incarné, invisible présence qui nourrit les âmes des justes.

La reine de Saba se montrait attentive, absorbant les paroles du roi comme un miel.

— Votre mariage avec la fille du pharaon Siamon avait fait grand bruit, rappela-t-elle. Pourquoi ne se trouve-t-elle pas à vos côtés ?

— Ce n'est pas la coutume. Elle n'est que la première de mes épouses. Vous la verrez lors du banquet qui sera célébré en votre honneur.

Salomon donna son bras à Balkis, l'aidant à descendre

de la chaise à porteurs. Ils gravirent ensemble les marches menant à l'esplanade où prêtres et courtisans lui rendirent hommage. La reine de Saba découvrit la salle du jugement, la maison de la forêt du Liban, la colonnade s'ouvrant sur la vallée du Cédron, le palais et le temple.

Elle emplit son regard de ces merveilles. La beauté de Balkis, qui avait su la rendre lumineuse par la simplicité de la mise, fascinait la cour de Salomon. La perfection des constructions, dépassant celle des édifices de Saba, rendait la reine muette de surprise.

— Qui est l'auteur de ces chefs-d'œuvre ?

— Maître Hiram.

— J'aimerais le rencontrer.

Salomon ordonna à son secrétaire d'aller quérir l'architecte.

— Inutile, répondit la voix grave du Maître d'Œuvre, debout sur le toit de la salle du jugement.

Balkis leva les yeux vers lui. Bien qu'il approchât de la quarantaine, le Maître d'Œuvre n'avait rien perdu de sa robuste musculature. Son large front, orné de rides profondes, portait le trait le plus caractéristique d'un visage farouche. Son apparition sema le trouble dans l'assistance. Dominant Salomon et la reine de Saba, il affirmait une majesté sereine que d'aucuns jugèrent offensante.

La reine ne le quittait pas des yeux. A l'instar de Salomon, elle savait entrer dans les royaumes interdits où elle dialoguait avec les forces invisibles. Par la pensée, Balkis perçait l'apparence des êtres, descendant au tréfonds de leur caverne secrète.

Salomon possédait la stature d'un grand roi et l'intelligence des élus de Dieu. Hiram lui ressemblait, mais il brûlait d'un autre feu, plus sombre, plus tourmenté. Ensemble, ces deux hommes se rendaient mutuellement capables des œuvres les plus incroyables. Séparés, ils subiraient les plus cruelles destinées. Mais ni l'un ni l'autre n'en avaient pleine conscience.

— Ignorez-vous que cette journée devait être chômée ? interrogea Elihap, courroucé.

— Le sabbat, c'était hier, répondit Hiram. Aujourd'hui, mes ouvriers festoieront en l'honneur de Leurs Majestés. Moi, je travaille, ce toit doit être terminé.

Elihap se tourna vers Salomon, espérant l'appui de son roi. Mais ce fut Balkis qui intervint.

— Pourquoi ne rassembleriez-vous pas vos ouvriers, Maître Hiram ? Ne devriez-vous pas les associer à ce moment de paix où deux grands royaumes se rencontrent dans l'harmonie ?

Hiram n'avait jamais vu femme plus belle. L'élégance de sa silhouette et la finesse de son visage rivalisaient avec celles des plus jolies Egyptiennes. Ses lèvres riaient, ses yeux pensaient avec gravité. En elle se mariaient la gaieté d'une amoureuse et le sérieux d'une reine.

Hiram s'était promis de ne jamais utiliser le pouvoir qu'il détenait. Mais Balkis le soumettait à une épreuve dont il ne devait pas sortir vaincu. Cédant à une impulsion qui monta des profondeurs de son être, il éleva les bras, formant deux équerres en un geste que les Egyptiens appelaient le *ka*.

Pendant de longues minutes, il demeura ainsi, immobile, semblable à une vigie figée dans le soleil.

Irrité, Salomon crut à une attitude insensée. Comment l'architecte réussirait-il à rassembler des ouvriers dispersés dans la ville et la campagne ? Le roi eut envie d'interrompre cette comédie. Mais Balkis fixait Hiram avec insistance.

Soudain, des murmures s'élevèrent à l'entrée du parvis. Les courtisans se bousculaient ; tassés les uns contre les autres, ils laissèrent place aux maîtres et aux compagnons qui, avec un air agressif, encerclèrent l'esplanade. Par les ruelles montèrent des colonnes d'apprentis, suivis des tâcherons. Tailleurs de pierre, carriers, maçons, charpentiers, menuisiers, fondeurs, forgerons se dirigèrent vers le temple, répondant à l'appel du Maître d'Œuvre.

Ils formèrent une armée silencieuse et pacifique dont la puissance apparut cependant évidente. En moins d'une heure, Hiram avait rassemblé des milliers d'hommes qui, sur un signe, se plaçaient sous ses ordres avec davantage de zèle et de rigueur que des soldats expérimentés.

Les courtisans avaient peur, Salomon restait impassible. Grâce à la reine de Saba, il connaissait à présent les limites de son pouvoir : il ne régnait pas seul sur Israël.

L'architecte croisa les bras sur la poitrine.

— Votre souhait est exaucé, dit-il à la reine de Saba.

— Veillez sur vous, Maître Hiram, murmura Balkis.

47.

Soufflait le doux vent d'automne. Il amenait au-dessus de Jérusalem des cortèges de petites nuages blancs annonçant la fin des fortes chaleurs. Venait le temps, pour de joyeuses bandes de jeunes gens, de camper dans les vignes, sous les figuiers et les oliviers plantés parmi les ceps que l'on ne taillait pas. Les plus expérimentés apprenaient aux novices à manier la serpette pour couper d'énormes grappes aux grains vermeils, gorgés de soleil. D'ordinaire, on ne se pressait pas ; cette fois, les plus robustes se hâtaient d'emplir les paniers d'osier et d'en déverser le contenu dans une cave où de jeunes gens piétinaient les raisins avec entrain.

Le maître du palais avait demandé quantité de vin frais destiné au banquet offert par Salomon à la reine de Saba. Il avait dressé de nombreuses tables ; la totalité des courtisans souhaitait assister à la réception. Dirigeant une cohorte de cuisiniers et d'échansons, il courait d'un endroit à l'autre, craignant de prendre du retard.

Son attention fut pourtant attirée par l'étrange attitude du secrétaire qui s'acheminait vers son bureau en rasant les murs. Le maître du palais lui coupa la route.

— Que se passe-t-il, Elihap ?

— Rien... des papyrus à classer.

Le secrétaire mentait mal.

— Avec ces festivités, je suis pressé, indiqua le dignitaire bedonnant. Vous êtes soucieux. Pourquoi ?

Elihap serra contre sa poitrine un document froissé.

— Montrez.

— Non...

— Certains secrets sont trop lourds à porter seul.

La peur d'Elihap était si manifeste qu'il ne résista pas au maître du palais lorsque celui-ci s'empara du papyrus.

Sa lecture le désorienta.

— Prévenez le roi immédiatement, Elihap.

Salomon achevait de se préparer lorsque son secrétaire lui demanda audience. Importuné, il accepta.

— Soyez bref.

— Majesté... Il s'agit d'un rapport...

— Est-il si important ?

— Je le crains.

La curiosité du roi fut éveillée.

— Parle !

— Les conclusions de l'enquête sont formelles. Ce sont des hommes obéissant à Jéroboam qui ont saboté les installations de la mer d'airain. Ils sont coupables de la mort de dizaines d'ouvriers.

— Jéroboam... Que ce rapport soit tenu secret. S'il était divulgué, je vous jugerais responsable.

Elihap s'inclina.

Salomon et la reine de Saba présidèrent un somptueux banquet dont étaient absents Nagsara, retenue dans sa chambre par une forte fièvre, et Maître Hiram occupé, avec ses meilleurs artisans, à terminer la salle du jugement.

— Ce repas est un acte sacré, dit Salomon avant que les nourritures fussent partagées. Qu'il soit offert à Dieu comme Dieu l'a offert à notre père Abraham sous le chêne de Mambré.

Des chariots avaient apporté au palais de l'orge, du froment, des olives, des melons, des figues, du raisin, des grenades, des amandes, des pistaches, des mûres et des gousses de caroubier. Miels d'abeille, de raisin et de dattes agrémentaient les pains et les viandes grillées. Le vin, dont la fabrication avait été révélée par Dieu à Noé, coulait en abondance. Les coupes de céramique accueillirent le breuvage au rouge chaleureux contenu dans des jarres ou des outres.

Le roi présenta à Balkis de la myrrhe rare provenant des épineux de la sinistre région du Ghor dont les solitudes celaient l'origine des parfums les plus précieux.

Des poètes lurent des vers magnifiques, glorifiant la beauté d'Israël et les vertus de ses fils. Salomon redoutait que la reine de Saba eût choisi ce moment pour poser une énigme. Mais Balkis se contenta de déguster les mets et de répondre par des sourires aux regards admiratifs des convives.

***

Jéroboam ôta le capuchon qui lui couvrait la tête. Il avait coupé sa barbe, teint ses cheveux en noir, effacé sa cicatrice au front avec du fard.

— Je cours un grand danger en venant ici, Majesté.

— Vous n'aviez pas le choix, dit Nagsara, coupante. Un sujet ne discute pas les ordres de sa reine.

Le colosse ricana.

— Je n'ai plus ni roi ni reine... Ce palais ne me verra plus courbé devant leur autorité.

— Pourquoi tant d'aigreur?

— Pourquoi cette entrevue secrète?

Nagsara, par l'intermédiaire d'Elihap, avait convoqué l'homme que le secrétaire du roi considérait déjà comme un renégat et un révolté.

Dans l'aile du palais occupée par la reine, il n'y avait plus qu'un vieil aveugle passant son temps à dormir. Les autres serviteurs officiaient à la table du banquet.

L'Egyptienne eut peur d'elle-même. De Jéroboam émanait la violence d'un être fruste, entêté, capable d'aller jusqu'au terme de sa haine. Mais elle ne pouvait plus reculer. La flamme lui avait enfin parlé. Son bonheur serait acquis au prix d'un acte effroyable.

— J'ai besoin de vous, Jéroboam.

Le menton anguleux de l'ancien chef de la corvée se redressa. La reine d'Israël s'humiliait devant lui.

— Je vous écoute, Majesté.

— Désirez-vous être riche?

— Demain, Salomon me fera arrêter. La fortune ne me sauvera pas.

— Que souhaiteriez-vous?

— Une missive de votre main pour être reçu par votre père, le pharaon. Fuir en Egypte est la seule chance de sauver ma vie.

Nagsara prit un calame et rédigea quelques colonnes de hiéroglyphes sur un papyrus de grand prix.

— Voici, Jéroboam. Grâce à ce message, ton vœu sera exaucé.

— Quel service dois-je vous rendre?

Le regard de la reine s'anima d'une lueur inquiétante.

— Tuez la reine de Saba.

***

Les sept trompettes d'argent qui annonçaient le début du rituel quotidien retentirent. La reine de Saba se présenta sur la partie du parvis réservée aux païens. Sadoq et les prêtres avaient la certitude qu'elle n'irait pas plus loin. Seul un authentique croyant avait le droit de franchir cette frontière.

Rayonnante dans sa robe d'or et de pourpre, Balkis s'immobilisa.

Salomon vint à sa rencontre. Il lui offrit sa main et l'introduisit sur le parvis des femmes. Scandalisés, plusieurs prêtres se détournèrent. Quand le roi d'Israël et la reine de Saba traversèrent le parvis d'Israël, accessible aux dignitaires, Sadoq, révolté par tant d'impudence, monta jusqu'à l'autel principal sur lequel étaient posés des gâteaux de fleur de farine pétris d'huile, des pains, un mélange d'encens, d'onyx et de galbanum, et la cuisse d'un bœuf. Il préférait se consacrer à la célébration du culte et ne pas assister à la violation des coutumes. Quand une mouche souilla la viande, le grand prêtre sut qu'un malheur allait se produire. Aucun insecte, jusqu'à présent, n'avait rendu impur un mets consacré au Seigneur.

Se retournant, Sadoq vit Balkis et Salomon accéder au parvis des prêtres...

Sadoq alluma le feu du sacrifice et se prosterna, louant le nom de Yahvé. Les musiciens du temple remplirent leur office. Le plus âgé emboucha la corne de bélier, rappelant le son qu'avait entendu Moïse alors qu'il escaladait la montagne de la Révélation. Puis intervinrent les harpistes, les joueurs de flûtes obliques, de cithares, de lyres et de tambourins.

La fumée de l'offrande et la musique des rites s'élevèrent vers les nuées. Sadoq descendit de l'autel.

— Roi d'Israël, je m'oppose fermement à la violation de la Loi. Nous sommes ici sur le parvis des prêtres et nul autre...

— Que tous évacuent le lieu saint, ordonna Salomon. Je veux être seul avec la reine de Saba.

Maîtrisant sa fureur, le grand prêtre obéit.

Balkis apprécia la vastitude que Salomon lui accordait. Pour elle seule, le temple de Yahvé sous le soleil. Pour elle seule, le chef-d'œuvre de Maître Hiram. Estimant la lumière trop crue, la reine de Saba, d'une voix mélodieuse, prononça le nom de plusieurs oiseaux qui, jaillissant des nuages, obscurcirent le soleil. Une huppe se posa sur l'épaule gauche de Balkis. Le temple de Yahvé était empli de battements d'ailes, de vols joyeux et de chants cristallins.

— Parleriez-vous le langage des oiseaux? interrogea Salomon.

— Ils nous donnent un peu de fraîcheur, Majesté. Les âmes des justes ne s'incarnent-elles pas dans ces créatures fragiles qui vivent de lumière et habitent dans les cieux?

Salomon ne voyait plus l'azur, oubliait le parvis du temple. Il se noyait dans le regard de cette femme venue de terres lointaines où la respiration des montagnes se transformait en or. Un sentiment inconnu envahit le cœur du roi d'Israël, un sentiment qui conférait la force d'une jeunesse éternelle et le désir d'un torrent bondissant.

La huppe s'envola.

Les pierres du temple étaient nimbées d'une lumière dorée née à l'aube des temps.

Jéroboam ne pouvait rêver meilleure occasion. La reine de Saba descendait, seule, les marches du parvis des prêtres. Salomon ne la suivait pas, comme étourdi d'une grâce dont il prenait lentement la mesure.

La reine marchait d'un pas lent, prenant le loisir d'admirer l'architecture née du génie de Maître Hiram. Les prêtres, conformément aux exigences de Salomon, s'étaient éloignés.

Quand Balkis franchirait l'angle de la maison de la forêt du Liban, Jéroboam, invisible, frapperait.

Salomon se décida enfin à suivre la reine. Mais il se sentait emprisonné dans un étau, comme si Balkis avait imposé entre elle et lui une distance qu'il ne parvenait pas à combler. La jeune femme s'engagea dans le passage entre la salle du jugement et le Trésor royal.

Jéroboam bondit, tendant le lacet de cuir avec lequel il étranglerait la reine de Saba.

Balkis ne trembla pas. Elle sut aussitôt que l'homme à la tête cachée par un capuchon avait l'intention de la tuer. Elle le fixa sans crainte et appela de nouveau les myriades d'oiseaux.

Jéroboam fit un pas en avant mais se heurta à une barrière invisible. Furieux, il parvint à la contourner. Il se trouvait tout près de Balkis lorsqu'il ressentit une première piqûre sur le crâne. A la huppe succédèrent les corbeaux, les geais, les pies, les buses dont les becs acérés s'enfonçaient dans sa chair. Ensanglanté, Jéroboam prit la fuite.

48.

Face à face dans le vestibule du temple de Yahvé, Salomon et le grand prêtre s'affrontaient de manière ouverte. Sadoq ne reculerait pas. Sa foi outragée, il n'admettait pas le comportement du souverain. Conscient des risques qu'il courait, il se voulait digne de l'habit qu'il portait.

— La reine de Saba est une magicienne, Majesté. Elle commande aux oiseaux. En agissant de la sorte, sur le parvis même du sanctuaire de notre Créateur, elle Le défie et nous humilie. Que votre épouse n'appartienne pas à notre race est déjà une grave offense à Yahvé. Que vous autorisiez cette hérétique, venue d'un pays de débauche, à se comporter de la sorte est un péché qu'Israël payera de son sang et de ses larmes. Expulsez-la et repentez-vous. Implorez la clémence de Dieu. Sinon, le malheur s'abattra sur votre peuple.

Sadoq avait le verbe haut et le geste ample. Salomon ne regrettait pas de l'avoir désigné comme grand prêtre. Il se louait de la visite de la reine de Saba qui avait réveillé chez ce vieil intrigant une ardeur assoupie. Enfin, il tentait de se montrer à la hauteur de sa fonction.

Le roi ne se départit pas de ce calme qui séduisait les esprits et apaisait les angoisses.

— Tu joues bien ton rôle, Sadoq, mais le grand prêtre, grâce à Dieu, ne gouverne pas le royaume. Il a le bonheur de vivre dans l'univers du temple, de négliger ce qui existe au-delà des parvis et de l'enceinte. En tant que roi d'Israël, je dois marier l'ici-bas et l'au-delà. C'est le Seigneur qui nous envoie la reine de Saba. C'est son or qui nous a permis de construire le temple. Puisse-t-elle demeurer longtemps parmi nous. Sa présence est le plus précieux des apports à la paix dont nous jouissons depuis bientôt dix ans. Il faut continuer à la construire. Prie pour Israël, Sadoq, et laisse-moi régner.

« Un roi aveuglé par l'amour, pensa Sadoq, est-il encore capable de gouverner ? »

Les maîtres et les compagnons avaient quitté le chantier du portique du trône ; là serait installé le tribunal de Salomon, accolé à la grande salle destinée à la réception des ambassadeurs. Hiram demeurait seul, consacré à sa tâche. Un obscur sentiment lui intimait l'ordre de ne pas perdre la moindre seconde. L'exigence de créer devenait si intense qu'elle ne lui accordait plus de repos. Du sol au plafond, des lambris de cèdre rendaient le tribunal solennel et austère. L'architecte achevait lui-même la sculpture du trône d'ivoire et d'or, dont chaque accoudoir avait la forme d'un lion.

La nuit était fort avancée lorsque le Maître d'Œuvre posa maillet et ciseau. Il dormirait deux ou trois heures à l'abri de la grande colonnade puis reviendrait ouvrir le chantier, dès les premières lueurs de l'aube.

La façade du futur tribunal, baignée de bleu profond par la lumière de la pleine lune, se composait d'un long porche soutenu par de puissants piliers, ressemblant à ceux du temple d'Osiris en Abydos. Au droit du dallage s'amorçait une pente abrupte descendant vers Jérusalem. Il faudrait y tailler de larges marches afin de faciliter l'ascension des plaidants venant réclamer justice au roi.

— Il est tard, Maître Hiram.

L'architecte reconnut l'élégante silhouette de la

reine de Saba, adossée à un pilier et contemplant le soleil de la nuit.

— Majesté... mais comment...

— J'aime me promener seule, sous les étoiles. Mes sujets dorment. Les âmes sont en paix. Les charges de la royauté semblent moins lourdes. Au ciel, je demande de m'inspirer et de me guider.

Hiram ne portait qu'un tablier de cuir usé. Ses mains, ses bras, son torse étaient salis par le travail de la journée. Nul n'aurait pu le distinguer d'un simple ouvrier, s'il n'y avait eu ce port de tête d'un homme habitué à commander.

— D'où venez-vous, Maître Hiram? Quelle est votre patrie?

— Ma patrie est ce chantier. Je viens d'une œuvre finie et je vais vers une œuvre à accomplir.

— Où avez-vous appris votre art?

— Dans le désert, en regardant les pierres et le sable. Ils sont les matériaux d'éternité.

— Seul un Egyptien peut s'exprimer ainsi. Mais Salomon n'aurait pu accepter qu'un Egyptien construisît le temple de Yahvé!

Hiram se tut. Il se sentait pris au piège. Dialoguer avec la matière lui était familier. Répondre aux questions de cette femme à l'esprit agile le soumettait à rude épreuve. Mais entendre sa voix lui procurait un délicieux plaisir.

— C'est à cause de vous, Maître Hiram, que j'ai entrepris ce long voyage. Votre ami, mon Premier ministre, appartient à votre confrérie d'architectes. Il a insisté pour que mon or contribuât à la construction du temple. Je désirais le voir.

— Etes-vous déçue?

— Au contraire. J'ai également découvert un grand roi.

— N'êtes-vous pas l'héritière d'une antique sagesse, Majesté? Envisageriez-vous une alliance, ou pis encore, avec un fils de berger, chef d'un peuple frondeur et sans tradition?

La reine de Saba considéra le Maître d'Œuvre avec stupeur.

— Quelle surprenante colère! Ignorez-vous qu'Israël n'est plus une nation infirme? La tradition dont elle manquait encore, n'est-ce point vous-même qui la lui avez offerte en construisant ce temple? Seriez-vous jaloux de Salomon?

Hiram frappa du poing un pilier et disparut, abandonnant aux rayons de lune la reine de Saba dont le corps admirable transparaissait, sous sa robe de lin, dans le bleuté nocturne.

La nuit durant, Hiram sculpta. La fièvre s'était emparée de lui. Entaillant un bloc de granit, il lui donna la forme de Balkis, femme d'ombre et de lumière, déesse lointaine venue hanter le monde des humains, apparition de l'au-delà trop proche pour être oubliée. Il modela les seins ronds, les hanches déliées, le ventre plat, les longues jambes. Sa main ne tremblait pas. Elle amenait à l'existence la beauté cachée dans la pierre, faisait naître une reine qu'il caressait et qui n'appartenait qu'à lui.

Au matin, il détruisit son œuvre.

Salomon gravit les six marches menant au trône. Il s'assit sur le siège d'or, posant les avant-bras sur les accoudoirs en ivoire.

Il observa l'assistance nombreuse et silencieuse. Au premier rang, Sadoq et les prêtres, derrière eux, les dignitaires du royaume. A gauche du trône, au bas de l'estrade, le maître du palais ; à droite, Elihap, muni d'un écritoire et d'une série de calames. Grâce aux boiseries de cèdre, la salle du tribunal ressemblait à un oratoire où nulle voix ne céderait à la passion.

Salomon présidait sa première cour de justice dans l'édifice construit par Maître Hiram. Ce dernier

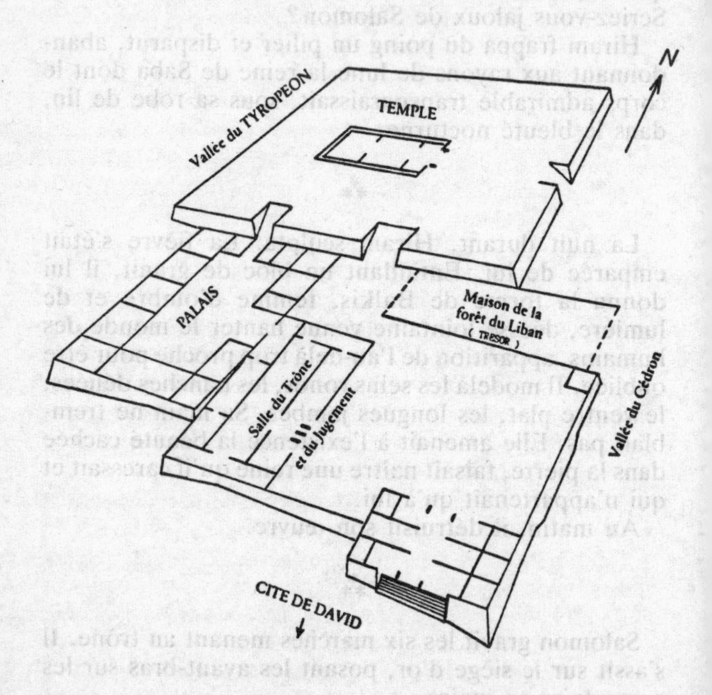
N
Vallée du TYROPEON
TEMPLE
PALAIS
Maison de la
forêt du Liban
(TRESOR)
Salle du Trône
et du Jugement
Vallée du Cédron
CITE DE DAVID

apportait d'ultimes améliorations à la maison de la forêt du Liban ; il y aménageait des caches où seraient abrités les boucliers d'or.

— Nous avons à nous prononcer sur le comportement indigne de l'ancien chef de la corvée, Jéroboam. Il est accusé de désertion et de crime. Il n'a pas répondu à la convocation du secrétaire. L'un d'entre vous sait-il où il se terre?

Le général Banaias demanda la parole.

— Moi, Majesté. Je viens de recevoir un rapport qui ne laisse subsister aucun doute sur la vilenie de Jéroboam. Il s'est réfugié à la cour d'Egypte. Notre loi ne connaît qu'un seul châtiment pour les assassins et les traîtres : la mort.

Nagsara pleurait. Des larmes d'enfant, chaudes, cascadées, impossibles à contenir. Son misérable complot avait échoué. La reine de Saba continuait à conquérir le cœur de Salomon. Demain, elle régnerait sur Israël, reléguant à jamais l'épouse égyptienne du roi dans le désespoir et la honte.

Nagsara n'éprouvait aucun ressentiment contre Salomon. Il était la proie d'une magicienne née sur une terre maudite et venue semer le malheur au pays de Yahvé. Victime de forces maléfiques, son époux avait les yeux aveuglés par les envoûtements de Balkis.

L'Egyptienne ne renoncerait pas.

En elle s'éveillait la fierté d'une race qui avait construit pyramides et temples, fertilisé le désert, exalté la sagesse au sein des institutions humaines. En elle renaissait la noblesse d'une lignée de reines qui avaient su gouverner l'Etat le plus puissant du monde.

Nagsara monta sur le toit de l'aile du palais où elle résidait. Elle y déposa une lampe dont elle alluma la mèche. La flamme monta dans l'air lumineux.

De la pointe d'un stylet, Nagsara entailla sa chair, à l'endroit où était gravé le nom d'Hiram. Depuis quelques jours, elle avait l'impression qu'il s'effaçait.

Lorsque son sang coula, la reine d'Israël le recueillit dans la paume de ses mains et les plongea dans la flamme.

— Ma vie pour sa mort, implora-t-elle.

49.

L'eau fraîche courait à travers les jardins plantés de lauriers, de sycomores et de tamaris. Dans les vertes vallées de Judée et de Samarie montait le parfum des lis et des mandragores, transporté par la brise qui virevoltait dans la clarté d'un chaud après-midi.

— Aimez-vous cette demeure, Balkis ?

Salomon conduisit la reine de Saba jusqu'au seuil d'un palais en bois, aux balustrades ornées de vasques remplies de fleurs et aux fenêtres fermées par des rideaux de pourpre. Sur le toit, des colombes roucoulaient.

— J'ai séjourné ici plusieurs mois étant enfant. Ce furent des heures heureuses. Je m'étais promis de ne pas y revenir tant que je n'aurais pas goûté à un vrai bonheur.

— Celui d'avoir terminé le temple ?

— Celui de vous avoir rencontrée, Balkis.

La reine de Saba, évitant le regard de Salomon, avança en direction d'un olivier. Elle prit un bâton et frappa les branches. Sur le sol tombèrent de grosses olives mûres qu'elle dégusta.

— J'ai appris à extraire de l'huile à la petite meule, derrière la maison, ajouta le roi. C'était mon jeu préféré.

Salomon ôta les poutres qui fermaient l'accès de la villa campagnarde.

— J'ai soif, dit Balkis.

Le roi chercha une coupe, la nettoya et la remplit d'une eau fraîche au puits. La reine en versa le contenu sur le sol.

— Toi dont la réputation de sagesse est si grande, pourrais-tu me présenter cette coupe pleine d'eau ne provenant ni du ciel ni de la terre ?

Salomon garda son sang-froid. Avec un art consommé, Balkis avait choisi ce moment de repos pour passer à l'attaque et poser une énigme. La respiration du roi resta régulière. Il s'assit sur la margelle du puits et réfléchit, sans crisper ses pensées.

C'est en contemplant les deux chevaux fougueux qui avaient tiré son char qu'il entrevit la solution. Détachant l'un d'eux, il l'enfourcha et galopa dans la campagne. Revenant à la villa, il plaça la coupe le long des flancs du cheval et l'emplit des gouttes de sueur.

La reine de Saba ouvrit la main droite. Dans sa paume brillait une émeraude.

— Observe cette pierre précieuse, roi d'Israël. Elle est percée de douze spirales presque invisibles. Tes doigts seront-ils assez habiles pour y passer un fil ?

Salomon recueillit le trésor. Nul artisan, si habile fût-il, n'avait la moindre chance de réussir. Serrant la pierre contre sa poitrine, il emprunta un chemin de pierres sèches menant au verger. Souvent, méditer sous un arbre lui avait procuré la réponse aux questions les plus ardues. Il passa entre les oliviers, effleura le tronc d'un sycomore et découvrit le sauveur vers lequel son instinct l'avait mené : un superbe mûrier aux feuilles présentant deux faces différentes et aux nervures ramifiées. Après avoir choisi avec soin l'endroit où déposer l'émeraude, il rejoignit Balkis.

— Je l'ai confiée au ver à soie qui dévidera son fil dans les douze spirales et recréera le zodiaque inscrit dans la pierre. Ne me demandiez-vous pas, de cette manière, de toujours respecter les enseignements du cosmos ?

La reine sourit.

— Votre réputation n'était donc pas usurpée. Grande est votre sagesse.

Salomon s'assombrit.

— Pauvre sagesse, en vérité ! J'ai observé la nature, comme le plus humble des paysans. Ma science est immense, clament les naïfs. Ce n'est qu'une accumulation de savoir pesante comme une outre trop pleine. Cette science-là ne procure ni bonheur ni sagesse. Elle est un ciel gris et bas. Trop de savoir cause peine et chagrin ; l'augmenter sans cesse conduit à la folie. Qui saura percevoir les lois de la création ? Quel savant accédera à la connaissance de Dieu, au-delà de la forme, au-delà même de la lumière dans laquelle il se cache ? Je ne suis pas un sage, Balkis. J'ai écrit des traités sur les secrets des plantes, des minéraux, des animaux et des pierres. Nul ne connaît mieux que moi la parole des vents ou le message des esprits souterrains. Dans les siècles à venir, les magiciens utiliseront la clé de Salomon pour ouvrir la porte des mystères de la nature. Par elle, ils partageront ma puissance. Mais tout cela n'est que vanité. Que pourrais-je encore désirer ? N'affirme-t-on pas que les plus vastes pouvoirs sont entre mes mains, ne constate-t-on pas que je pratique l'art de guérir et d'apaiser les souffrances de l'âme, n'admire-t-on pas ma réussite et la réalisation de mes desseins ? De ces fausses richesses, il ne me restera rien. Elles ne sont qu'illusion. Je ne suis pas un sage, Balkis, mais j'ai besoin de votre amour.

La huppe descendit des nuées et se posa sur l'épaule droite de la reine de Saba. Dans son chant, la jeune femme reconnut les paroles du très ancien poème traduisant l'émoi de l'amoureuse : « Avant que souffle la brise du soir et que s'étendent les ténèbres, va à la montagne de la myrrhe, à la colline de l'encens. Là, il t'attendra et te fera perdre le sens. »

Nul homme n'était plus beau que Salomon. Nul n'avait davantage de prestance. Humilié, déchiré par des tourments qu'il ne celait pas, il gardait la noblesse d'un monarque que les tempêtes ébranlaient sans détruire. Ce qu'éprouvait Balkis outrepassait l'admiration d'une reine pour un roi. S'élancer vers lui, se blottir dans ses bras, s'abandonner... pourquoi le destin lui interdisait-il de se comporter comme une femme ivre de passion ?

— Vous êtes la descendante de l'illustre Sem, père des Hébreux et des Arabes, rappela Salomon. Si vous consentez à m'épouser, nous recréerons l'unité perdue. Nous écarterons à jamais le spectre de la guerre.

— Grave erreur, objecta-t-elle. Le royaume que nous formerions susciterait trop de convoitise. Nos voisins se ligueraient pour l'abattre. Et lequel de nous deux accepterait de se soumettre à l'autre ? Ne rêvez pas, Salomon. Vous n'en avez pas le droit.

— J'ai rêvé de la paix, Balkis, et elle s'est accomplie. J'ai rêvé du temple, et il fut construit. J'ai rêvé de l'amour et vous êtes venue. Pourquoi refuser l'espérance ?

— Saba est si loin...

— Réfléchissez, je vous en supplie.

Balkis était sur le point de céder lorsqu'elle discerna, sur la route, un nuage de poussière ocre. Apparut un cavalier appartenant à la garde du roi. Essoufflé, s'adressant au roi Salomon, il parla avec précipitation.

— Pardonnez-moi, Majesté... votre mère se meurt.

Conformément à ses vœux, Salomon n'avait pas revu Bethsabée depuis le jour où elle avait décidé de quitter la cour pour se retirer dans une vaste demeure proche de la mer de Galilée, où David l'avait aimée, oubliant un été durant les exigences du pouvoir.

Sur son lit de mort, Bethsabée se laissait bercer de souvenirs passionnés où le monarque à la lyre l'enchantait de ses poèmes.

Quand Salomon s'approcha de sa couche et s'agenouilla pour baiser la main de sa mère, les souffrances du trépas assaillirent à nouveau la vieille dame.

— Te voici enfin, mon fils... avant de m'enfoncer dans le royaume des ombres, je voulais te parler une dernière fois.

— Pourquoi ces sombres pensées ?

— Une reine doit reconnaître sa mort, l'accepter comme une amie bienveillante. Mais mon cœur saigne à cause de toi.

— Quelle peine vous ai-je causée ?

— Ne négliges-tu pas la femme qui t'aime ? Ne cherches-tu pas des plaisirs qui se transformeront en tristesse ?
— Je ne désire que la paix, ma mère.
— La reine de Saba ne la confortera pas. Nagsara, elle, te l'a apportée. C'est grande faute que de l'ignorer. Pars, à présent, je dois me préparer. Sois juste, Salomon. Sois digne de ton père.

Balkis avait choisi de passer la nuit dans la villa. Le soleil était levé quand on frappa à la porte. La jeune femme se précipita pour ouvrir, espérant la présence de Salomon auquel elle avait rêvé la nuit durant. Mais il ne s'agissait que d'un pivert à la tête rouge qui s'envola à tire-d'aile.

Déçue, elle marcha pieds nus dans la rosée, goûtant la clarté du matin et le chant des oiseaux. Continuerait-elle longtemps à refuser la proposition de Salomon ? En se mariant avec le roi d'Israël, elle ferait perdre à Saba son autonomie. Agir ainsi ne serait-il pas une trahison envers la terre de ses ancêtres ? L'amour de Salomon méritait-il un tel sacrifice ?

Apercevant des femmes qui puisaient de l'eau, elle revint vers la maison et plaça une cruche sur son épaule. Vêtue d'une simple tunique, elle se joignit à elles. D'abord méfiantes, elles furent conquises par le sourire de Balkis et consentirent à converser avec elle. Puisqu'elle marchait seule, sans suivantes, elle ne pouvait être qu'une servante.

La reine écouta leurs plaintes concernant les rudes travaux des champs, la violence du khamsin et les prédictions des mages annonçant un hiver glacial.

— Que se passe-t-il à Jérusalem ? demanda-t-elle. Une étrangère ne reçoit-elle pas les honneurs de la cour ?

— La reine de Saba... On dit qu'elle a conquis le cœur de Salomon.

— Un mariage serait-il prévu ?

— Ce serait une calamité ! affirma une paysanne.

L'épouse de Salomon, c'est Nagsara l'Egyptienne, personne d'autre ! Le peuple l'a acceptée. Si le roi est un sage, il ne cédera pas aux désirs d'un moment.

— On prétend qu'elle est très belle, déclara sa consœur. Notre roi est un homme si séduisant...

— Qu'ils goûtent les plaisirs de l'amour, mais que Salomon respecte son mariage !

— L'union avec la souveraine de Saba ne favoriserait-elle pas la paix ? demanda Balkis.

— Illusion ! jugea la paysanne la plus véhémente. Grâce à la fille de Pharaon, l'Egypte et Israël vivent en harmonie. Saba n'apportera que le malheur. Salomon ferait mieux de se préoccuper de l'architecte tyrien.

— Pourquoi donc ?

— Avec son armée d'ouvriers, cet Hiram est le vrai maître du pays. Il peut tout créer, tout bâtir. Il a l'allure d'un prince. Et les démons lui prêtent main-forte.

— Comment Salomon devrait-il agir ?

— Qu'il s'en débarrasse ! Sinon, à cause de lui, il perdra son trône. Dans notre pays, il n'y a pas de place pour deux rois.

Sa cruche remplie, Balkis erra dans le proche verger puis s'assit sous un figuier. Douceur du fruit sous la langue, fraîcheur de l'ombre, tendresse de l'air... Israël ressemblait à un paradis. Un paradis dont elle ne serait pas la reine.

50.

Soufflant de l'est, des vents violents rabattirent sur Jérusalem les fumées nauséabondes de l'holocauste. Encens et chairs brûlées composèrent une odeur abominable. Une fraîcheur subite ayant agressé Israël, nombre de prêtres, obligés de marcher pieds nus sur les dalles des parvis, tombèrent malades. Rhumes et dysenteries les écartèrent du culte dont l'organisation laissa à désirer.

Salomon restait enfermé dans son palais. Depuis plus d'une semaine, il n'accordait pas d'audience. Lorsque la reine de Saba lui avait annoncé son refus irrévocable de l'épouser, il s'était emmuré dans le silence, refusant même de recevoir Sadoq et Elihap.

Les derniers logements des prêtres étaient terminés. Hiram avait donné l'ordre d'ôter les échafaudages et de ravaler les façades. L'aire sacrée de Jérusalem, sur le roc domestiqué par l'architecte, brillait à présent d'une splendeur accomplie.

Comment aurait-elle réjoui Salomon, alors qu'il subissait le premier échec de son existence et la plus douloureuse de ses défaites ?

D'Eziongaber aux bords du Jourdain, Hiram allait de chantier en chantier. Les grands travaux de Jérusalem menés à terme, il attribuait de nouvelles fonctions aux corps de métier qui dépendaient de son autorité. A l'anarchie, il avait substitué l'organisation de sa confrérie. A la tête de chaque profession artisanale, il avait placé un responsable rendant compte de ses activités devant le conseil des maîtres. En quelques années, Israël serait une nouvelle Egypte. Charpentiers et tailleurs de pierre reconstruiraient les villages, dresseraient de nouveaux temples, rendraient les villes splendides.

Anoup accompagnait partout le Maître d'Œuvre, tandis que Caleb entretenait avec soin la grotte où Hiram persistait à résider, refusant toute autre habitation. C'était là qu'il s'accordait quelques heures de repos entre deux voyages. Le boiteux avait tracé un chemin jusqu'à la source voisine, cachée dans un fouillis végétal où se mêlaient buissons, jasmins et jeunes palmiers. C'était Salomon en personne qui, au début de son règne, avait trouvé ce point d'eau grâce au bâton de sourcier hérité de son père.

L'architecte venait s'y laver chaque matin.

Il ne s'attendait pas à rencontrer la reine de Saba, nue, s'aspergeant avec grâce d'une eau scintillant sous le soleil.

— Ne vous enfuyez pas, Maître Hiram. La vision d'une femme vous effrayerait-elle? En Egypte, des femmes nues ne jouent-elles pas de la musique pendant les banquets?

L'architecte revint sur ses pas et s'adossa au tronc d'un palmier.

— Votre place n'est pas ici.

— Pourquoi une reine ne converserait-elle pas avec l'homme le plus puissant de ce pays?

— Qui ose...

— Le peuple, Maître Hiram. Sa voix est un enseignement.

— Je ne connais que celle de mes ouvriers. Gouverner n'est pas mon métier.

— Seriez-vous à ce point jaloux de Salomon?

— Ne l'épousez pas, Majesté.

La reine sortit de l'eau, s'essuya avec un linge blanc et se vêtit sans hâte d'une tunique légère.

Hiram ne l'avait pas quittée des yeux. Pas un instant, elle n'avait tenté de se dissimuler.

— Je n'épouserai pas Salomon, révéla-t-elle. Mais cela ne m'empêche pas de l'aimer.

— Vous ne l'aimez pas. Il vous intrigue. Il vous fascine comme le lion des montagnes. Il vous étouffera.

— Nous sommes de même nature. Je n'ai rien à craindre du roi d'Israël.

— Je dois partir, Majesté.

— Pourquoi fuir encore? Pourquoi vous réfugier dans un travail qui ne satisfait plus vos aspirations?

Balkis puisa de l'eau dans sa main droite.

— L'entendez-vous couler entre mes doigts? Songez-vous à votre destin qui s'épuise dans ce pays et qui reprendrait vigueur à Saba?

— Voilà trop de questions, Majesté.

Balkis le regarda s'éloigner. Une seconde fois, il lui échappait.

***

Lorsque le ciel devint bleu sombre et se couvrit d'étoiles, Nagsara se rendit au pied du roc. La tête couverte d'un voile, les pieds nus, elle ressemblait aux servantes qui effectuaient la corvée d'eau.

L'angoisse l'étreignait. Maître Hiram répondrait-il à son invite? Le boiteux avait-il transmis son message? Au-dessus d'elle, l'aire sacrée l'écrasait de sa masse imposante. Comme la capitale d'Israël avait changé! La cité de David était devenue domaine de Salomon. Nul ne songeait plus à contester le prestige du roi, égal à celui de Pharaon. Dieu avait donné à son peuple un guide d'exception, dont le souvenir serait plus glorieux encore que celui de Moïse.

Nagsara aurait pu être heureuse, s'il lui avait accordé un peu d'amour, tel un fauve revenant à sa tanière après de longues journées de chasse. Elle aurait accepté, toujours, d'être une proie consentante, ne vivant que par l'éclat trop rare d'un regard fugitif.

En l'oubliant, Salomon l'anéantissait. Cette maudite Balkis avait déployé les artifices d'une magie que la fille de Pharaon ne parvenait pas à contrecarrer.

Elle aperçut Hiram, montant par un sentier abrupt. Lui aussi s'était dissimulé le visage, parvenant mal à effacer son imposante carrure et son allure de chef. Avec Salomon, il était le seul homme qui eût impressionné Nagsara au point de la faire tressaillir. Il ne possédait pas la beauté solaire du roi, mais sa sévérité et sa puissance le rendaient aussi envoûtant.

— Me voici, reine d'Israël.

— J'ai besoin de vous, Maître Hiram.

L'architecte perçut l'émotion de la reine. Sa voix tremblait. Quand un rayon de lune éclaira ses traits, il constata qu'elle avait beaucoup maigri.

— Aidez-moi à sauver Salomon. Il faut l'arracher aux maléfices de la Sabéenne. Vous êtes égyptien, j'en suis certaine. Nous appartenons à la même race. Le Nil est notre père et notre mère. Sur cette terre étrangère où le destin me condamne à vivre, vous êtes mon seul appui. C'est pourquoi votre nom est gravé dans ma gorge.

Dans un élan irraisonné, Nagsara se blottit contre la poitrine du Maître d'Œuvre.

— Serrez-moi... j'ai froid et je suis lasse, si lasse... Je voudrais simplement être aimée. Pourquoi Salomon ne le comprend-il pas ?

— Le roi n'épousera pas Balkis, révéla Hiram.

La jeune Egyptienne se réchauffait déjà. Comme elle se sentait bien, ainsi protégée ! Comme elle aurait souhaité que ce torse, ce bras, ce visage fussent ceux de l'homme qu'elle adorait.

— Il faut chasser cette femme, s'obstina-t-elle. Elle apporte la désolation. L'oracle de la flamme m'a mise en garde. Soyez l'instrument de ma vengeance.

— Qu'exigez-vous de moi ?

— Que vous convainquiez Salomon de la renvoyer à Saba.

— N'est-ce point enfantillage ?

— Vous êtes le maître secret du pays. Si vos

ouvriers se mettent en grève, le roi sera contraint de vous obéir.

— Mes ouvriers ne cessent le travail qu'au moment où ils ne sont plus en mesure de l'accomplir correctement. La grève est semblable à une guerre. Elle ne doit servir aucun chantage.

— Alors, tuez Balkis!

Nagsara se dégagea de l'étreinte d'Hiram. Dans son cri avait jailli la haine accumulée pendant des nuits d'insomnie.

— Mes mains sont destinées à construire, pas à donner la mort. Ce que vous réclamez est une folie.

— Vous aussi, vous me détestez...

Nagsara s'effondra contre le rocher. Dans la nuit où elle s'enfonçait, quel secours aurait pu lui apporter Hiram ?

Sur l'ordre de Salomon, après un échange de correspondance diplomatique, Elihap avait profité de l'hiver pour prendre la route de l'Egypte afin de résoudre le problème posé par le séjour du traître Jéroboam à la cour de Pharaon. Si l'alliance conclue entre l'Egypte et Israël ne pouvait être remise en cause, en raison de la présence de Nagsara à Jérusalem, la coutume aurait voulu qu'un ennemi de Salomon fût extradé par Siamon et réciproquement.

Elihap s'aperçut que la paix instaurée par le fils de David n'était pas un leurre. Circulant avec une escorte réduite, il traversa villes et villages heureux où les artisans de la confrérie d'Hiram restauraient d'anciennes demeures et en construisaient de nouvelles. Jusqu'à la frontière, le secrétaire de Salomon découvrit un pays tranquille et prospère. Il fut pris en charge par un détachement de l'armée égyptienne qui le conduisit jusqu'à la fastueuse cité de Tanis, parcourue de canaux bordés de jardins et de parcs où se cachaient les villas des nobles.

Elihap fut frappé par le silence qui régnait dans les

rues. Les Egyptiens avaient la réputation d'être gens gais et rieurs. Sur les marchés, on discutait ferme. Dans les artères de la cité passaient, d'ordinaire, de nombreux chars. Mais Tanis semblait inerte, comme vidée de ses habitants.

Les couloirs du palais étaient déserts. Pas un seul groupe de courtisans en grande conversation. Un intendant introduisit Elihap dans le vaste bureau du vizir dont les fenêtres à claire-voie donnaient sur un bassin de nénuphars. Le Premier ministre de l'Egypte était un homme grand et autoritaire. Une petite moustache noire n'atténuait pas la rigueur du visage.

— Pardonnez-nous ce médiocre accueil, mais les circonstances sont bien sombres. Pharaon est gravement malade.

— Redouteriez-vous une issue fatale?

— Les meilleurs médecins sont au chevet de Siamon. Ils ne perdent pas espoir.

— Sans doute jugez-vous ma visite inopportune.

— Nullement. Mais vous comprendrez que bien des affaires, fussent-elles urgentes, resteront en attente. Rien ne nous empêche cependant de les aborder.

— Le cas de Jéroboam, par exemple...

— Il réside actuellement dans une ville du Delta. Nos deux pays sont alliés. Des citoyens hébreux respectant nos lois peuvent circuler librement en Egypte.

Le secrétaire de Salomon sentit que la chance lui souriait. La succession de Siamon s'annonçait difficile. Beaucoup chuchotaient le nom d'un Libyen qui, monté sur le trône, ne songerait qu'à briser la paix et à favoriser les adversaires de Salomon. Jéroboam le banni serait peut-être l'un des grands de la future cour d'Egypte. Elihap se devait de jouer sur plusieurs registres. Sa réussite lui semblait assurée, à condition d'éliminer un adversaire dangereux qu'il ne réussirait jamais à intégrer dans sa stratégie.

— Par ma voix, le roi d'Israël et son peuple souhaitent un prompt rétablissement à notre Frère le pharaon. En ce qui concerne Jéroboam, nous saurons nous montrer patients et attendre la décision de Siamon.

Le vizir se réjouit de cette attitude. L'âme de Siamon atteindrait bientôt le portail de l'au-delà. Nulle médecine ne le sauverait. Dans l'ombre, le Libyen se préparait. Ses partisans étaient nombreux et résolus. Jéroboam, qui nourrissait sa haine à l'égard de Salomon, l'avait déjà rencontré. En n'étant pas contraint de l'expulser, le vizir gagnait le temps nécessaire pour mieux apprécier la situation nouvelle qui s'instaurerait dans les prochains mois.

— La sagesse de Salomon est digne d'éloges, reconnut-il. L'Egypte lui saura gré de sa tolérance.

— Un souci majeur nous attriste, révéla Elihap.

— Lequel ?

— La trop grande influence du Maître d'Œuvre qui a bâti le temple, Hiram de Tyr. Les membres de sa confrérie sont partout en Israël. Ils n'obéissent qu'à lui. Salomon en est irrité, mais comment agirait-il contre le constructeur du temple de Yahvé ? J'aimerais connaître la position de votre gouvernement au sujet de Maître Hiram.

Le vizir, qui devait être les yeux et les oreilles de Pharaon, savait qu'Hiram n'était autre que l'architecte Horemheb, issu de la Maison de Vie. Voilà longtemps qu'il s'interrogeait. Pourquoi demeurait-il en Israël après l'achèvement des travaux sur le roc de Jérusalem ? Seul Siamon détenait ce secret.

— Nous n'avons pas à nous prononcer sur le sort d'un architecte étranger, dit le vizir.

— Lui se prononce avec véhémence contre l'Egypte, indiqua Elihap, indigné. Il ne cesse de proclamer sa haine de Pharaon, au point que Salomon fut obligé de lui imposer silence.

Ainsi, conclut le vizir, l'ex-Horemheb était vraiment devenu Hiram. Conquis par les avantages de sa position, il avait oublié sa naissance et trahi ses origines. Comme tous les renégats, il se posait en adversaire farouche de la terre qui l'avait choyé.

— Salomon est un roi indulgent, assura Elihap. Ses grands dignitaires auront à le défendre d'une bonté excessive, notamment à l'égard de Maître Hiram. L'Egypte en prendrait-elle ombrage?

— Je vous le répète : nous n'avons pas à nous soucier d'un architecte étranger.

51.

La suite de la reine de Saba s'était installée dans une prairie fleurie, face à Jérusalem. Les artisans d'Hiram avaient construit kiosques et pavillons en matériaux légers, édifiant un élégant palais de bois pour la souveraine.

Sommeillant sous un figuier, Balkis rêvait d'un amour fort comme la mort, d'un feu si chatoyant que les eaux les plus vivaces ne l'éteindraient pas. La reine avait perdu le sommeil. En annonçant sa décision à Salomon, elle avait cru se délivrer d'un poids insupportable. Au contraire, elle l'avait augmenté. Mais comment renoncer à Hiram, ce Maître d'Œuvre dont la véritable nature était celle d'un roi? Comment abandonner Salomon, ce roi qui ferait d'elle une esclave?

Irritée contre elle-même, elle descendit dans un jardin où, entre des grenadiers, était plantée une vigne. Les plus délicats spectacles d'une nature généreuse ne la réjouissaient plus. Elle marchait au hasard, espérant un signe, une promesse. Soudain, elle s'arrêta. Ne percevait-elle pas le bruit des roues d'un char sur les pavés de la route? N'entendait-elle pas son bien-aimé, sautant par-dessus les montagnes, bondissant sur les collines, semblable à un jeune faon? Ne se tenait-il pas derrière le mur, caché par la vigne?

— Reste! cria-t-elle. Ne pars pas!

Le char s'était arrêté. Salomon ne commettait-il pas une faute en venant ici, en avouant à Balkis qu'il ne parvenait pas à la chasser de ses songes?

La reine de Saba était belle comme un jour de printemps lumineux. Sa légère robe jaune laissait les épaules nues et découvrait la naissance des seins. Une ceinture rouge soulignait la finesse de la taille. Salomon eut peur. Peur d'être envoûté davantage.

— Reste, implora-t-elle. Je danserai pour toi.

Ses pieds nus esquissèrent une spirale dans laquelle son corps se lova, très lentement, comme une feuille volant autour de la branche dont elle se détachait. Elle dessina d'invisibles courbes, créant un rythme silencieux qui s'accordait avec le murmure des fleurs.

Salomon se précipita vers elle et la prit dans ses bras.

— Combien je t'aime, Balkis... Tes lèvres sont du miel, tes vêtements sont parfumés. Tu es un jardin clos, une source scellée, un roseau odorant, l'eau qui féconde les jardins... Ton amour est plus enivrant que le vin, l'arôme de ta peau est le plus exquis des miracles...

Les yeux de la reine devinrent ciel d'espérance. Salomon sut qu'elle ne jouait plus avec sa propre passion. Au terme d'un long baiser, il l'obligea tendrement à s'incliner puis la coucha sur l'herbe rase, chauffée par le soleil. D'une main douce et précise, il la dévêtit. Pas un seul instant, leurs regards ne se quittèrent. Quand l'amour incendia leur être, une huppe se posa au sommet du grenadier qui les protégeait d'un monde aboli.

*
**

— Vous n'avez plus besoin de moi, affirma le boiteux.

— Je t'avais confié une mission, rappela Hiram.

— Elle est accomplie, estima Caleb. Le temple et le palais sont terminés. Je n'ai plus personne à surveiller sur le rocher. Vous courez de chantier en chantier. Moi, je suis seul dans cette grotte humide.

— Elle est fort sèche et plutôt confortable.

— C'est mauvais, pour un homme, de coucher seul dans une maison, même aussi misérable que celle-ci. Il sera victime d'un démon femelle. Je veux échapper à ce triste sort.

— De quelle manière ?

Gêné, le boiteux s'occupa de la marmite où bouillaient des légumes.

— Heureux le mari d'une bonne épouse, déclara Caleb, convaincu. Le nombre de ses jours sera doublé. Une femme forte réjouit son mari et lui assure des années de paix. Une telle femme est la plus grande des fortunes ! C'est le Seigneur qui l'accorde aux vrais croyants... même pauvre, le mari d'une telle épouse est heureux. La grâce d'une honnête femme rassasie son mari. Elle conserve la vigueur dans ses os. Elle le garde jeune jusque dans la vieillesse.

Hiram goûta le bouillon.

— Ce beau discours signifierait-il que tu as l'intention de te marier ?

Le boiteux se renfrogna.

— Peut-être... je veux dire sûrement. Avec une servante travailleuse et économe.

— Celle que tu as chassée, lorsque nous sommes arrivés à Jérusalem ?

Ebahi, Caleb regarda Hiram comme s'il était un diable surgi des profondeurs.

— Comment le savez-vous ?

— Simple déduction. Es-tu certain d'être heureux ?

L'architecte remplit un bol et le présenta à son chien qui lapa le bouillon avec application.

— Bien sûr. Je n'ai pas de dot à lui offrir, mais elle se contente de moi.

— Où irez-vous ?

— Dans un village de Samarie où ses parents possèdent une ferme.

— Ne redoutes-tu pas un excès de travail ?

— Il est préférable à la mort lente que vous m'infligez ici.

— Suis-je si cruel ?

— L'atmosphère de cette ville ne me convient plus. Rester votre serviteur devient risqué.

— N'exagères-tu pas ?

— Vous êtes un grand homme, Maître Hiram, mais vous appréciez mal le danger. Votre puissance finira par importuner Salomon. Il sera sans pitié.

— Tes prophéties ne se réalisent pas souvent.

— Si vous étiez raisonnable, vous partiriez avec moi.

— Me quitterais-tu vraiment, Caleb ?

Le dos tourné, le boiteux essuya une larme.

— Elle m'y oblige, Maître Hiram. Comprenez-moi.

— Tu étais mon ami.

Caleb n'avait plus faim.

— Je cours la rejoindre. Si je restais trop longtemps, je n'en aurais plus le courage.

Le pas du boiteux se fit plus lourd.

Hiram eut envie de le retenir. Mais de quel droit se serait-il opposé au destin d'un homme qui cherchait un autre bonheur ? L'architecte regretta de n'avoir pas assez conversé avec lui, de ne pas l'avoir initié aux mystères du Trait. Ce n'étaient plus que vaines pensées. Le boiteux s'éloignait déjà dans le sentier, menant un âne chargé de ses maigres biens.

Une truffe mouillée caressa la main d'Hiram. Son chien le remerciait d'un excellent repas. Dans les yeux de l'animal, il y avait un amour aussi clair que l'eau d'une source jaillissant de la montagne.

Quand ils virent apparaître Nagsara dans l'allée centrale de leur campement, les serviteurs de la reine de Saba se hâtèrent de la prévenir. Alertés par la rumeur, ils savaient que l'épouse de Salomon vouait une haine farouche à Balkis.

Précédée de deux soldats et suivie par plusieurs servantes, Nagsara portait un manteau d'apparat fermé par une fibule en or. Dans ses cheveux brillait un diadème de turquoise. Par sa vêture, elle conférait à sa visite un caractère officiel.

Balkis déjeunait sur la terrasse de son palais de bois. Une domestique lui parfumait les cheveux. Une autre versait du vin frais dans une coupe. La visite de la reine d'Israël sembla la ravir. Elle se leva et s'inclina.

— Quelle heureuse surprise, Majesté! Pardonnez ma tenue... Si vous m'aviez avertie, je vous aurais reçue avec le faste seyant à votre rang.

— Oublions le cérémonial, voulez-vous?

— Puis-je vous inviter à ma table?

— Je n'ai ni faim ni soif.

— Parlons sous le figuier. Je crois qu'il symbolise la paix, en Israël.

Les deux reines descendirent une pente douce menant au verger. Comme Nagsara paraissait frêle, presque fragile! La Sabéenne proposa à l'Egyptienne d'ôter son manteau et son diadème. Elle refusa sèchement. Balkis s'assit au pied de l'arbre, Nagsara demeura debout.

— Retournez chez vous, exigea-t-elle. Votre présence est pernicieuse.

— Votre voix tremble, observa Balkis. Vous êtes épuisée. Pourquoi ne pas vous reposer à mes côtés?

— Parce que je vous déteste!

— Je ne le crois pas. Vous souffrez, vous êtes malheureuse. Et vous savez que je n'en suis pas responsable.

Le trouble s'empara de l'âme de Nagsara. Elle s'était préparée à un violent affrontement, à une querelle si vive qu'elle y aurait engagé toutes ses forces afin de détruire l'adversaire. Elles se seraient battues, Nagsara aurait serré la gorge de Balkis dans ses mains, serré, serré encore... Mais la reine de Saba l'accueillait avec la bonté d'une sœur, sans agressivité. Son sourire la désarmait, sa douceur l'envoûtait.

— Je n'épouserai pas Salomon, déclara Balkis. Il m'a aimée, il est vrai, mais comme l'une de ses concubines. Que vous importe cette passion passagère, à vous la reine d'Israël, la garante de la paix entre l'Egypte et votre pays? Montrez-vous digne de vous-même, Nagsara. Votre rôle est immense.

L'Egyptienne éclata en sanglots, couvrant son visage d'un pan de son manteau. Balkis se leva et la prit tendrement par les épaules.

— Asseyez-vous près de moi.

Brisée, Nagsara obéit. Balkis ôta le diadème, sécha les larmes, partagea une figue.

— Nous sommes femmes et nous sommes reines. Voici la seule vérité. Salomon est l'homme du Seigneur des nuées. Aucun amour terrestre n'attachera son cœur. Conservez dans l'écrin de votre mémoire les moments de bonheur que vous avez vécus avec lui. J'agirai de même. Salomon est au-delà de ce temps et de ce pays, Nagsara ; il vit dans un espace que nous ignorons, en compagnie d'anges et de démons qui l'aident à construire son peuple.

— Ne pas être aimée de lui m'est insupportable.

— Qui le supporterait ? Toute femme, et vous plus qu'une autre, souhaiterait le garder dans les rets de sa passion. Mais aucune n'y parviendra.

— Vous... vous renonceriez ?

Les yeux de Nagsara pleuraient d'espoir. La reine d'Israël n'était plus qu'une petite fille, égarée sur les chemins de sa folie. Balkis comprit qu'il serait inutile de la raisonner. Elle n'avait d'autre raison de survivre que la croyance en l'amour retrouvé de Salomon.

— Oui, je renonce, dit Balkis avec gravité. Ne voyez plus en moi une rivale.

— Resterez-vous longtemps à Jérusalem ?

— Un mois peut-être. Je dois revoir le roi afin de mettre au point nos conventions diplomatiques et commerciales.

Nagsara s'inquiéta à nouveau.

— Vous... vous ne le tenterez plus ?

— Soyez sans crainte.

L'Egyptienne se sentait prise dans un tourbillon. Elle éprouvait de la vénération pour celle qu'elle aurait dû haïr. Mais Balkis lui rendait son bonheur volé. Ainsi, la flamme avait vaincu. En lui offrant sa vie et sa jeunesse, Nagsara avait écarté la reine de Saba. Que lui importait de sentir ses jours s'enfuir comme la gazelle du désert, puisque personne ne l'empêcherait plus de reconquérir Salomon ?

52.

Les dernières pluies de l'hiver avaient gonflé les cours d'eau et rendu verdoyantes les prairies. Judée, Samarie et Galilée se couvraient de fleurs jouant un concert de bleu, de rose, de rouge, de jaune et de blanc. Dans l'air transparent se répandaient des parfums sauvages, porteurs de la résurrection de la terre.

Israël s'embellissait. Le pays savourait un bonheur tranquille qu'il n'avait jamais connu dans le passé. Chacun louait la sagesse de Salomon, l'élu de Dieu. Chacun admirait le travail acharné de la confrérie de Maître Hiram qui, continuant de voyager d'un village à l'autre, inaugurait sans cesse de nouveaux chantiers. Avec son collège de neuf maîtres, il dirigeait une armée pacifique qui construisait maisons, fermes, fonderies, bateaux, chariots, ouvrait des carrières, rénovait l'urbanisme des villes. Pris par une frénésie de création, le Maître d'Œuvre prolongeait l'élan engendré par l'édification du temple et lui donnait un formidable essor.

Jérusalem la magnifique suscitait la jalousie des nations. Trônant sur le rocher, dominant les provinces, le temple de Yahvé et le palais du roi affirmaient la grandeur de l'Etat hébreu.

Salomon sortit de ses appartements, traversa la cour à ciel ouvert, emprunta le passage qui menait au parvis que quittaient les prêtres, après le sacrifice du matin. L'odeur de l'encens imprégnait les pierres. Assis sur les marches menant au temple, Maître Hiram avait répondu à la convocation du roi.

— Voilà bien longtemps que nous ne nous sommes entretenus.

— Je réside rarement à Jérusalem, Majesté.

— Ma capitale ne vous suffirait-elle plus ?

— J'ai des projets à vous proposer. Il faudrait aménager la ville basse, supprimer les ruelles insalubres, créer davantage de places ombragées.

Le soleil, fougueux comme un bélier, dispensait déjà une chaleur intense.

— Allons dans le vestibule du temple.

Hiram se montra réticent.

— Ma présence dans cet édifice ne choquera-t-elle pas les prêtres ?

— Vous l'avez construit, n'est-il pas vrai ? Je suis encore le maître de ce pays. Tous mes sujets me doivent obéissance.

Salomon n'était pas hargneux. Il parlait avec cette fermeté souriante qui désarmait ses adversaires. L'architecte sentit que le monarque avait décidé de le soumettre à rude épreuve. Dans sa voix perçaient des reproches.

Les deux hommes, sous l'œil indigné de quelques religieux, gravirent les marches les séparant des deux colonnes. Hiram admira les grenades couronnant les chapiteaux. Il en avait presque oublié l'éclat.

Quand il passa entre *Jakin* et *Booz*, l'architecte éprouva un sentiment de fierté. A ces pierres, il avait confié une partie de son être. A ce temple, il avait donné le meilleur de son art.

Fraîcheur et silence régnaient dans le vestibule du temple. La pièce vide écartait les passions humaines. Salomon avait espéré que l'endroit fût apaisant et lui ôtât le désir de parler à Hiram. Mais Yahvé ne lui accorda pas cette grâce. Ce que le cœur du roi avait conçu, sa langue devait l'exprimer.

— Mon peuple est heureux, Maître Hiram. Israël jouit de la paix du Seigneur. Pourtant, j'ai renforcé l'armée. Siamon se meurt. Je redoute la montée sur le trône d'Egypte d'un Libyen. Ce danger venu de l'extérieur, je saurai le conjurer. Il en est un autre, plus grave, contre lequel on me croit impuissant : vous, l'architecte de ce temple.

Hiram, bras croisés, observait les dalles du plafond aux joints parfaits, rivalisant de beauté avec celles de Karnak.

— De quelle menace suis-je donc porteur?

— Votre confrérie et ses mystères me nuisent.

— De quelle manière?

— Je ne la contrôle pas. Vous en êtes le seul maître. Consentez-vous à la remettre entre mes mains et à la placer sous ma souveraineté?

Hiram longea les murs du vestibule. Les artisans avaient réalisé le plan d'œuvre avec la plus exigeante des rigueurs. Le temple vivait, respirait. L'art du Trait avait transformé des blocs inertes en matière vibrante.

— Non, Majesté.

— En ce cas, il vous faudra la démanteler.

Hiram fit face à Salomon.

— Je suis le plus méprisable des naïfs. J'ai cru que vous ressentiez de l'amitié pour moi.

— Vous ne vous trompez pas. Mais un roi ne saurait admettre qu'un autre pouvoir s'opposât au sien à l'intérieur de son propre pays.

— Ce n'est pas mon intention, protesta Hiram.

— Peu importe. Seule la réalité compte.

— Ne comprenez-vous pas que je bâtis ce pays à l'image de l'Egypte? Par l'œuvre qui s'accomplit, grâce à ma confrérie, vous devenez le pharaon d'Israël.

— J'en suis conscient, mais vous avez agi en dehors de moi. Votre confrérie s'est développée à mon insu. Demain, l'ivresse du pouvoir vous prendra. Et vous ne lui résisterez pas.

— Vous me connaissez mal, Majesté.

— Je dois vous protéger contre vous-même.

— Si vous n'étiez pas un roi...

— Auriez-vous envie de me frapper afin d'éteindre votre fureur? Réfléchissez, Maître Hiram. Vous savez que j'ai raison. Si vous avez travaillé pour la grandeur de mon royaume, remettez-moi les clés de votre confrérie.

— Jamais.

Hiram sortit du temple, incapable de se contenir plus longtemps. Salomon avait prévu cette réaction. Porter le fer dans la plaie était indispensable. En s'opposant à l'homme qu'il admirait le plus, le roi sauvait Israël.

Hiram n'avait plus qu'une solution : quitter ce pays, retourner sans plus tarder en Egypte. Son sang lui brûlait les veines. Etre si près du but et échouer à cause d'un monarque qui se transformait en despote... Avant tout, il lui fallait disperser maîtres, compagnons et apprentis de sorte qu'ils échappassent à la vindicte de Salomon.

Devant l'entrée de la grotte se dressait une tente blanche et rouge. L'un de ses pans était relevé. Assis sur un pliant, l'envoyé de Pharaon.

— Votre chien n'a pas cessé d'aboyer pendant que je m'installais.

— Où est-il ?

— Derrière moi. Endormi. Il a compris que je venais en ami.

— De quelle mission êtes-vous chargé ?

— D'aucune. J'agis à titre personnel. Siamon se meurt. Pharaon ne peut plus vous protéger.

Anoup sortit de la tente et quêta des caresses.

— Me protéger ?

— Le vizir et la haute administration vous considèrent comme un traître. Ne retournez pas en Egypte. Vous y seriez arrêté et condamné. Nous ne nous reverrons plus. Je ne veux pas vous juger, j'ai de l'estime pour vous.

Abasourdi, Hiram regarda l'émissaire égyptien démonter sa tente, la plier, la placer sur le dos de son dromadaire et s'éloigner.

Un paria... Voilà l'état où était réduit l'architecte du temple de Yahvé. Israël le chassait, l'Egypte le refusait. Sa terre et son pays d'adoption le rejetaient également. Le désir qu'il avait réussi à étouffer déferla en lui comme un orage d'été remplissant d'une eau bouillonnante les ouadi asséchés.

Hiram et Balkis traversèrent les fameux jardins de Jéricho, près de l'embouchure du Jourdain. Lorsque l'hiver refroidissait la terre d'Israël, cette partie du paradis conservait une agréable douceur. Le printemps y était plus précoce que partout ailleurs. Les fruits s'y développaient vite, prenant des formes épanouies où le jus abondait. Dans cette cité des palmiers où du baume coulait du tronc des arbres, le Maître d'Œuvre, silencieux pendant le voyage depuis Jérusalem, parla enfin à la reine de Saba.

— Ce pays est une splendeur.

— Grâce vous soit rendue de me le faire découvrir, Hiram.

— Il est à l'image d'un amour heureux et riche de promesses.

Balkis se souvenait de l'arrivée d'Hiram, au petit matin, montant un étalon bai au tempérament nerveux. Sans dire un mot, il avait proposé un cheval noir à la reine. Sans hésiter, elle avait enfourché la monture, partant au galop dans le sillage de l'architecte. Ensemble, ils s'étaient enivrés de vitesse et d'air parfumé. Ensemble, ils avaient atteint cet Eden.

— Séjournerons-nous ici ? interrogea la reine.

— Je n'ai plus l'âge de rêver. Allons plus loin.

Les chevaux s'élancèrent en direction de la mer Morte. Passé le barrage des aulnes, la reine et l'architecte pénétrèrent dans une atmosphère lourde où la respiration devenait pesante ; ils affrontèrent un paysage désolé, presque privé de vie. Insupportable, une lumière blanche frappait les rocs nus bordant une immense étendue dans laquelle se perdaient de misérables ouadi. Çà et là, des croûtes de sel et des cônes de cristaux.

— Personne ne peut respirer dans cette détresse, remarqua Hiram. Ni animal, ni végétal... Seulement ces myriades de moustiques qui percent la peau.

Balkis mit pied à terre. Elle entra dans une eau turquoise qui lui parut huileuse. Elle tenta de s'y baigner, malgré l'odeur de minéral décomposé qui agressait ses narines. Mais son corps fut repoussé. Nager s'avérait impossible.

— Cette mer s'enfonce dans la terre, estima Hiram. Comme les montagnes qui la cloîtrent, elle refuse la présence humaine. Une porte de l'enfer...

— Pourquoi m'avoir amenée ici?

— Voici ce que je subis depuis plusieurs mois, Majesté. Aujourd'hui, ma décision est prise. Je veux connaître les jardins du paradis.

— Auriez-vous choisi?

— Partir pour Saba et y construire d'autres temples, d'autres palais : tel est mon vœu.

Balkis jugea radieux le paysage désolé. Dans la turquoise de la mer Morte, elle vit transparaître les collines verdoyantes de Saba, ses montagnes d'or, les bassins fleuris de sa capitale. Ainsi, sa persévérance triomphait. Elle avait réussi à séduire Hiram, cet homme inaccessible, trop fier pour accepter un amour. Un indicible bonheur transporta la reine de Saba sur les rivages plantés de tamaris de la rivière d'enfance où son corps de femme s'était éveillé au désir. Le Maître d'Œuvre l'arrachait au passé, au temps qui usait les âmes, la rendait insouciante et joyeuse.

Des ombres l'empêchaient encore de croire à ce miracle.

— Abandonneriez-vous votre confrérie?

— Je serais indigne et méprisable. De nombreux compagnons me suivront. Quant aux maîtres, je leur indiquerai la manière de me succéder; ils se disperseront. L'art du Trait sera transmis.

Balkis s'approcha d'Hiram.

— Pour moi, vous accepteriez la disparition de votre œuvre...

— Ce temple n'est qu'un temple. Ce que mes mains ont construit, d'autres mains le détruiront. Seule compte l'œuvre de demain.

— Votre amitié avec Salomon serait-elle rompue?

— J'ai déjà quitté cette terre.

Les lèvres de la reine de Saba effleurèrent celles d'Hiram. Ses seins se gonflèrent de sève. Ses yeux s'emplirent de larmes d'ivresse.

— Pas ici et pas maintenant, implora Hiram. A Saba, ma reine.

Après le départ du Maître d'Œuvre, Balkis demeura longtemps sur le rivage de la mer Morte. Elle inscrivit dans sa mémoire cet univers minéral et hostile où son existence se vêtait d'un manteau d'espérance et de merveilles. Hiram accomplissait le plus exigeant des sacrifices en abandonnant son chef-d'œuvre à un roi qui n'avait pas perçu la grandeur de son architecte. Quelle preuve plus éclatante d'un amour fou?

Bientôt, à Saba, la reine s'unirait à Hiram.

53.

Dans la grotte où il les avait initiés, Hiram réunit les neuf maîtres placés à la tête des corps de métier qui formaient la confrérie. Sur un papyrus déroulé, il traça les signes de reconnaissance qui lieraient à jamais ces hommes par des mystères connus d'eux seuls. Au plus sage, il confia son équerre et révéla les secrets de la coudée, les rapports de proportions qui, au-delà de tout calcul, lui permettraient de diriger la construction des édifices les plus ambitieux.

Hiram dénuda le bras droit de celui qu'il avait choisi comme successeur. Dans la saignée du coude, il imprima un sceau où figuraient l'équerre à branches inégales et la règle des Maîtres d'Œuvre.

— En toi s'incarne la vérité du Trait. Ton avant-bras sera désormais la mesure d'où découleront les clés de création. Que seuls les maîtres en aient la connaissance.

Puis Hiram fixa à ses disciples la charte de leurs devoirs. Il exigea un nouveau serment les engageant à n'admettre parmi eux qu'un compagnon soumis aux épreuves les plus rudes. Il leur demanda de quitter Israël avec les meilleurs artisans dès que se manifesteraient les premiers signes d'une oppression.

— Aucun d'entre nous n'est capable de vous succéder, objecta un maître. Chacun le sait, vous le premier. Pourquoi nous leurrer ?

— Continuez à travailler selon les lois que vous avez apprises. Soyez certains que je ne vous abandonnerai jamais, même si de grands espaces semblent nous séparer.

Plusieurs de ces êtres rudes, habitués à la souffrance et à la peine, pleurèrent. L'un d'eux exigea la promesse d'un retour. Comment la confrérie demeurerait-elle unie en l'absence de celui qui lui avait donné une âme?

— Aucun homme ne détient la sagesse, répondit Hiram. C'est la pratique de notre art qui fera de vous et de vos Frères des hommes accomplis. Oubliez-vous vous-mêmes et ne songez qu'à transmettre votre expérience. Pour ma part, j'ai décidé de conquérir un monde nouveau. Quand des temples seront érigés dans les plus grands pays de la terre, il n'y aura plus de frontières entre les âmes éprises de lumière.

Sachant leur entreprise vouée à l'échec, les maîtres renoncèrent à retenir Hiram. Ils convinrent que le Maître d'Œuvre devait d'abord échapper à la colère de Salomon, irrité par la puissance croissante de la confrérie. Ensuite, elle préparerait la venue de l'architecte dans un pays d'Orient où il deviendrait à nouveau le chef de tous les corps de métier.

La fête d'automne avait réuni la nation entière, communiant dans le culte de Yahvé et de Salomon. Le peuple était monté jusqu'au rocher sacré, sous la conduite des prêtres récitant les psaumes et chantant les hymnes composés par le roi. Les plus chanceux et les plus astucieux avaient réussi à atteindre le parvis où se pressaient des milliers de fidèles.

Une surprise attendait les dignitaires lors de la célébration du banquet offert par le palais : la présence de la reine Nagsara aux côtés de Salomon. Parée des bijoux les plus précieux, maquillée avec soin afin de masquer sa maigreur, l'Egyptienne semblait épanouie. Pendant le repas, elle sourit et conversa avec une gaieté qu'elle n'avait plus manifestée depuis plusieurs années. Elle écouta avec satisfaction les louanges adressées au souverain, s'intéressa à la rumeur concernant la déchéance possible de Maître Hiram, afficha sa satisfaction lorsque fut évoqué le départ probable de la reine de Saba qui n'avait pas été invitée aux cérémonies.

Au terme du banquet, Nagsara pria Salomon de l'accompagner jusqu'à ses appartements. Sur le seuil de sa chambre, elle le supplia d'entrer. Le roi résista. Ne vivaient-ils pas séparés depuis de nombreux mois ? Il céda devant l'insistance de l'Egyptienne. Quand elle s'effaça pour le laisser passer, il découvrit avec émerveillement un tapis de fleurs de lis et de jasmin.

— Voici le jardin où je désire à nouveau jouir de votre amour.

Nagsara ôta son diadème et s'agenouilla devant Salomon, embrassant ses mains. La nuit précédente, elle avait contemplé la flamme jusqu'à ce qu'elle pénétrât dans sa pupille et brûlât ses tourments passés. La jeune femme était possédée par une force dévorante qui la privait de toute liberté. Seul l'amour de Salomon l'en délivrerait.

L'Egyptienne, du bout de ses doigts aux ongles nacrés, fit lentement glisser les bretelles de la robe de lin sur ses épaules frissonnantes. Avec douceur, Salomon interrompit son geste.

— Je vous en supplie... laissez-moi m'offrir à vous !

Salomon perçut la présence du démon qui torturait son épouse.

— Tu es allée trop loin sur le chemin des ténèbres, Nagsara.

— Non, mon maître ! Je suis sûre que non... Vos caresses l'écarteront, vos baisers le détruiront !

— Tu te trompes. Mon amour est mort. Fût-il aussi ample que la crue du Nil, il ne t'épargnerait pas les tourments que tu as toi-même choisis.

Le roi pria le Seigneur des nuées. Ne lui accorderait-il pas un nouveau désir pour cette épouse adorante, un nouveau feu pour cette femme émouvante ? Mais Yahvé demeura muet. Salomon regarda Nagsara avec compassion. Lorsque ses mains se posèrent sur le front de l'Egyptienne, elles lui transmirent la chaleur qui mettait fin aux maladies les plus graves.

— Aimez-moi...

— Je t'aime, Nagsara, comme un père aime sa fille.

*
**

Au fond d'une taverne des faubourgs de Jérusalem, trois hommes conversaient à voix basse. Le maçon syrien, barbu et ventripotent, imposait sa faconde au charpentier phénicien, petit homme rusé à la fine moustache noire et au forgeron hébreu, un vieil artisan aux cheveux blancs et à la parole embarrassée. Compagnons appartenant à la confrérie d'Hiram, ils déploraient l'application trop stricte de la hiérarchie, l'autoritarisme des maîtres d'œuvre, le travail trop exigeant.

— Voilà longtemps que nous aurions dû obtenir la maîtrise, estima le maçon. Je connais mon métier à la perfection. Je pourrais l'enseigner à n'importe quel Frère. Le comportement d'Hiram est indigne.

— Je n'ai jamais protesté, ajouta le charpentier. Cette fois, c'en est trop.

— C'est également mon avis, compléta le forgeron. J'avais cru qu'Hiram serait un chef exceptionnel. En ne reconnaissant pas nos mérites, il a prouvé le contraire. C'est un nomade sans patrie.

— N'est-il pas originaire de Tyr?

— Il a trop de savoir... ses méthodes et son enseignement ressemblent à ceux d'un architecte égyptien.

— Salomon ne l'aurait pas engagé!

— Peu nous importe, trancha le maçon syrien. Hiram possède les anciens secrets qui confèrent aux maîtres pouvoirs et fortunes. Nous lui avons obéi pendant plusieurs années. Il nous doit la maîtrise.

— C'est la vérité, admit le forgeron. Comment la lui faire admettre?

— Parlons-lui. Convainquons-le.

— Et s'il refuse de nous entendre?

— Alors, nous utiliserons la force. Hiram n'est qu'un homme. Il cédera.

— Impossible, objecta le charpentier. Nous serons sévèrement châtiés par Salomon.

Le Syrien sourit.

— Sûrement pas. J'ai eu un long entretien avec le grand prêtre Sadoq. Il m'a appris que l'amitié entre le roi et l'architecte était sur le point de se rompre. Salomon veut prendre le contrôle de la confrérie. Voir Hiram en difficulté le satisfera. Quand nous serons maîtres, nous parviendrons bien à convaincre nos collègues de nous débarrasser de cet architecte prétentieux et de nous placer sous l'autorité du roi d'Israël.

Le Phénicien et l'Hébreu furent convaincus par le discours du maçon. Leur avenir était tracé.

***

Au terme des fêtes d'automne, les croyants quittèrent Jérusalem et regagnèrent leurs provinces. Maître Hiram appela au bord du Jourdain, dans la solitude d'une nature sauvage, la totalité des membres de sa confrérie. Plusieurs milliers d'ouvriers se rassemblèrent. Leur nombre avait grandi avec une rapidité aussi surprenante qu'inquiétante.

La plupart d'entre eux n'étaient que des tâcherons affectés par les apprentis à des travaux précis. Dans un bref discours, l'architecte les exhorta à la patience et au courage. S'ils savaient se montrer humbles et respectueux, ils accéderaient aux premiers mystères de la confrérie.

Ces jeunes hommes acclamèrent spontanément le Maître d'Œuvre. Beaucoup d'entre eux échoueraient pourtant. Mais la voix d'Hiram donnait à chacun l'envie de réussir.

Les tâcherons dispersés, l'architecte partagea le pain avec les maîtres, les compagnons et les apprentis. Du vin fut versé dans des coupes qui se levèrent ensemble à la gloire de l'art du Trait. Le maçon syrien, le charpentier phénicien et le forgeron hébreu se signalèrent par leur empressement à servir les maîtres et plus particulièrement Hiram, de sorte que le patron de la confrérie, lors du banquet, ne manquât ni de viande rôtie ni de galettes au miel.

L'architecte prit la parole à la fin des agapes. Il énuméra les œuvres réalisées par la confrérie, en commençant par le temple de Yahvé et le palais de Salomon puis en évoquant chantiers, fonderies, ateliers où ses Frères avaient appris à maîtriser la matière pour en faire jaillir la beauté la plus cachée. Ensemble, ils avaient revêtu Israël d'un premier manteau d'édifices. D'autres conquêtes se dessinaient.

Dans l'apaisante soirée d'automne, le verbe d'Hiram devint plus grave. Il annonça que les neuf maîtres exerceraient de nouvelles responsabilités. Ils choisiraient à l'unanimité les compagnons qui seraient initiés aux grands mystères lors de la nouvelle lune de printemps.

La fête de la confrérie s'achevait. Maître Hiram donna le baiser de paix à chacun de ses membres. Quand il se présenta devant le Maître d'Œuvre, le maçon syrien ne résista pas au désir de lui poser la question qui l'obsédait.

— Suis-je au nombre des compagnons élus ?

Le regard du Maître d'Œuvre exprima un tel courroux que le Syrien prit peur, reculant d'un pas.

— Ces paroles t'excluent pour longtemps du cercle étroit des futurs maîtres. Contente-toi de pratiquer ton métier avec rectitude. Si tu es digne des mystères suprêmes de notre confrérie, les maîtres sauront s'en apercevoir. Oublie ton ambition. Elle te conduirait à ta perte.

Comme ses Frères, le Syrien s'inclina et reçut l'accolade de Maître Hiram.

54.

Précédé des soldats de la garde royale, Salomon descendit de son palais jusqu'au campement de la reine de Saba. Prévenue par un badaud, la foule s'amassa le long du trajet suivi par le roi. Elle l'acclama avec un enthousiasme qui le laissa indifférent. L'invitation de Balkis l'inquiétait. Son majordome l'avait convié à un repas au cours duquel la reine souhaitait lui offrir un trésor des plus rares. Que cachait ce rituel inaccoutumé ?

A l'intérieur de la tente royale avaient été disposés des coussins de soie rouge et verte. Alanguie, presque abandonnée, Balkis dégustait les grains vermeils d'une grappe de raisin. De nombreuses places semblaient prévues pour les convives, mais aucune d'entre elles n'était occupée.

La porte de toile fut abaissée par le majordome.

— Etendez-vous, roi d'Israël, et partagez ces nourritures.

Sur la table centrale, des viandes rôties parfumées aux aromates, des légumes cuits à la vapeur dans des récipients en terre, des monceaux de pâtisseries et de fruits.

— Le vin de Judée est délicieux. Il ne possède pourtant pas le fruité de celui de Saba. J'en possède encore quelques jarres. Désirez-vous le savourer?

— M'auriez-vous choisi comme goûteur?

— Vous voici bien sévère. Je vous ai connu plus charmeur.

— Quel fabuleux trésor comptez-vous me léguer?

Balkis se leva avec grâce et posa la grappe sur un plat d'argent. Dans ses yeux se mêlaient le plaisir de défier un monarque à l'immense pouvoir et le désespoir né d'un échec.

— Mon départ, Salomon. Sa valeur est inestimable. Il vous rendra la sérénité et l'amour de votre épouse.

Un léger sillon se creusa dans le front du roi.

— Croyez-vous briser une passion par l'éloignement?

— Ce n'est pas la femme que vous aimez en moi, mais la reine. D'elle, vous espériez un traité d'alliance qui conforterait la paix à laquelle vous avez voué votre vie. Je signerai ce traité. Cette victoire-là, je vous la concède.

Salomon versa du vin dans deux coupes en or. Balkis accepta celle qu'il lui présenta.

— Si vous deveniez la souveraine d'Israël, nous régnerions sur un immense empire.

— Vous régneriez, Salomon. Vous, et vous seul. Je serais obligée de m'incliner devant vos décisions et de vous obéir. Je n'accepte ni vos coutumes ni votre religion. Les miennes me comblent. L'alliance, oui, la dépendance, non. Etre à jamais aimée de vous, oui. Vieillir à vos côtés comme une esclave, non.

Balkis s'assit. Salomon l'imita, prenant ses mains entre les siennes.

— Vous n'avez pas confiance en moi.

— Serais-je digne de ma fonction, si je cédais à un tel travers? Buvez, Salomon. Buvez à notre dernière rencontre. Eloignés, nous communierons dans une même harmonie. Ensemble, nous nous serions détruits.

— Je refuse. Une coupe vous attendra dans mon palais. C'est notre amour que vous boirez! Quand la nuit sera étoilée et que les torches illumineront notre chambre tendue de soieries, votre cœur s'ouvrira.

Salomon crut que la reine vacillait. Mais sa voix demeura égale.

— Il est un temps pour rire, dit-elle, et un temps

pour pleurer, un temps pour aimer et un temps pour se souvenir, un temps pour vivre et un temps pour mourir. Quand vous célébrerez le sacrifice de l'aube, je serai partie pour toujours.

Salomon avait la certitude que Balkis l'aimait. Il savait aussi qu'elle ne reviendrait pas sur sa décision.

— Confiez-moi la vérité. Acceptez au moins de me faire partager votre secret.

La reine hésita.

— Vous souffrirez.

— Je préfère la souffrance au doute.

Balkis se détourna. Elle n'avait plus le courage de regarder ce roi à la force rassurante.

— J'attends un enfant de vous. Ce sera un fils. Je l'appellerai Ménélik et il sera l'un des ancêtres sacrés de ma race. Adieu, roi Salomon.

Déserte, la salle du tribunal sommeillait dans la pénombre. Quand Sadoq y pénétra, une torche à la main, il discerna d'abord les boiseries de cèdre puis Salomon assis sur son trône. Un instant, il craignit que le souverain ne se fût transformé en statue.

— Majesté... Je vous cherche partout.

— Ne m'importune pas, grand prêtre.

— Pardonnez-moi d'insister... Une affaire de la plus haute importance.

Existait-il affaire plus importante que la perte de la femme aimée, portant en son sein le fils de son désir ? Salomon avait prié Yahvé de le faire lentement glisser dans le néant et dans l'oubli. Il avait rêvé de s'incorporer au trône de justice, de devenir pierre, inaccessible à la joie comme à la douleur.

— Me permettez-vous de parler, Majesté ? interrogea Sadoq, surpris par l'état de prostration du monarque.

Indifférent, Salomon leva la main droite avec lassitude. Le grand prêtre interpréta le geste comme un assentiment.

— Votre Maître d'Œuvre vous trahit.
Le regard de Salomon s'assombrit.
— De quelle manière ?
— L'enquête menée par des prêtres dignes de confiance n'a pas encore abouti à des conclusions claires, mais il semble probable que l'architecte se prépare à vendre les secrets de sa confrérie à des ennemis d'Israël.
Accablé, le roi se cala au fond du trône.
— A moi, il les refuse... Qu'y puis-je ? Hiram partira.
— On murmure qu'il ne sera pas seul.
Salomon s'avança, intrigué.
— Quelle est cette rumeur ?
— D'aucuns croient savoir que la reine de Saba l'aurait engagé.
Balkis et Hiram... Comment Yahvé autorisait-il cette invraisemblable mésalliance ? Pourquoi offensait-il aussi cruellement le roi d'Israël et le fidèle serviteur de son dieu ? De quelle faute lui tenait-il rancune ?
— J'ai pensé, Majesté, qu'il serait bon de rappeler à l'ordre le Maître d'Œuvre et de lui donner un sévère avertissement. C'est à vous qu'il doit sa fortune et sa gloire. C'est à Israël qu'il doit allégeance. L'homme est fier, rebelle, mais il pliera devant l'autorité. M'autorisez-vous à prendre les mesures nécessaires ?
Salomon ne pouvait plus agir directement. Evoquer la reine de Saba devant Hiram eût été s'avilir. Que Sadoq satisfît ainsi sa haine n'échappait point au roi. Mais l'architecte n'avait-il pas attiré la réprimande par son comportement indigne ? Las, meurtri, épuisé par une injuste souffrance qui l'éloignait de la sagesse, le roi accepta la proposition de son grand prêtre qui, cette fois, servait les intérêts et la grandeur du royaume.

Hiram procéda lui-même, devant la grotte, à la paye

des compagnons et des apprentis. Pour la dernière fois, il donnait à ces hommes le salaire correspondant à l'effort qu'ils avaient fourni. Il les connaissait tous, savait apprécier leurs mérites et conquérir leur estime. Comme d'ordinaire, la cérémonie se déroula dans le silence.

Le dernier apprenti parti, le Maître d'Œuvre nourrit son chien. Anoup s'endormit dès la fin du repas. Hiram monta au temple. Il voulait contempler cette œuvre à laquelle il avait donné tant d'années de sa vie, ces pierres où, conformément à sa mission, il avait incarné la sagesse de l'Egypte dans une forme nouvelle.

A l'aube, Balkis repartirait pour Saba. Quelques jours plus tard, après avoir donné à son successeur les ultimes instructions, Hiram la suivrait. Là-bas, sous la protection des montagnes d'or, ils s'aimeraient. L'architecte bâtissait déjà un palais aux mille ouvertures, des terrasses fleuries, des lacs de plaisance, un temple où le soleil entrait à flots. Il reconstruirait Saba dans un jaillissement de lumière. Il dédierait les monuments à ses Frères morts sur les bords du Jourdain, victimes de la trahison de Jéroboam et de sa propre imprévoyance. Comment pourrait-il expier cette faute qui hantait sa mémoire, sinon en créant et en créant encore ?

Les parvis étaient déserts. Les prêtres se reposaient. Le mince croissant de la lune nouvelle dispensait une faible clarté. Le Maître d'Œuvre se souvint du chantier, de l'atelier du Trait, des gestes justes au moment juste, de l'enthousiasme des artisans, du feu qui animait les mains et les cœurs, de la communion qui annihilait fatigues et déceptions. Peut-être préférait-il ces heures d'angoisse et d'espérance à l'œuvre finie, l'exaltation de l'inconnu aux murs dressés et aux salles achevées. Mais peu importaient ses choix. Son rôle consistait à mener le travail à son terme, sans bénéficier des fruits du labeur.

Hiram perçut une lueur à l'occident, du côté de la vallée du Tyropéon. Quelqu'un venait d'éteindre précipitamment une torche. Intrigué, l'architecte marcha vers l'endroit où avait lui la flamme.

Un homme se tenait dans les ténèbres.

— Qui es-tu?

— Un compagnon de la confrérie.

Hiram, habitué à l'obscurité, reconnut le forgeron hébreu. Ses cheveux blancs brillaient dans la nuit.

— Que fais-tu ici?

— Je désirais vous parler.

— Adresse-toi au maître chargé de ton instruction.

— Je n'ai plus besoin de son enseignement. Je suis digne d'accéder aux grands mystères. Donnez-moi le mot de passe des maîtres et initiez-moi à leurs pouvoirs.

— As-tu perdu la raison? Jamais je ne céderai à une telle demande.

— Même au péril de votre vie?

Le forgeron brandit un marteau. L'architecte ne recula pas.

— Donne-moi cet outil, exigea Hiram. Regagne les bords du Jourdain, remets-toi au travail et j'oublierai cette folie.

La parole embarrassée, hésitant, l'Hébreu laissa pourtant libre cours à sa hargne.

— Le mot de passe.

Hiram tendit la main. Le compagnon le frappa à la tête. Le sang jaillit. Aveuglé, Hiram marcha en direction du nord. Il se heurta au maçon syrien.

— Je suis compagnon, moi aussi. Donnez-nous le mot de passe. Il nous revient de droit.

— Jamais! s'exclama Hiram. Quels démons vous habitent...

— Vite, Maître Hiram. J'ai perdu patience.

Le Maître d'Œuvre tenta de s'éloigner, mais son agresseur, barbu et corpulent, lui enfonça un ciseau dans le flanc gauche.

Le forgeron et le maçon, abasourdis par leur propre audace, se rejoignirent. Ils n'osaient poursuivre leur victime. Hiram, malgré ses blessures, parvenait à s'enfuir vers l'orient. Mais le charpentier phénicien sortit des ténèbres et lui barra le passage.

— Ne vous obstinez pas davantage. Donnez-nous le mot de passe et jurez de ne prononcer aucune sanction contre nous.

Menaçant, le petit homme à la fine moustache noire serrait dans la main gauche un lourd compas de fer.

— Va-t'en, ordonna Hiram d'une voix faible.

— Assez d'obstination ! s'emporta le Phénicien. Le mot de passe !

— Plutôt la mort.

— Puisque tu la désires, la voici !

Furieux, le charpentier enfonça la pointe du compas dans le cœur du Maître d'Œuvre.

— Pourquoi, Salomon, pourquoi ? murmura Hiram avant de s'effondrer sur le dos.

Son cadavre couvrit trois dalles du parvis. Les assassins le contemplèrent longuement. Chacun rejeta sur les deux autres la responsabilité du crime.

— Ne l'abandonnons pas ici.

Otant leurs tabliers de peau qu'ils nouèrent ensemble, les artisans formèrent un linceul dont ils enveloppèrent le corps de l'architecte.

— Comme il est lourd, se plaignit le Phénicien.

— Passons par le sentier, recommanda le Syrien. Dépêchons-nous, on pourrait nous surprendre.

Balkis avait avancé l'heure de son départ. En consultant un miroir d'or où était caché le rayonnement de la grande déesse de Saba, elle avait entendu la voix de l'oracle l'enjoignant de quitter Israël au milieu de la nuit.

Un orage se déchaîna lorsque l'éléphant blanc de la reine sortit du camp de tentes. Balkis parvint à calmer l'animal, effrayé par une succession d'éclairs, suivis d'une pluie battante. Quand le pachyderme, malgré le vent violent, adopta le pas tranquille qui rythmerait l'avancée de la caravane des Sabéens, la reine se sentit soulagée. Elle échappait enfin à l'emprise de Salomon. Au terme d'un long voyage, elle monterait sur la plus haute terrasse de son palais et ne cesserait de fixer l'orient d'où viendrait Hiram, l'homme auquel elle unirait sa vie.

La pluie tombait avec tant d'abondance que les eaux du Cédron s'enflaient déjà. L'éléphant traversa le torrent de boue. Quand le dernier Sabéen toucha l'autre rive, le niveau des eaux avait effacé les gués.

La nuit était si noire et si tourmentée que Balkis n'aperçut pas, sur la pente du val du Cédron, trois hommes se diriger vers un tertre devant lequel ils déposèrent leur fardeau. Là, ils creusèrent à la hâte une fosse où ils jetèrent le cadavre du Maître d'Œuvre. Le Syrien et le Phénicien détalèrent. L'Hébreu, pris de remords, voulut honorer le défunt. Il cassa la branche basse d'un acacia et la planta dans la terre recouvrant la dépouille.

Balkis, en route pour Saba, le pays de l'or et du bonheur, était passée tout près du corps supplicié du Maître d'Œuvre.

55.

Salomon galopait dans la plaine de Jérusalem. Touchant à peine le sol de ses sabots ferrés d'or, son cheval semblait voler. Fuyant son palais et la coupe remplie d'un vin que ne boirait jamais la reine de Saba, le roi avait parcouru la campagne des jours durant, espérant fuir la douleur qui l'oppressait.

Il ne supportait pas l'absence de Balkis. Avec son départ s'évanouissait la promesse d'un bonheur chaud comme un lac d'été. Cette femme lui aurait montré un nouveau chemin vers la sagesse. Avec elle, il aurait formé un couple capable d'instaurer la paix dans l'univers.

Quand le soleil de midi se teinta de noir sur son pourtour, Salomon crut que ses yeux défaillaient. Le phénomène persista quelques secondes. Le roi sut qu'un être cher venait de mourir. Bien que l'astre eût recouvré son éclat, il éperonna sa monture et s'élança à vive allure vers sa capitale.

Le grand prêtre l'accueillit sur le seuil du palais.

— Votre épouse est morte, révéla Sadoq. Elle n'a cessé, jusqu'au dernier soupir, de vous appeler.

Nagsara était étendue sur un parterre de jasmins et de lis, les mains crispées sur sa gorge, là où avait été gravé le nom d'Hiram à présent effacé.

Salomon embrassa sur le front la fille de Pharaon.

— Convoquez mon Maître d'Œuvre, ordonna Salomon. Combien de fois faudra-t-il le répéter ?

— Il a disparu, avoua Elihap.

— Demandez au général Banaias de vous aider.

— Nous avons retrouvé son chien, Anoup. Il s'est laissé mourir de faim, dans la grotte.

— Hâtez-vous. Je veux voir Hiram sur l'heure.

Le secrétaire s'inclina et sortit du bureau de Salomon à pas précipités. Le soir même, il amenait au palais des paysans habitant près du val du Cédron. L'un d'eux affirmait avoir vu trois membres de la confrérie d'Hiram transporter un lourd fardeau, la nuit de l'orage qui avait dévasté champs et maisons. Interrogé par Salomon, il se rétracta et demanda une coupe remplie d'eau. Lui et ses compagnons se lavèrent les mains, répétant la même formule : « Nos mains n'ont pas versé de sang et nos yeux n'ont rien vu. » Ainsi s'innocentaient-ils rituellement d'un crime éventuel.

Le lendemain, le roi reçut les neuf maîtres dirigeant la confrérie. Ils lui révélèrent que trois compagnons s'étaient vantés auprès d'eux de leur abominable forfait, espérant que le successeur d'Hiram leur saurait gré de l'avoir débarrassé d'un despote. N'avaient-ils pas agi avec la protection du roi Salomon ?

— C'est une ignominie ! protesta le monarque. Où sont ces hommes ?

— Déçus par notre refus de leur accorder la maîtrise, dit le porte-parole des neuf maîtres, ils se sont enfuis. Hiram a été assassiné. Nous voulons retrouver son corps.

— Je peux vous aider.

— Vous ne faites pas partie de notre confrérie, Majesté.

— N'obligez pas un roi à vous supplier. Cet hommage, je le dois à un génie qui fut mon ami.

Les neuf maîtres suivirent Salomon qui, au sortir de l'esplanade sacrée, prit le sentier le plus abrupt menant au val du Cédron. Sa vision était hantée par le personnage du Maître d'Œuvre vêtu du manteau de pourpre, lors de l'inauguration du temple. Les vibrations du sceptre que le roi tenait devant lui indiquaient la voie à suivre.

Quel crime avait-il commis, lui, Salomon, en accordant à Sadoq le droit de châtier Hiram ? Sans vouloir se l'avouer, n'avait-il pas trahi l'architecte ? Par sa lâcheté, n'avait-il pas condamné à mort le seul homme qu'il avait envié ?

A l'approche du tertre, le sceptre devint brûlant.

— C'est ici, constata l'un des maîtres. Voyez la terre remuée et l'acacia.

Les Frères d'Hiram creusèrent et dégagèrent le corps. Le visage du Maître d'Œuvre était apaisé, presque souriant. Son propre sang lui servait de manteau de pourpre. Les maîtres formèrent un cercle autour du cadavre et célébrèrent en silence la mémoire du chef de la confrérie.

— Maître Hiram reposera dans les fondations de son temple, décida Salomon, sous le Saint des saints.

*
**

Les plaques blanchâtres sur la peau des malades ne laissaient subsister aucun doute. La lèpre se propageait dans les quartiers bas de Jérusalem. Inexorablement, elle rongerait les visages. La plupart des membres de la confrérie, sur l'ordre des neuf maîtres, avaient pris la route, gagnant les pays voisins.

Dans les villages et les petites villes, l'organisation mise en place par Hiram fut démantelée. On chassa les derniers apprentis. Des artisans inexpérimentés s'emparèrent des ateliers et les remplacèrent par des échoppes. A quoi aurait servi une confrérie de bâtisseurs dans un pays où les grands travaux étaient achevés ?

Salomon ne s'opposa pas à la destruction de la communauté créée par Hiram. Qui d'autre aurait pu la diriger ?

Cédant aux supplications du peuple, le roi utilisa l'anneau de la puissance afin d'apaiser les vents qui amenaient la peste. L'invocation achevée, le précieux objet tomba sur les dalles du parvis et se brisa. L'épidémie fut néanmoins enrayée.

L'hiver qui suivit l'assassinat du Maître d'Œuvre fut, de mémoire d'ancien, le plus rude jamais vécu. La neige tomba des jours durant, recouvrant même les plaines de Samarie et de Judée. Les pentes des montagnes étaient devenues des glaciers. Le culte de Yahvé se réduisait à de brèves cérémonies car le vent violent qui soufflait sur le rocher de Jérusalem empêchait les prêtres d'allumer le feu des sacrifices. Des brindilles de gel leur fouettaient le visage, des pluies givrantes attaquaient les autels. Circuler dans les rues de la capitale s'avérait difficile. Les habitants ne songeaient qu'à se tasser dans leurs demeures autour d'un fourneau ou d'un brasero. Le *qadim*[1], venant de l'est, déferlait en rafales sur la cité de Salomon et créait des tourbillons sur la mer de Galilée.

Sadoq, qui tenait à rendre hommage à Yahvé, mourut d'une embolie au pied du grand autel. Il fut enterré à la sauvette. Le roi ne nomma pas d'autre grand prêtre. Lorsque le général Banaias gagna à son tour les vallées d'outre-tombe, le monarque, déjà chef suprême des armées, se contenta de former un état-major réduit.

Balkis partie, Hiram assassiné, Nagsara consumée par le désespoir, à qui Salomon aurait-il pu se confier ? Les trois êtres qu'il avait aimés avaient fui Israël, comme si la paix due au roi n'avait touché ni leur cœur ni leur âme, comme si une malédiction pesait sur le destin de la Terre promise.

La sagesse l'avait abandonné. Il n'avait pas su aimer la fille de Pharaon. En trahissant Hiram, il s'était privé du seul homme qui ne l'aurait jamais trahi. En ne parvenant pas à retenir la reine de Saba, il avait prouvé son impuissance à se faire aimer de plus grand que lui.

Salomon s'enivra du monde et de ses folies.

Chaque soir fut célébré un banquet emplissant le palais de danses, de chants et de plaisanteries d'ivrognes. Les convives furent gavés de viandes rôties et abreuvés de flots de vin. Les diplomates étrangers ne tarirent pas d'éloges sur l'hospitalité du roi et la luxuriance de sa cour.

1. Vent pouvant être aussi violent que le khamsin.

Le monarque ne leur offrait pas que les plus grands crus provenant des vignes de tout l'Orient. Des jeunes femmes aux formes admirables réveillaient les désirs les plus blasés. S'asseyant sur les genoux d'hommes dépravés, elles se dénudaient au fur et à mesure des agapes qui se transformaient en orgies où caresses et baisers agrémentaient les mets. Aux courtisanes les plus expertes se joignirent de jeunes vierges qui excitèrent les convoitises et ajoutèrent au prestige des fêtes de Salomon.

Plusieurs années s'écoulèrent ainsi, sans que le roi rendît la justice. Il avait abandonné le gouvernement du royaume à une cohorte de fonctionnaires dirigée par Elihap. Sérieux, travailleur, le secrétaire du roi suppléa avec talent son souverain, ne sollicitant son avis que dans les affaires les plus délicates. Avec son accord, il avait augmenté le nombre des soldats dès que le Libyen Sheshonq, à la mort de Siamon, était monté sur le trône d'Egypte. Jéroboam avait aussitôt encouragé le nouveau pharaon à préparer la guerre contre Israël. Mais le Libyen se montrait prudent, de peur d'essuyer un grave revers. Il préféra le *statu quo*.

Les nombreuses épouses du roi, originaires des pays les plus divers, réclamèrent des temples et des autels pour adorer leurs divinités favorites. Salomon commença par refuser. Quand, à l'issue d'une conspiration, elles se refusèrent à lui toutes ensemble, il céda. Sur les collines, au sommet des monts, au fond des vallées, dans les villes comme dans les villages, s'érigèrent des sanctuaires païens où vinrent prier les épouses de Salomon. Ne furent pas épargnés les lieux les plus reculés où avait séjourné l'Arche d'alliance, où les patriarches avaient entendu la voix de Yahvé. A la source des fleuves, sur les rivages de la mer, au seuil du désert furent vénérées d'obscures idoles abritées dans des huttes de terre, des édifices en bois trônant dans des portiques ou des allées d'animaux monstrueux.

Salomon ne croyait plus en Yahvé. Il pria chacune de ces divinités étrangères, espérant que l'une d'elles lui accorderait le repos qu'il ne trouvait pas dans la jouissance et dans l'ivresse. Le peuple protestait en silence.

Salomon violait la loi du dieu unique, mais le pays restait riche et prospère, enraciné dans une paix durable, source de tous les bonheurs. Le roi n'avait-il pas la maîtrise des esprits ? Ne possédait-il pas davantage de science que n'importe quel autre homme de la terre ? Ne rédigeait-il pas les plus beaux des poèmes, déclamés par les plus fameux aèdes à la cour des plus illustres souverains ? La sagesse de Salomon n'était-elle pas admirée des plus puissants et ne garantissait-elle pas la joie d'Israël ?

L'âge venant, Salomon reprit en mains les rênes du royaume. Après le plaisir, ce fut de travail qu'il s'étourdit. Elihap relégué dans une fonction subalterne, le monarque examina chaque document, reçut chaque fonctionnaire, régla chaque détail administratif. La clarté de son intelligence apporta de nombreuses améliorations à la gestion des provinces et au commerce avec l'étranger. Le trésor s'enrichit. Chaque Hébreu mangea à sa faim. Chaque naissance fut accueillie comme une bénédiction dans des familles célébrant les fêtes avec ferveur et rendant grâce au Seigneur de vivre sous l'autorité du plus bienveillant des souverains.

***

Le roi sans âge avait atteint la vieillesse. Sa beauté n'était pas altérée. Sur le visage parfait, une seule ride, à peine visible. La paix préservée, un peuple heureux, un pays respecté... Salomon n'avait connu aucun échec dans son rôle de monarque. En prononçant ses jugements, il n'avait lésé aucun de ses sujets.

Salomon était seul. Il n'avait ni fils, ni ami, ni conseiller. Personne ne le comprenait. Personne ne tentait de percer le mystère de son cœur. Le roi ne se révoltait plus contre Yahvé. Il ne priait plus aucune divinité. Le désespoir était sa nourriture quotidienne. Justes et scélérats, hommes et bêtes ne s'acheminaient-ils pas vers le même néant ? Ne sortaient-ils pas de la poussière des étoiles pour retourner à celle de la terre ?

Celui dont on vantait la sagesse se heurtait à un mur

infranchissable : l'œuvre divine. Il n'avait déchiffré aucun de ses arcanes. Il savait, désormais, que personne n'y parviendrait. Tout n'était que vanité.

Quand le printemps fleurit, Salomon comprit qu'il serait le dernier. Il sortit du palais et se dirigea vers le temple où il n'était pas entré depuis tant d'années. Seul dans le Saint des saints, il n'entendit pas la voix de Dieu mais vit l'avenir.

Un avenir où la paix était brisée, où les tribus d'Israël se déchiraient à nouveau, où des armées avides de sang envahissaient le pays, où le sanctuaire de Yahvé était pillé et détruit. Un avenir où la Terre promise serait gouvernée par des hommes faibles, suivant une politique misérable, ne cherchant qu'à satisfaire leurs plus bas instincts. Un avenir où le peuple ne se reposerait plus sous le figuier et l'olivier en prenant du bon temps. Salomon sut que, dès qu'il mourrait, son œuvre serait anéantie. Rien ne lui survivrait.

Le roi déposa sa couronne et son sceptre, ôta son manteau brodé de fils d'or. Il descendit le sentier menant au val du Cédron et partit en direction du désert. Sur son chemin, il cassa une branche dont il se fit un bâton. Le jeune soleil lui brûlait le front. Bientôt, ses pieds furent douloureux. Mais il marcha et marcha encore, comme le plus humble des pèlerins.

Salomon avait décidé de progresser dans la solitude jusqu'à ce qu'un signe de Dieu se manifestât. N'avait-il pas la certitude, à présent, que réussite et échec étaient vanité, comme joie et douleur ? Pour lui, il ne subsistait qu'un passé s'évanouissant déjà dans un horizon brisé. Pour son peuple subsistaient des années de plénitude et de sérénité qui laisseraient une trace dans la mémoire d'Israël. Peut-être, dans un temps si lointain que la pensée du roi ne pouvait le percevoir, serait-elle le ferment d'une nouvelle ère de paix.

Les hauteurs de Jérusalem n'étaient plus visibles. Le temple avait disparu. Bien qu'à bout de forces, Salomon poursuivit son chemin. Il n'avait plus de but, plus de raison de lutter, sinon cette quête éperdue d'une sagesse inaccessible qu'il eût tant aimé entrevoir, sinon conquérir.

Lorsque le cœur lui manqua, le vieux souverain s'arrêta au pied d'un acacia en fleur. Dieu ne lui avait pas parlé mais, dans la clarté du printemps, il distingua les contours d'un visage immense, aussi large que la terre, aussi haut que le ciel, le visage de Maître Hiram, grave et souriant, empreint d'une sagesse paisible.

Le Maître d'Œuvre lui pardonnait sa trahison. Il l'attendait de l'autre côté de la mort. Salomon s'adossa à l'acacia et s'endormit dans la lumière.

LE DOSSIER D'UN ROMAN

Salomon fut le contemporain du Pharaon Siamon, « le fils d'Amon », l'aimé de Maât. Siamon, qui appartient à la vingt et unième dynastie égyptienne, régna de 980 à 960. Sa capitale était établie à Tanis, dans le Delta. Vainqueur des Philistins, il comprit, comme Salomon, qu'une paix durable ne pouvait être instaurée au Proche-Orient sans une alliance réelle entre Egypte et Israël. Sur cette période, voir Alberto R. Green, *Salomon and Siamun : A Synchronism between Early Dynastic Israel and the Twenty-First Dynasty of Egypt, Journal of Biblical Literature,* 97 (1978), p. 353-367.

Salomon fut un véritable pharaon. Il s'inspira de la monarchie égyptienne pour gouverner Israël. Voir notamment M. Gavillet, *L'Evocation du roi dans la littérature royale égyptienne comparée à celle des Psaumes royaux et spécialement : le rapport roi-Dieu dans ces deux littératures, Bulletin de la Société d'Egyptologie de Genève* 5 (1981), p. 3-14 et 6 (1982), p. 3-17 ; A. Malamat, *Das davidische und salomonische Königreich und seine Beziehungen zu Ägypten und Syrien. Wien, Osterreichische Akademie der Wissenschaften, Phil.-hist. Klasse Sitz.* 407.

Sur le rapprochement entre la pyramide de Djeser et le temple de Salomon, deux monuments répondant l'un et l'autre au désir de créer l'unité sacrée d'un pays, voir J. A. Wainwright, *Zoser's Pyramid and Solomon's Temple, The Expository Times,* Edinburgh 91 (1979-1980), p. 137-140.

Voici, exprimées en coudées, les principales mesures du temple de Salomon :

Les deux colonnes : 18 coudées de haut.
Chapiteaux des colonnes : 5 coudées.
Largeur du temple : 20 coudées.
Longueur de l'ulam (le vestibule) : 10 coudées.
Longueur du hêkal (le Saint) : 40 coudées.
Longueur du debîr (le Saint des saints) : 20 coudées.

Sur la fille du pharaon Siamon devenue l'épouse de Salomon, voir M. Gorg, *Pharaos Tochter in Jerusalem oder : Adams Schuld und Evas Unschuld, Bamberger Universitäts-Zeitung,* Bamberg 5 (1983), p. 4-7 et *Die « Sünde » Salomos, Biblische Notizen,* Bamberg, Heft 16 (1981), p. 42-59. L'auteur montre que la fille de Pharaon introduisit à la cour de Salomon le culte de la déesse serpent égyptienne Renenoutet, à la fois « bon génie » et protectrice de la fertilité.

Sur l'influence de l'Egypte sur l'architecture et l'administration à l'époque de Salomon, voir G. W. Ahlstrom, *Royal Administration and National Religion in Ancient Palestine,* Leiden, 1982 ; H. Cazelles, *Administration salomonienne et terminologie administrative égyptienne, comptes rendus du groupe linguistique d'études chamito-sémitiques,* 17 (1972-73), 1980, p. 23-25.

Sur l'origine égyptienne de nombreux textes attribués à Salomon, voir O. Ploger, *Sprüche Salomos* (*Proverbia*), Neukirchen-Vluyn, 1984.

Plusieurs auteurs arabes notent que les Sabéens,

adorateurs du soleil, venaient en pèlerinage à la Grande Pyramide. Ils estimaient que les pyramides du plateau de Guizèh étaient consacrées aux étoiles et aux planètes. Là était enterré Sab, fils d'Hermès, qui avait donné son nom à leur peuple.

Sur un lien possible entre la célèbre reine-pharaon Hatchepsout et la reine de Saba, voir Eva Danelius, *The Identification of the Biblical « Queen of Sheba » with Hatshepsut*, *Kronos*, Glassboro, N.J. 1, nº 3 (1976), p. 3-18 et nº 4 (1976), p. 9-24. Sur la légende de la reine de Saba et le contexte historique et archéologique, W. Daum, *Die Königin von Saba. Kunst, Legende und Archäologie zwischen Morgenland und Abendland.* Stuttgart und Zürich, 1988.

Achevé d'imprimer en juillet 1996
sur les presses de l'Imprimerie Bussière
à Saint-Amand (Cher)

POCKET - 12, avenue d'Italie - 75627 Paris Cedex 13
Tél. : 44-16-05-00

— N° d'imp. 1352. —
Dépôt légal : janvier 1991.

Imprimé en France

POCKET - 12, avenue d'Italie - 75627 Paris Cedex 13
Tél. : 44-16-05-00

— N° d'imp. 1353. —
Dépôt légal : janvier 1991.

Imprimé en France